ГИЙОМ
МЮССО

Guillaume Musso

ГИЙОМ МЮССО

Guillaume Musso

прошло семь лет...

ЭКСМО
Москва
2013

УДК 82(1-87)
ББК 84 (4Фра)
М 98

Guillaume Musso
7 ANS APRES

Перевод с французского *Марианны Кожевниковой*
Художественное оформление *Петра Петрова*

Мюссо Г.

М 98   Прошло семь лет... / Гийом Мюссо ; [пер. с фр. М. Кожевниковой]. — М. : Эксмо, 2013. — 352 с. — (Романтика и страсть. Проза Гийома Мюссо).

ISBN 978-5-699-65819-0

В том, что брак Себастьяна Лараби и Никки Никовски распался, не было ничего удивительного. У аристократичного, прекрасно образованного Себастьяна и взбалмошной, не обращающей внимания на условности Никки не было ничего общего. Лишь одно их объединяло: оба обожали своих детей, близнецов Джереми и Камиллу.

Когда Джереми исчез, они забыли о семи годах «холодной войны», о взаимных обидах и претензиях. Теперь они снова пара и не остановятся ни перед чем, чтобы спасти своего ребенка.

УДК 82(1-87)
ББК 84(4Фра)

ISBN 978-5-699-65819-0

Часть первая
A ROOFTOP IN BROOKLYN[1]

1

Уютно свернувшись клубком под одеялом, Камилла наблюдала за дроздом, усевшимся на карнизе. Там, за окном, веселился осенний ветер и светило солнце, бросая сквозь листву золотые блики на стекла. Всю ночь шел дождь, а сейчас, поутру, небо сияло безоблачной синевой, обещая чудесный октябрьский денек.

В изножье кровати золотистый ретривер поднял голову и нацелил на девочку черный нос.

— Иди сюда, Бак! Иди, мой хороший, — позвала она, похлопывая ладонью по подушке.

Пес не заставил себя ждать. Одним прыжком очутился рядом с хозяйкой, рассчитывая получить положенную поутру порцию ласки. Камилла поглаживала крутой собачий лоб, трепала висячие уши, наконец сурово приказала себе:

— Подъем, чмо ленивое!

---

[1] Бруклинская крыша (*англ.*). Строчка из песни в фильме «Бруклинские полицейские».

И с сожалением выбралась из теплого гнезда. Мигом оделась, влезла в кроссовки, накинула ветровку, кое-как заколола длинные светлые волосы.

— Вперед, Бак! Шевелись, толстячок! Пошли бегать! — позвала она собаку и сама помчалась вниз по лестнице, которая вела в просторный холл.

Все три этажа элегантного таунхауса из коричневого камня выходили в атриум со стеклянной крышей, сквозь которую проникал естественный свет. Вот уже третье поколение семейства Лараби владело этим таунхаусом.

Дом был старым, зато интерьеры современными, строгими, без излишеств. Большие светлые комнаты, на стенах картины 20-х годов кисти Марка Шагала, Тамары де Лемпицка, Жоржа Брака. Несмотря на картины, минималистское убранство напоминало скорее особняки Сохо или Трайбека, а не консервативный Верхний Ист-Сайд.

— Папа! Ты тут? — осведомилась Камилла, входя в кухню.

Налила себе стакан холодной воды и огляделась. Отец уже позавтракал. На лакированной стойке стоит чашка с остатками кофе, а возле кусочка рогалика лежит «Уолл-стрит джорнал», газета, которую Себастьян Лараби имеет обыкновение просматривать по утрам. И рядом номер «Строд»[1].

Прислушавшись, Камилла различила шум текущей воды. Скорее всего, отец задержался в ванной.

— Эй! — Она шлепнула Бака и захлопнула дверцу холодильника, не дав ему возможности позавтра-

---

[1] Специализированный журнал, посвященный струнным инструментам.

кать остатками жареной курицы. — Потом поешь, обжора!

Нацепила наушники, выскочила за порог и потрусила, не спеша, по улице вместе с Баком.

Таунхаус Лараби поместился между Мэдисон и Парк-авеню, примерно на уровне Семьдесят четвертой улицы, в небольшом кармане, обсаженном деревьями. Несмотря на утренний час, в квартале кипела жизнь. Поток такси и автомобилей обтекал частные особняки и роскошные отели. Застегнутые на все пуговицы, швейцары в униформах прибавляли оживления шумному балету, подзывая yellow cabs[1], открывая дверцы, укладывая вещи в багажники.

Камилла добежала трусцой до Millionaire's Mile, аллеи миллиардеров, где вдоль Центрального парка выстроились самые знаменитые в Нью-Йорке музеи: Метрополитен, Гугенхейм, Новая галерея...

— Бежим, бежим, дурашка! Сначала бег, потом обед! — подбодрила она Бака и прибавила ходу, торопясь добраться до дорожки для джоггинга.

Услышав, что дверь за Камиллой захлопнулась, Себастьян Лараби вышел из ванной. И сразу же отправился к ней в комнату. Он вменил себе в обязанность еженедельно инспектировать ее, учитывая трудности переходного возраста.

Он был в дурном настроении, хмурился, супил брови, чувствуя, что Камилла с некоторых пор не так откровенна, стала хуже заниматься, меньше играет на скрипке.

---

[1] Такси (*англ.*).

7

Себастьян оглядел комнату: просторная, в пастельных девичьих тонах, располагает к покою и поэтичности. Прозрачные занавески на окнах золотятся на солнце. На просторной кровати разноцветные подушки и сбитое в ком одеяло. Машинально он отодвинул одеяло в сторону и уселся на постель.

Первым делом взялся за смартфон, который лежал на тумбочке. Без тени смущения набрал четыре цифры секретного кода, успев тайком подсмотреть его, когда дочка кому-то звонила, сидя с ним рядом и ничуть не прячась. Смартфон разблокировался. Себастьян почувствовал, как в кровь поступает адреналин.

Вторгаясь в интимную жизнь дочери, он всякий раз боялся открытий, которые может совершить.

Пока ничего нового, но он продолжал поиски.

Просмотрел последние звонки: кто звонил, кому звонила. Номера все известные, друзья по лицею Иоанна Крестителя, учительница музыки, партнерша по теннису.

Мальчика нет. Нет чужаков. Нет угрозы. Себастьян вздохнул с облегчением.

Просмотрел, какие Камилла сделала в последнее время фотки. Ничего особенного. День рождения у малышки Маккензи, дочери мэра, с которой Камилла учится в лицее.

Не желая упустить ни одной мелочи, увеличил стол с бутылками, чтобы удостовериться, нет ли алкоголя. Нет, только кока и фруктовые соки.

Себастьян продолжил исследование, просмотрел почту, эсэмэски, маршруты по навигатору GPS и только что пришедшие сообщения. Все контакты были известными, содержание разговоров не представляло собой ничего предосудительного.

Себастьян расслабился.

Положил смартфон на место и осмотрел листки и вещички на письменном столе. На виду лежал ноутбук, но Себастьян к нему не притронулся.

Полгода тому назад он поставил кейлоггер на компьютер своей дочери. Информационный шпион позволял ему быть в курсе, на каких сайтах бывает Камилла, следить за ее перепиской по электронной почте, отслеживать разговоры в чатах. Само собой разумеется, Себастьян никому не говорил об этом. Друзья и знакомые осудили бы его, сочли бы, что он чокнулся. Но ему наплевать, что они там себе думают. Он отец и обязан избавить дочь от любых опасностей, какие могут ей грозить. Цель тут оправдывает средства.

Опасаясь, как бы дочка не вернулась раньше времени, Себастьян выглянул в окно, прежде чем снова приняться за розыски. Потом обогнул изголовье кровати и вошел в гардеробную, где принялся методично открывать шкаф за шкафом, поднимать стопки белья и одежды. Недовольно поморщился, взглянув на деревянный манекен с платьем-бюстье. Не слишком ли гламурно для девочки ее возраста?

Открыл дверцу отделения для обуви и обнаружил новую пару: «Стюарт Вейцман» — лакированные, на высоких каблуках. И с новым беспокойством уставился на лодочки, печальный для него знак, что дочь как можно скорее хочет перешагнуть во взрослую жизнь.

Негодуя, он поставил их на полку и тут вдруг заметил элегантный, розовый с черным, пакет, украшенный логотипом известной фирмы белья. С нехорошим предчувствием заглянул в него и увидел ансамбль из белого атласа: бюстгалтер-балконет с кружевами и кружевные трусики.

«Это уж слишком!» — взорвался он, заталкивая пакет в глубину полки. И в сердцах со всей силы хлопнул дверцей платяного шкафа, готовый броситься к Камилле и высказать ей все, что он думает. Однако, сам не зная почему, толкнул дверь еще и в ванную. Взял косметичку с туалетными принадлежностями, высыпал их и наткнулся на блистер с таблетками. Цифры указывали порядок, в каком следовало их принимать. Первый ряд был уже начат. Руки у Себастьяна затряслись. По мере того как он осознавал, что именно произошло, гнев сменила паника: его дочь пятнадцати лет принимает противозачаточные таблетки!

2

— Бак! Домой! Возвращаемся!

Пробежав два круга, ретивер свесил язык набок. Он умирал от желания перепрыгнуть через решетку и поплавать в огромном сверкающем водоеме. Камилла все прибавляла скорость и последний отрезок пробежала, точно спринтер. Три раза в неделю для поддержания формы она бегала в Центральном парке по дорожке, огибающей водоем, длиной в два с половиной километра.

Пробежка закончилась, Камилла стояла, опустив руки, стараясь отдышаться. Потом тронулась в обратный путь, пробираясь среди велосипедистов, мотороллеров и детских колясок.

— Дома есть кто? — спросила она, открывая дверь.

И не дожидаясь ответа, через три ступеньки помчалась наверх, к себе в комнату.

«Живее, живее, — подгоняла она себя, — а то опоздаешь!»

Быстренько под душ, намылилась, сполоснулась, вытерлась, надушилась. И остановилась перед шкафом, выбирая, что надеть.

«Самый ответственный момент дня!..»

Камилла училась в лицее Иоанна Крестителя, католической средней школе для девочек. В элитной школе для золотой нью-йркской молодежи. Школе, известной своими строгими правилами с обязательным ношением формы: плиссированная юбка, жакет со значком школы, белая блузка и головная повязка.

Строгую, даже аскетичную, элегантность можно было оживить какой-нибудь дерзкой деталью. Камилла обернула вокруг шеи галстук-лавальер и провела пальцем в помаде по губам, чуть-чуть подкрасив их в малиновый цвет.

Облик идеальной школьницы оттенит ярко-розовая сумка, подарок на день рождения, которую Камилла решила прихватить с собой.

— Привет, пап! — поздоровалась она, присаживаясь к столу в центре кухни.

Отец в ответ ни слова. Камилла подняла голову и посмотрела на него. Отлично смотрится в этом костюме. Это она посоветовала ему итальянскую модель: в слегка приталенном пиджаке с чуть приподнятыми плечами фигура выглядит что надо. А лицо озабоченное, взгляд устремлен в пустоту. Встал у окна и ни с места.

— С тобой все в порядке? — забеспокоилась Камилла. — Хочешь, я налью тебе еще кофе?

— Нет.

— Ну как хочешь, — весело отозвалась она.

Аппетитный запах поджаренных тостов плавал по кухне. Девочка налила в стакан апельсиновового сока, развернула салфетку, и из нее... выпала пластинка с таблетками.

— Ты...Ты можешь мне объяснить... — начала она оскорбленным тоном.

— Это ты должна мне объяснить! — разъяренно вскинулся отец.

— Ты рылся в моих вещах! — негодующе продолжала она.

— Не уходи от ответа! Почему в твоей косметичке противозачаточные таблетки?

— Это мое личное дело.

— Не может быть личных дел в пятнадцать лет!

— Ты не имеешь права за мной шпионить.

Себастьян сделал шаг к дочери, угрожающе наставив на нее указательный палец.

— Я твой отец и имею право на все!

— А я хоть на что-то имею право?! Ты хочешь контролировать все: с кем я дружу, куда хожу, письма, которые пишу, фильмы, которые смотрю, книги, которые читаю!..

— С семи лет я воспитываю тебя один и...

— Ты сам захотел воспитывать меня один!

Себастьян стукнул кулаком по столу.

— Отвечай на мой вопрос: с кем ты спишь?

— Тебя это не касается! Я не должна спрашивать у тебя разрешения. Это моя жизнь, и я уже не ребенок.

— Тебе еще рано вступать в сексуальные отношения! Это глупо и безответственно! Чего ты добиваешься? Хочешь сломать себе жизнь? А ведь ты знаешь, что через несколько месяцев конкурс Чайковского!

— Меня уже тошнит от скрипки! Мне плевать на конкурс! Я туда не поеду! Вот все, чего ты добился своим контролем!

— Ну, это мы еще посмотрим! Не так все просто! Сейчас ты должна играть по десять часов каждый день, и будешь играть! Иначе у тебя нет шанса чего-то добиться! А ты покупаешь супертрусы и туфли, которые стоят дороже всего обмундирования Бурунди!

— Перестань ко мне придираться! — повысила голос Камилла.

— А ты перестань наряжаться как шлюха! Ты... Ты вся в мать! — заорал Себастьян, окончательно выйдя из себя.

От неожиданной грубости и злобы Камилла онемела, но уже через секунду пошла в наступление.

— А ты сумасшедший! Мерзкий сумасшедший!

Это она напрасно. Себастьян вне себя влепил ей с размаху пощечину.

Камилла потеряла равновесие и оказалась на полу вместе с табуретом.

В первый миг она застыла в недоумении, стараясь понять, что произошло. Потом начала медленно подниматься. Пришла в себя, подхватила сумку, твердо решив ни секунды больше не оставаться рядом с этим обидчиком и тираном.

Себастьян попытался удержать ее, но она отвела его руку и ушла, даже не прикрыв за собой дверь.

3

Автомобиль-купе с затемненными стеклами выехал на Лексингтон-авеню и поехал в сторону Семьдесят третьей улицы. Себастьян опустил солнцезащитную шторку, иначе солнце било прямо в глаза. Погода осенью 2012 года стояла какая-то неправдоподобная. Себастьяна угнетала ссора с Камиллой, он переживал и чувствовал свою полную беспомощность. Первый раз в жизни он поднял на нее руку. Он понимал, как обидел и унизил любимую дочь, раскаивался и ругал себя за пощечину. Но и его можно понять: он сделал это от отчаяния.

Мысль о том, что у его дочери началась сексуальная жизнь, приводила его в неистовство. Слишком рано! Преждевременно! Под удар поставлены все его надежды, все планы, которые он построил относительно ее будущего! Скрипка, учеба, возможные профессии — все было спланировано, выстроено, расчерчено, как нотная бумага. Ничто не имело права вторгаться сюда и разрушать его планы!

Пытаясь успокоиться, он старался дышать как можно глубже и смотрел в ветровое стекло, любуясь осенью. В этот ветреный день тротуары Верхнего Ист-Сайда были засыпаны пламенеющей золотом и багрецом листвой. Себастьян любил свой аристократический, забывший о беге времени квартал, где обитал высший свет Нью-Йорка. Обитель комфорта действовала умиротворяюще благодаря своей строгости и сдержанности. Оазис, избавленный от бурь и потрясений.

Себастьян свернул на Пятую авеню и поехал на юг, вдоль Центрального парка, продолжая размышлять о себе и Камилле. Он не мог отрицать, что был слишком пристрастным отцом. Но так выражалась — возможно, не слишком умело — его любовь к дочери. Разве нет? Неужели же нельзя найти золотую середину между его желанием уберечь ее и ее стремлением к самостоятельности? Середину, которая устроит обоих? Себастьяну вдруг показалось, что все не так уж сложно, что он сумеет все наладить и изменить. Но тут в памяти всплыла пластинка с таблетками, и все добрые намерения полетели к черту.

После развода он растил Камиллу один. И гордился, что может дать ей все, что ей необходимо: любовь, внимание, воспитание. Он не сводил с нее глаз, все предусматривая и все оценивая. Всегда был рядом, относясь крайне серьезно к своим отцовским обязанностям, выкладывался каждый день, следя за домашними заданиями, занятиями скрипкой, уроками верховой езды.

Конечно, он что-то упускал, ошибался, но старался, не щадя себя. Старался, чтобы в эпоху упадка и развала у его дочери оставались ценности. Он оберегал ее от дурных знакомств, цинизма, пошло-

15

сти, пофигизма. На протяжении долгих лет у них были близкие и теплые отношения. Камилла все ему рассказывала, спрашивала его мнения, дорожила советами. Она была его гордостью: умная, тонкая, трудолюбивая девочка, которая блистала в школе и, очень может быть, стояла на пороге блестящей карьеры скрипачки. А теперь вдруг настало очень тяжелое время. Вот уже несколько месяцев, как они стали все чаще ссориться, и Себастьян откровенно признавался себе, что не понимает, каким образом может остаться рядом с Камиллой, помогая ей преодолеть опасный болезненный переход от ручья детства к полноводной реке взрослой жизни.

Такси просигналило Себастьяну, давая понять, что красный свет успел смениться зеленым. Себастьян тяжело вздохнул. Он сожалел, что перестал понимать людей, не понимал молодежи, разучился понимать свое время. Все вокруг пугало его, вызывая ощущение безнадежности. Мир плясал на краю бездны. Всюду подстерегали и грозили опасности.

Да, конечно, ни от чего не убежишь, приходится жить в своем времени, держаться, не опускать рук! Но ведь никто уже ни во что не верит. Сместились ценности. Исчезли идеалы. Кризис в экономике, экологический кризис, кризис социальный. Система агонизирует. Действующие лица сложили оружие: политики, родители, учителя.

Случившееся с Камиллой посягало на его жизненные принципы, доводя присущую ему тревожность до паники.

Себастьян давно уже замкнулся в себе, создав мирок по своим меркам. Он редко покидал свой квартал, еще реже Манхэттен.

Известный скрипичных дел мастер, он любил одиночество и большую часть времени проводил у себя в мастерской. Целыми днями его единственной спутницей была музыка. Он резал эфы, распределял толщину дек, покрывал их лаком, добиваясь особого звучания своих скрипок, которыми так гордился. Через агентства его скрипки продавались в Европе и Азии, но сам он никогда там не бывал. Круг его знакомств ограничивался небольшим числом людей: два-три музыканта, поклонника классики, два-три старинных буржуазных семейства, испокон века живущих в Верхнем Ист-Сайде.

Себастьян взглянул на часы и прибавил скорость. На Грэнд-Арми плаза миновал светло-серый фасад старинной гостиницы «Савой» и, петляя между машинами и туристическими автобусами, устремился в сторону Карнеги-холла. Поставил машину в подземный гараж напротив знаменитого концертного зала и поднялся на лифте к себе в мастерскую.

Фирма «Лараби и сын» была основана в конце двадцатых годов его дедушкой Эндрю Лараби. С течением времени скромное предприятие приобрело мировую известность, став неоспоримым авторитетом в области изготовления новых струнных инструментов и реставрации старинных.

Как только Себастьян входил к себе в мастерскую, все горести отступали. Мастерская была обителью покоя и умиротворения. Время над ней не имело власти. Там приятно пахло деревом — кленом, елью, эбеном — и более резко — лаком и растворителями.

Себастьян любил особую атмосферу своего старинного ремесла. В XVIII веке мастера города Кремона вознесли искусство изготовления скрипок на небывалую высоту. С той поры техника их изготовления мало изменилась. В постоянно меняющемся мире верность старине таила в себе что-то успокаивающее.

Стоя за верстаками, мастера и подмастерья работали каждый над своим инструментом. Себастьян поздоровался с Джозефом, главным мастером цеха, который натягивал струны на альт.

— Звонил агент от Фаразио по поводу скрипки Бергонца, — сообщил тот. — Аукцион собираются провести на два дня раньше, — прибавил он, стряхивая прилипшую к кожаному переднику стружку.

— Чего это они так заторопились? Мы можем не уложиться в срок, — забеспокоился Себастьян.

— Они хотят, чтобы мы успели, и надеются уже сегодня получить от тебя сертификат подлинности. Как думаешь, это возможно?

Себастьян был не только талантливым скрипичным мастером, но еще и признанным экспертом в области скрипок.

Что тут поделаешь? Он покорно кивнул. В этом году это самый крупный аукцион. Отказаться от него немыслимо.

— Мне нужно дополнить описание и написать заключение. Если примусь сейчас же, к вечеру они смогут получить сертификат.

— Хорошо, я им сообщу.

Себастьян вошел в просторную приемную. Стены были затянуты алым бархатом, с потолка свешивались скрипки и альты, придавая помещению оригинальность и своеобразие. Еще их приемная славилась удивительной акустикой, тут принимали самых знаменитых музыкантов всего мира, пожелавших купить инструмент или отреставрировать собственный.

Себастьян уселся за рабочий стол и надел очки, готовясь заняться скрипкой, на которую должен был выдать сертификат. В самом деле это была редкая скрипка, изготовленная мастером Карло Бергонци, самым способным из учеников Страдивари. Дата ее изготовления — 1720 год, но она удивительно сохранилась, и знаменитый дом аукционов Фаразио собирался выставить ее на осеннюю распродажу со стартовой ценой в один миллион долларов.

Известный на весь мир эксперт Себастьян Лараби не мог позволить себе ни малейшей неточности, участвуя в таком знаменательном событии. Как энолог или парфюмер, он тоже хранил в своей памяти тысячи деталей, значимых для каждой мастерской струнных инструментов: в Кремоне, Венеции, Милане, Париже, Мирекуре... И все же, несмотря на огромный опыт, дать оценку никогда не бывает легко. Можно ошибиться. Устанавливая подлинность инструмента, подтверждая его своей подписью, Себастьян всякий раз рисковал репутацией.

Он осторожно взял скрипку, зажал гриф рукой, прижал к плечу подбородок, взял смычок и заиграл «Партиту» Баха. Звук был исключительный.

19

Но одна струна вдруг лопнула, больно хлестнув его по щеке. Он ошеломленно замер и положил скрипку. Игра выдала всю его нервозность, его напряжение. Он не может забыть, отвлечься. Утренняя ссора не идет у него из головы. Упреки Камиллы звучат все громче. Он уже не мог не признать, что в ее словах тоже была доля истины. Он зашел слишком далеко. В ужасе от того, что может ее потерять, он решил как можно скорее поговорить с ней, но вот удастся ли, сомневался. Взглянул на часы, вытащил мобильник. Уроки еще не начались, если ему повезет... Он набрал дочкин номер, попал на автоответчик.

«Напрасно надеешься...»

Себастьян уже понял: лобовая атака ни к чему не приведет. Придется отпустить вожжи или хотя бы сделать вид, что отпускает. Нужно вновь завоевать доверие Камиллы. А для этого понадобится союзник. Человек, который сможет спокойно поговорить с ней. Когда отношения наладятся, он сумеет все расставить по местам и образумить дочку. Но у кого же попросить помощи?

Мысленно он стал перебирать, к кому бы мог обратиться за помощью. К друзьям? Но у него были только хорошие знакомые. Среди них не было ни одного настолько близкого человека, чтобы он мог доверить ему такую личную проблему. Отец умер в прошлом году. Мать? Трудно ждать от нее, чтобы она шагала в ногу со временем... Наталия, его подружка? Она вместе с труппой «Нью-Йорк-сити балле» сейчас в Лос-Анджелесе.

Остается Никки, мать Камиллы...

4

Никки...

Нет, это несерьезно. Вот уже семь лет, как они не общаются. И вообще лучше умереть, чем обратиться за помощью к Никки Никовски!

Не исключено, что именно она и посоветовала Камилле принимать эти проклятые таблетки. С нее станется! Никки всегда ратовала за свободу нравов и до сих пор остается поборницей так называемых прогрессивных методов воспитания: дети живут бесконтрольно, на полном доверии, никаких наказаний, никаких авторитетов, всегда и во всем терпимость, то есть безоглядное своеволие, бездумное и инфантильное.

На секунду он задумался: могла ли Камилла обратиться за советом к матери, а не к нему? И ему показалось, что даже в таком интимном деле, как противозачаточные средства, дочь не стала бы советоваться с Никки. Во-первых, потому, что они редко видятся, а во-вторых, потому, что Никки — сознательно или нет — всегда отстранялась от воспитания дочки.

Всякий раз, когда Себастьян думал о бывшей жене, он чувствовал гнев и горечь. Злился он в первую очередь на самого себя. Кому, как не ему, было знать, что их отношения обречены на провал? Женитьба была самой большой ошибкой его жизни. Она лишила его иллюзий, душевного покоя и жизнерадостности.

По существу, они никогда не должны были бы встретиться, никогда не могли понравиться друг другу. Они были из разных миров, и все у них было разное: происхождение, воспитание, даже религия. По темпераменту, по характеру они были антиподами. И, несмотря на это, любили друг друга...

Никки приехала из Нью-Джерси в Нью-Йорк и устроилась работать манекенщицей, мечтая о ролях в спектаклях и мюзиклах на Бродвее. Жила одним днем, легко, беззаботно.

Живая, общительная, остроумная, она умела расположить к себе и умела пользоваться своим обаянием, когда хотела достичь цели. Стремилась к крайностям, опьянялась чувствами, эмоциональными всплесками. Вынужденная жить в зависимости от мужских взглядов, постоянно играла с огнем и была готова зайти очень далеко, лишь бы утвердиться в своем даре соблазнительницы.

Словом, полная противоположность Себастьяну. Себастьяну, состоятельному буржуа, получившему превосходное воспитание, скромному и сдержанному. Себастьян любил предвидеть все заранее, любил долгосрочные планы на будущее и удобную продуманную жизнь, которой не грозит вторжение случайностей.

Все, кто его знал, родители и друзья предостерегали от женитьбы, давая понять, что Никки совсем не та девушка, которая ему нужна. Но Себастьян уперся. Неодолимая сила влекла их друг к другу. Оба положились на немудреную обывательскую мудрость, гласящую, что «противоположности сходятся».

Оба верили в свою удачу и, недолго раздумывая, поженились. Никки почти сразу забеременела и родила близнецов: Камиллу и Джереми.

После бурно проведенной юности Никки хотелось стабильности и радостей материнства. Себастьяну, зажатому в тиски строгого воспитания, виделась в семейной жизни отдушина, отдых от высокомерной спеси родительского дома. И у него, и у нее любовь объединилась с вызовом. Их пьянила возможность наслаждаться запретным плодом. Однако с небес качели вернули их на землю. Возвращение оказалось болезненным. Разность натур, придававшая поначалу отношениям остроту, стала угнетать, а потом привела к нескончаемым ссорам.

Рождение близнецов не помогло обрести им те общие ценности, которые послужили бы прочным фундаментом семейной жизни и позволили ей развиваться дальше. Напротив, необходимость воспитывать детей еще яснее выявила разницу их позиций, с каждым днем углубляя конфликт. Никки считала, что главное в воспитании — свобода и самовыражение. Себастьян не был с ней согласен, настаивая, что путь свободы опасен и тернист. Он старался убедить жену, что только твердые правила помогут сформировать личность ребенка. Общего языка они не нашли, и каждый только укрепился в своей позиции. Что тут поделаешь? Люди не меняются. Трудно выкорчевать основы личности.

В конце концов они расстались. Поводом послужил случай, который Себастьян расценил как предательство. Никки перешла границу допустимого. По мнению Себастьяна, разумеется. Произошедшее тяжело подействовало на него и послужило сигналом, что пора положить конец их безнадежному со всех точек зрения браку.

Терпя кораблекрушение и желая спасти детей, Себастьян обратился к специалисту по разводам и правам семьи. Нанятый адвокат готов был стереть Никки с лица земли, лишь бы заставить ее отказаться от родительских прав. Но это оказалось не так-то просто. Никки не мыслила себя без детей. В конце концов Себастьян предложил своей, в будущем бывшей, жене промежуточный вариант: он предоставляет ей исключительное право заниматься Джереми в обмен на исключительное право самому заниматься Камиллой.

Опасаясь, как бы юридические баталии не лишили ее обоих детей, Никки согласилась.

И вот на протяжении семи лет Камилла и Джереми жили в разных домах под опекой двух взрослых, которые воспитывали их совершенно по-разному. Посещения «другого родителя» были четко оговорены и осуществлялись нечасто. Камилла виделась с матерью раз в две недели по воскресеньям, когда к отцу приходил Джереми.

Время, когда совместная жизнь с Никки виделась Себастьяну дорогой в ад, давно прошло, он давным-давно сумел упорядочить свою жизнь. И в этой жизни Никки сделалась нежелательным воспоминанием. Какие-то новости о бывшей жене он случайно узнавал от Камиллы. В качестве манекенщицы она не преуспела, актрисой не стала. Судя по последним сведениям, Никки перестала участвовать в фотосессиях, не ходила на кастинги, перестала мечтать о театре, зато занялась живописью. Ее картины порой появлялись во второразрядных галереях Бруклина, известность не выходила за пределы узкого круга знакомых. Зато через ее жизнь строем шагали мужчины. Все разные. Все безжалостные. У нее обнаружился особый дар привлекать тех, кто обязательно причинит боль, кто, обнаружив ее слабые места, хрупкость и уязвимость, постарается ими воспользоваться. Но, похоже, теперь ей захотелось как-то упорядочить свою сердечную жизнь, и, по словам Камиллы, у нее вот уже несколько месяцев в друзьях коп из полицейского департамента. Парень лет на десять моложе. Да уж, с Никки никогда не соскучишься...

Его размышления прервал телефонный звонок. Он взглянул на экран и удивленно заморгал. Неправдоподобное совпадение. «Никки Никовски», — мигая, сообщил экран. Сначала Себастьян не хотел нажимать кнопку. Они давным-давно не общались. В первый год после развода еще виделись, передавая друг другу детей, а теперь лишь изредка обменивались эсэмэсками, если случались изменения в визитах Джереми или Камиллы. Если Никки взяла на себя труд позвонить, значит, случилось что-то серьезное.

«Камилла», — подумал он и нажал кнопку.

— Никки?

— Привет, Себастьян.

Он сразу уловил тревогу в ее голосе.

— У тебя проблемы?

— Джереми... В последние дни... у тебя нет никаких вестей от сына?

— Нет. А с чего вдруг?

— Знаешь, я беспокоюсь. Не знаю, где он.

— Как это?

25

— Он не пошел в лицей. Ни вчера, ни сегодня. Мобильник не отвечает. Дома он не ночевал с...

— Ты, что, шутишь? — перебил он. — Как это не ночевал?

Она помолчала, прежде чем ответить. Готовилась встретить его гнев, его упреки.

— Он уже три ночи не ночевал дома, — наконец призналась она.

У Себастьяна перехватило горло. Рука изо всех сил стиснула мобильник.

— Ты звонила в полицию?

— Мне не кажется, что это удачная мысль.

— Почему?

— Приезжай, я все тебе объясню.

— Еду, — сказал он и повесил трубку.

5

Себастьян нашел место для парковки на перекрестке Ван-Брант-стрит и Салливан-стрит. Из-за пробок он чуть ли не час добирался до Бруклина.

После развода Никки обосновалась западнее Южного Бруклина, в квартале Рэд-Хук, исконном прибежище моряков и мафии. Из-за отсутствия городского транспорта квартал на какое-то время сделался изолированным островком, полным опасностей. Но эти времена миновали. Сегодняшний Рэд-Хук не имеет ничего общего с теми трущобами, каким он был в 1980-е и 1990-е годы. Точно так же, как другие районы Бруклина, он стал бурно преображаться под влиянием поселившихся здесь художников, креативщиков, богемы, хиппи.

Себастьян приезжал сюда крайне редко. Привозил изредка Камиллу по воскресеньям. Но никогда не переступал порога квартиры бывшей жены. Всякий раз, попадая в Бруклин, он удивлялся, с какой скоростью меняется этот район. С фантастической быстротой старинные доки и склады становились то галереями, то биоресторанами.

Себастьян запер машину и пошел по улице вдоль здания из бурого кирпича, которое было когда-то бумажной фабрикой, а теперь стало жилым домом. Он вошел в этот дом и чуть не бегом, через две ступеньки, поднялся на последний этаж. Никки ждала его у металлической двери, за которой оказалась открытая дверь в квартиру.

— Здравствуй, Себастьян.

Он смотрел на нее отстраненно, издалека. Фигура по-прежнему спортивная, подтянутая: широкие плечи, тонкая талия, длинные ноги, стройные бедра.

Лицо запоминающееся: высокие скулы, тонкий нос, лукавый взгляд. И желание отвлечь от необычной внешности нарочитой небрежностью: выкрашенные в рыжий цвет волосы заплетены в две косы и кое-как заколоты в узел. Зеленые удлиненные глаза сильно подведены черным карандашом, гибкое тело прячется в широких брюках-бананах, майка обтягивающая и большое декольте.

— Привет, Никки, — отозвался он и, не дожидаясь приглашения, вошел в квартиру.

В квартире, дав себе волю, с любопытством огляделся. Просторный чердак бывшей фабрики с гордостью хранил воспоминания о прошлом: потолок с балками, два чугунных столба, стена из старого кирпича, белый дощатый пол. И всюду сохнут огромные картины — на полу, у стены: абстрактная живопись, которой увлеклась теперь Никки. Себастьяну показалось, что он оказался среди декораций фантастической пьесы. И мебель престранная, скорее всего, с барахолки: древнее канапе Честерфилд и обеденный стол, сооруженный из двери, поставленной на две пары козел. Все вместе, очевидно, подчинялось какой-то особой эстетике, но эта эстетика была ему недоступна.

— Итак. Что же ты собираешься мне рассказать? — спросил он начальственным тоном.

— Я уже говорила тебе, что с субботы ничего не знаю о Джереми.

Он бросил на нее выразительный взгляд.

— С субботы? Но сегодня вторник!

— Я знаю.

— И только во вторник ты начала волноваться?!

— Я позвонила тебе, чтобы ты мне помог, а не упрекал.

— Погоди! Вспомни, в каком мире мы живем! Ты понимаешь, что отыскать ребенка, когда прошло уже больше двух суток, почти невозможно?!

Она закрыла рот рукой, чтобы не закричать, подскочила к нему, вцепилась в отвороты плаща и потащила к двери.

— Убирайся! Если не хочешь помогать, убирайся!

Изумленный ее яростью, он постарался высвободиться, схватил ее за руки и встряхнул.

— Объясни, почему ты не позвонила мне раньше?

Она с вызовом посмотрела ему в глаза. В них стоял гнев.

— Занимайся ты больше сыном, я бы не стала медлить!

Себастьян проглотил упрек и сказал уже более спокойным тоном:

— Мы найдем Джереми, обещаю. Но ты должна рассказать мне все. С самого начала.

Никки понадобилось время, чтобы снять доспехи.

— Сядь, — наконец проговорила она. — Я сварю нам кофе.

6

— Последний раз я видела Джереми утром в субботу, около десяти часов, он шел заниматься боксом.

От волнения и тревоги у Никки срывался голос.

Себастьян нахмурился брови.

— И с каких это пор он занимается боксом?

— Ты что — с луны свалился? Уже год как занимается.

На лице Себастьяна появилось выражение недоверия. Перед глазами возник Джереми, тощий и длинный подросток. Он плохо представлял себе своего сына на ринге.

— Мы вместе позавтракали, — продолжала Никки. — Потом я стала собирать вещи. В общем-то, я торопилась. Меня ждал внизу Лоренцо, мы уезжали на уик-энд в Катскилл, и...

— Лоренцо?

— Лоренцо Сантос, мой парень.

— Все тот же коп или уже другой?

— Блин! Себастьян! Ты зачем сюда пришел? — снова вспыхнула Никки.

Он извинился, успокаивающе похлопав ее по руке. Она вернулась к рассказу.

— Я уже выходила, когда Джереми попросил разрешения переночевать у своего друга Саймона. Я разрешила. В субботу они часто ночуют друг у друга, то здесь, то там. Мы уже привыкли.

— Первая новость.

Эту реплику Никки пропустила мимо ушей.

— Он поцеловал меня и ушел. За все выходные не позвонил ни разу. Но я не слишком волновалась.

— Погоди! Как же так?

— Ему пятнадцать лет. Он уже не младенец. К тому же Саймон, можно считать, мажор.

Себастьян возвел глаза к потолку, но от комментариев воздержался.

— Я вернулась в Бруклин вечером в воскресенье. Было уже слишком поздно, и я переночевала у Сантоса.

Себастьян холодно взглянул на нее и так же холодно осведомился:

— А в понедельник утром?

— Я пришла домой около девяти. В это время Джереми уже уходит в школу. Я не удивилась, что его нет дома, это было нормально.

— Ну а потом что? — нетерпеливо спросил Себастьян.

— Я целый день работала, готовилась к своей выставке в BWAC[1], знаешь, здание неподалеку от набережной, и там группы художников...

[1] Brooklyn Working Artists Coalition — Товарищество действующих художников Бруклина.

— Понял, Никки, избавь меня от подробностей.

— Во второй половине дня я нашла у себя на автоответчике сообщение из лицея, что Джереми прогулял школу.

— Ты позвонила родителям его приятеля?

— Вчера вечером я говорила с мамой Саймона. Она сказала, что Саймон уже больше недели назад уехал на учебную экскурсию. Джереми у них в те выходные не ночевал.

В кармане у Себастьяна зазвонил мобильник. Он взглянул на экран: опять агент из Фаразио, беспокоится, как видно, по поводу экспертизы.

— И вот тогда мне стало по-настоящему страшно, — призналась Никки. — Я хотела было пойти в полицию, но... побоялась, что копы не примут меня всерьез.

— Почему?

— Если честно, Джереми пропадает уже не в первый раз...

Себастьян вздохнул. Этого следовало ожидать. Никки объяснила:

— В августе прошлого года Джереми исчез на два дня и не давал о себе знать. Я места себе не находила и сообщила в отделение Бушвик-авеню, что он исчез. А на третий день он появился. Прогулялся в Андирондак.

— Вот мерзавец! — возмутился Себастьян.

— Можешь себе представить реакцию копов. Они не отказали себе в удовольствии поиздеваться надо мной. Высказали все, что думают по поводу моих отношений с сыном, заявили, что время им дорого и они не станут тратить его зря!

Себастьян представил себе сцену во всех красках. Он прикрыл глаза, помассировал веки и предложил:

— На этот раз я заявлю в полицию. Но обойдемся без мелких сошек. Я знаком с мэром. Его дочь учится с Камиллой в одном классе, и я чинил скрипку его жены. Я попрошу его, и он меня свяжет...

— Подожди, ты еще не все знаешь, Себастьян...

— Чего я еще не знаю?

— У Джереми были кое-какие проблемы с полицией: он состоит на учете...

Себастьян онемел и смотрел на Никки во все глаза.

— Ты что, шутишь? Почему ты ничего мне не сказала?

— Он стал делать всякие глупости только в последнее время.

— Что именно?

— Полгода назад патруль застукал его, когда он расписывал икейскую фуру в гараже. — Никки отхлебнула кофе и недовольно покачала головой. — У этих идиотов других дел нет, как ловить ребят, увлеченных искусством, — процедила она.

Себастьяна передернуло. Граффити — искусство? У Никки всегда был своеобразный взгляд на вещи.

— И что? Его судили?

— Да. Приговорили к десяти дням принудительных работ. А три недели назад притянули за кражу в магазине.

— И на что же он польстился?

— На компьютерную игру. Что? Ты предпочел бы, чтобы он украл книгу?

Себастьян не поддался на провокацию. Второй привод — это трагедия. Сейчас в полиции забыли о толерантности, любой, даже самый невинный проступок может кончиться для его сына тюрьмой.

— Я в лепешку разбилась перед администрацией, и они не стали подавать жалобу, — успокоила его Никки.

— Господи! Ты можешь мне сказать, что творится в голове у этого парня?!

— Я могу сказать, что его проделки вовсе не конец света. Каждый хоть раз в жизни что-нибудь да своровал. Для подростка воровство — нормальное дело.

— Красть — нормальное дело?! — взорвался он.

— Да, воровство — часть жизни. В молодости я могла украсть трусы, какую-нибудь шмотку, духи. Так мы с тобой и встретились. Ты что, забыл?

«Но это не лучшее, что с нами произошло», — с горечью подумал про себя Себастьян.

Он встал со стула. Хотел походить, подумать, расставить все по местам. В самом деле, стоит ли всерьез волноваться? Если Джереми привык время от времени исчезать...

Никки словно прочитала его мысли и взмолилась:

— На этот раз я чувствую: произошло что-то серьезное, Себастьян! Джереми в последний раз видел, что со мной творилось от беспокойства, и пообещал всегда держать меня в курсе.

— Какой помощи ты от меня ждешь?

— Сама не знаю. Я уже обзвонила все больницы, поговорила со «Скорой помощью», я...

— А ты не нашла чего-нибудь необычного, когда рылась у него в комнате?

— Как это — рылась у него в комнате?

— Ты что, не роешься в его вещах?

— Нет, его комната — заповедная территория, это его...

— Заповедная? Никки! Мальчик вот уже три дня как исчез! — рявкнул Себастьян, направляясь к металлической лестнице, которая вела на второй этаж.

7

— Подростком я не выносила, чтобы мать совала нос в мои дела!

Как бы Никки ни тревожилась, она не хотела вторгаться в интимную жизнь сына.

— Ты же не роешься в комнате Камиллы, правда?

— Раз в неделю обязательно, — бесстрастно сообщил Себастьян.

— Ты уверен, что у тебя все в порядке с головой?..

«Может, и не в порядке, но девочка, по крайней мере, никуда не исчезла», — подумал он не без удовлетворения и принялся за работу.

Комната Джереми отличалась немалыми размерами, дом как-никак был некогда фабрикой, так что планировка была своеобразная. А в целом обычное обиталище geek[1], где царил радостный хаос. По стенам афиши культовых фильмов: «Назад в будущее», «Военные игры», «Формула любви», «Трон». К пе-

---

[1] Человек, увлеченный чем-то, часто далеким от реальности (англ.).

регородке прислонен велосипед с фикседом. В углу игральный автомат «Донки Конг» 80-х годов. В мусорной корзине коробки от наггетсов, пиццы и банки «Ред Булл».

— Бардак неописуемый! — воскликнул Себастьян на пороге. — Он когда-нибудь прибирает у себя в комнате?

Никки испепелила его взглядом. Переждала минутку и принялась за дело: заглянула в шкаф.

— Похоже, он взял с собой рюкзак, — пробормотала она.

Себастьян подошел к письменному столу.

Три больших монитора, системные блоки. Рядом полный комплект оборудования для диджея: вертушка, микшер, колонки, усилитель, сабвуфер. Все отличного качества. Для профессионалов.

«Откуда у него такие деньги?»

Он взглянул на книжные полки. Они ломились от комиксов: «Бэтмен», «Супермен», «Пипец», «Люди Х». Себастьян со скептической улыбкой взял из стопки и полистал последний выпуск «Человека-Паука»: вместо Питера Паркера там действовал метис, сын афроамериканца и испанки. «Времена меняются», как поет Боб Дилан.

На другой полке Себастьян обнаружил всевозможные руководства по игре в покер, а рядом продолговатый алюминиевый кейс с десятью рядами керамических фишек и двумя колодами карт.

— Что тут вообще такое? Игорный дом?

— Я ему этот кейс не покупала! — стала защищаться Никки. — Но я знаю, что в последнее время Джереми часто играет в покер.

— С кем?

— С приятелями по лицею, я думаю.

Себастьян скривился. Ох, как ему это не понравилось...

Скрепя сердце он вынужден был признать, что на полке стоят и настоящие книги: «Властелин колец», «Дюна», «Машина времени», «Бегущий по лезвию», цикл «Основание».

Рядом с этими, культовыми для любого считающего себя фриком, стояли учебники по сценарному мастерству, биографии Стенли Кубрика, Квентина Тарантино, Кристофера Нолана, Альфреда Хичкока.

— Он что, интересуется кино? — удивился Себастьян.

— Конечно! Мечтает стать режиссером! Неужели он никогда не показывал тебе своих фильмов? Ты что, не знаешь, что у него есть камера?

— Нет, — вынужден был признаться Себастьян.

Не без грусти приходилось признавать очевидное: сына своего он не знал. И дело не в том, что они редко виделись. Дело было в том, что в последнее время они говорили, как два глухих. Даже не спорили. Отгораживались друг от друга полным равнодушием. Джереми был не таким сыном, какого хотелось бы иметь Себастьяну. Мальчик был слишком похож на мать, и поэтому он не интересовался, чем тот живет, его занятиями, надеждами. Мало-помалу, но с полной определенностью Себастьян отстранился от сына и не чувствовал за собой вины.

— Я и паспорта его не нахожу, — встревожились еще больше Никки, заглядывая в ящики стола.

Себастьян в задумчивости нажал на клавиатуре компьютера клавишу «пуск». Джереми увлекался ролевыми играми он-лайн. Экран вспыхнул, пока-

36

зав картинку «World of Warcraft». Затем выскочила иконка, предлагая ввести пароль.

— Даже не вздумай! — Никки схватила Себастьяна за руку. — У него паранойя на все, что касается компьютера. По части компа он понимает в десять раз больше, чем мы оба, вместе взятые.

Очень жаль. Запрет лишал их немалого количества информации. Себастьян подчинился совету бывшей жены и не стал влезать в компьютер. Ограничился тем, что вытащил внешний жесткий диск. Кто знает, вдруг он не защищен паролем?

— У тебя есть ноутбук? Можно попробовать посмотреть на нем.

— Сейчас принесу.

Пока Никки не было, Себастьян рассматривал фреску, которую Джереми нарисовал на стене в глубине комнаты: благословляющий Христос парит в сине-зеленом небе. Он подошел поближе и увидел на полу баллончики с красками. Несмотря на открытое окно, в комнате здорово попахивало химией. Фреску Джереми нарисовал совсем недавно.

— Он что, обратился к религии? — спросил Себастьян, когда Никки вернулась.

— Да нет, насколько я знаю. Но мне кажется, что нарисовано потрясающе!

— Ты серьезно? Любовь слепа...

Она протянула ему ноутбук, бросив на бывшего мужа мрачный взгляд.

— Может, она меня и ослепила, когда я тебя встретила, но...

— Но что?

Никки не стала продолжать пикировку. У них были сейчас дела поважнее.

Себастьян взял ноутбук и подключил к нему съемный диск. На нем были фильмы и музыка, скачанные из Интернета. Судя по всему, Джереми был страстным фанатом рок-группы «Шутерз». Себастьян посмотрел несколько минут кусочек их концерта: грубоватый гаражный рок, слабое подобие «Strokes» и «Librtines».

— Ты знаешь этих ребят?

— Самодеятельная группа из Бруклина, — объяснила Никки. — Джереми часто ходит на их концерты.

«Убожество», — вынес Себастьян про себя вердикт, немного послушав слова.

Просмотрев название других папок, он обнаружил с десяток телесериалов, о которых понятия не имел, и еще весьма недвусмысленные ролики, обозначенные как «fuck» «boobs» и «MILF»[1].

Для очистки совести он открыл одну из папок и запустил фильм. Пышная медсестра появилась на экране и принялась медленно расстегивать халат, а потом занялась оральным сексом со своим пациентом.

— Может, хватит грязи? — рассердилась Никки.

— Есть из-за чего возмущаться, — успокаивающе произнес Себастьян.

— Тебе безразлично, что твой сын смотрит порно?

— Абсолютно. И я бы сказал даже, что меня это радует.

— Радует?

---

[1] Фак, сиськи, «Мамочка, которую я хочу поиметь» (англ.).

— Он такой хрупкий, женственный, что я даже беспокоился, уж не гомик ли он.

Никки удрученно посмотрела на Себастьяна.

— Ты понимаешь, что ты сейчас сказал? — Он не ответил, и она продолжала: — Даже если бы он был геем, я не вижу в этом проблемы.

— Раз проблем нет, закрываем тему.

— Ты все еще живешь в XIX веке, и это удручает.

Себастьян поостерегся вступать в дискуссию. Однако Никки не успокоилась:

— Мало того что ты гомофоб, ты еще одобряешь фильмы, унижающие женщин!

— Я не гомофоб и никаких дурацких фильмов не одобряю, — буркнул Себастьян, всеми силами стараясь уйти от спора.

Он открыл верхний ящик стола. По дну катались разноцветные шарики-драже, высыпавшись из большого пакета «M&M's». Среди конфет валялась визитная карточка татуировщика из Уильямсбурга с картинкой, изображающей дракона.

— Собрался делать себе татуировку? Похоже, наш мальчик решил порадовать нас всем, чем только можно. Думаю, где-нибудь существует список, который подростки по секрету передают друг другу. Там перечислены все представимые и непредставимые глупости, какими можно достать родителей.

Никки прервала его, заглянув в глубину ящика.

— А это ты видел? — спросила она, указывая на запечатанную пачку презервативов.

— У твоего подопечного есть подружка?

— Мне ничего об этом не известно.

Себастьян мгновенно вспомнил упаковку противозачаточных таблеток, которую два часа назад нашел в комнате у Камиллы. У одной пилюли, у другого презервативы, хочет он того или нет, но дети выросли. По отношению к Джереми это вызвало у него чувство удовлетворения. По отношению к Камилле ужас. Он спросил себя, стоит ли говорить о дочери Никки, но тут он заметил косяк с травкой, уже наполовину выкуренный.

— Трава! Это меня пугает больше, чем порно! Ты в курсе, что он курит эту гадость?

Никки занялась в это время комодом и ограничилась пожатием плеч.

— Я задал тебе вопрос!

— Погоди! Смотри-ка, что я нашла!

Приподняв стопку маек, она обнаружила мобильник.

— Джереми никогда бы не ушел без мобильника, — твердо сказал она.

Она протянула телефон Себастьяну. Вытаскивая телефон из чехла, он обнаружил в кармашке еще и кредитную карту.

«Без кредитной карты он бы тоже никогда не ушел», — подумали они одновременно и обменялись испуганными взглядами.

8

В воздухе витал запах розмарина и полевых цветов. Свежий ветерок теребил плети лаванды и листья на кустах. С крыши бывшей фабрики, превратившейся теперь в биоогород, открывался сказочный вид на Ист-Ривер, небоскребы Манхэттена и статую Свободы.

Разнервничавшись, Никки вышла на крышу, чтобы выкурить сигарету. Прислонившись к кирпичной трубе, она не сводила глаз с Себастьяна, который нервно расхаживал между тисовых ящиков с тыквами, кабачками, баклажанами, артишоками и душистыми травами.

— Дай мне тоже сигаретку, — попросил он, подойдя к ней.

Себастьян ослабил галстук, расстегнул рубашку и теперь освобождался от никотинового пластыря, приклеенного на спину.

— Не думаю, что она пойдет тебе на пользу.

Не обратив внимания на замечание бывшей жены, Себастьян зажег сигарету и как следует затянулся, глубоко вдохнув дым. Потом принялся массировать себе веки. Стараясь не поддаваться гложущей его тревоге, он пытался понять, что же нового он узнал о сыне, осмотрев его комнату. Джереми солгал, попросив разрешения переночевать у Саймона, так как знал, что тот на учебной экскурсии. Он уехал, взяв рюкзак и паспорт, что предполагало долгое путешествие, возможно, даже на самолете. При этом не взял с собой ни мобильника, ни кредитки, которую оформила ему мать, двух «соглядатаев», благодаря которым любая полицейская служба могла бы отследить его перемещения и напасть на след...

— Он не только сбежал, он сделал все, чтобы его не могли отыскать, — произнес он вслух.

— Что толкнуло его на побег? — задалась вопросом Никки.

— Какая-нибудь очередная глупость, которую он совершил. Никаких сомнений. И я полагаю, капитальная глупость, — отозвался Себастьян.

На глазах Никки выступили слезы, в горле встал ком. Тупой страх все болезненнее и ощутимее скручивал внутренности. Ее сын, такой сообразительный, такой умница, был всего лишь неопытной простодушной овечкой. Конечно, ей не нравилось, что он стал воровать. А исчезновение просто повергало в ужас.

Первый раз в жизни она пожалела, что предоставляла ему столько свободы, что, воспитывая его, делала ставку на благородство, доверие, терпимость и открытость. Себастьян прав. Мир сегодня слишком груб, жесток и опасен для идеалистов-мечтателей. В нем невозможно выжить без изрядной доли цинизма, своекорыстия и жесткости!

Себастьян снова затянулся и выпустил дым в сияющий прозрачностью воздух. За спиной у него тихо, по-кошачьи мурлыкал кондиционер. Как же его тоскливый страх не подходил к этому мирному огородику, который жил себе и жил, втиснутый в современный город.

Высоко над домами, вдали от Манхэттена и оживленной суеты мегаполиса, здесь, на крыше, царил покой. Жужжали пчелы, торопясь запастись провизией на зиму, толпились у летка улья. Лучи солнца, пробиваясь сквозь кусты, золотили небольшую бочку в ржавых обручах.

— Расскажи мне, куда ходит, с кем видится Джереми.

Никки погасила окурок в горшке с землей.

— Он проводит время всегда с двумя мальчиками.

— Один тот самый Саймон, — догадался Себастьян.

— Второй Томас, его лучший друг.

— Ты говорила с ним?

— Звонила, оставила сообщение, но он мне не перезвонил.

— Так чего же мы ждем?

— Успеем подловить его у выхода из лицея, — сообразила Никки, взглянув на часы.

Оба тут же вскочили со своих мест и торопливо зашагали по плиткам дорожки, вьющейся между ящиками. Прежде чем уйти с крыши, Себастьян ткнул пальцем в подобие палатки, покрытой черным брезентом.

— Что у тебя там?

— Ничего, — слишком уж торопливо ответила Никки. — Ничего особенного. Разные инструменты.

Себастьян взглянул на бывшую жену с подозрением. Он еще не забыл тех особых ноток, которые появляются в ее голосе, когда она врет. И это был тот самый случай.

Он отодвинул брезентовый край и заглянул внутрь. Укрытые от посторонних глаз, на полу стояло с десяток горшков с цветущей коноплей. Теплица была обустроена лучше некуда: искусственное освещение, увлажнитель воздуха, автоматический полив, пакетики с лучшими удобрениями. Словом, оснащение по последнему слову техники.

— Твоя безответственность не имеет границ! — взорвался он.

— Да ладно! Не устраивай драмы из-за нескольких кустиков травы!

— Травы?! Ты понимаешь, что это наркотик? И ты его выращиваешь!

— Ты тоже можешь выкурить косячок. Расслабишься, вот увидишь.

Себастьяну было не до шуток, он слов не находил от возмущения.

— Не хватало только, чтобы ты еще продавала эту мерзость!

— Я вообще ничего не продаю. Трава для личного употребления. Экологически чистая, собственного производства. Куда более полезная, чем смола, которой торгуют дилеры.

— Это немыслимо! Ты понимаешь, что можешь загреметь в тюрьму?

— С какой стати? Ты собираешься донести?

— А твой дружок Сантос? Уверен, что он как раз и занимается наркоманами.

— У него других дел по горло, можешь поверить.

— А Джереми? Камилла?

— Дети вообще здесь не бывают.

— Не морочь мне голову! — заорал он, тыча пальцем в плакат известной баскетбольной команды, явно только что прилепленный к ограде.

Никки пожала плечами и вздохнула.

— Ты меня достал.

Себастьян отвернулся, надеясь успокоиться, но гнев подымался волной, воскрешая давние обиды, бередя плохо зажившие раны, напоминая, какая на самом деле женщина эта Никки Никовски, ни одному слову которой нельзя верить, женщина, на которую ни в чем нельзя положиться!

В приступе ярости он схватил ее за горло и прижал к металлической этажерке.

— Если ты посвятила моего сына в свои мерзости, я тебя уничтожу! Поняла?! — Потом ослабил хватку, убрав большие пальцы, дав ей возможность вздохнуть. И повторил: — Ты меня поняла?

Никки торопливо набирала в грудь воздух и ответить не смогла. Все еще в приступе ярости, Себастьян снова начал ее трясти.

— Поклянись, что побег Джереми не связан с твоей наркотой!

Себастьян нависал над Никки, крепко вцепившись в нее, но внезапно получил болезненный удар ногой по колену и, присев, отпустил бывшую жену.

Никки прилежно училась на курсах самообороны, она отлично освоила приемы. Оказавшись на свободе, она с молниеносной быстротой схватила ржавый секатор и занесла его, метя Себастьяну в живот.

— Еще раз тронешь — убью! Запомнил?

9

Средняя школа Южного Бруклина — большое здание из красно-бурого кирпича, выходящее фасадом на Коновер-стрит. Приближался час обеда, и, судя по большому количеству фургончиков со съестным, выстроившихся перед школой, можно было догадаться, что еда в школьной столовке не очень-то.

Себастьян с недоверием приблизился к одному из «гастрономических грузовичков», которые с некоторых пор стали колесить по Нью-Йорку, кормя горожан. Каждый грузовичок предлагал что-то свое: один — сэндвичи с омарами, другой — тако, дим-самы, филафели... Себастьян, брезгливый поборник чистоты, обычно избегал подобного рода угощения, но если ты ничего не ел со вчерашнего дня и в животе у тебя гремит военный оркестр...

— Не советую брать южноамериканские примочки, — предупредила Никки.

Из чувства сопротивления он пренебрег советом бывшей жены, которой ни в чем нельзя было доверять, и попросил «севиче», перуанское блюдо из сырой маринованной рыбы.

— И какой он из себя, этот Томас? — осведомился Себастьян, услышав, что прозвонил звонок, возвещавший конец занятий, и глядя на двери, откуда хлынул поток учеников.

— Я тебе его покажу, — пообещала Никки и прищурилась, боясь, как бы не пропустить приятеля сына.

Себастьян оплатил заказ и попробовал свою рыбу. Проглотил кусочек. Жгучий, как огонь, маринад обжег ему рот, пищевод, желудок. Он невольно скривился.

— Я предупреждала, — вздохнула Никки.

Надеясь загасить бушующий огонь, он залпом выпил целый стакан оршада[1], предложенный про-

---

[1] Прохладительный напиток, изготовляемый из миндаля, каштанов, чуфы с добавлением молока или воды.

давцом. От каштанового молока с отвратительным вкусом ванили Себастьяна чуть не стошнило.

— Вот он! — воскликнула Никки, указывая на одного из пареньков в толпе.

— Какой именно? Прыщавый или второй, с противной физиономией?

— Говорить буду я, хорошо?

— Посмотрим...

Высокомерное выражение лица, хлипкая фигура, джинсы в обтяжку, узкая черная куртка, белая рубашка с открытым воротом, очки-вайфареры и торчащие во все стороны волосы, над которыми трудились не один час. Томас тщательно следил за своей внешностью. Похоже, немало времени проводил в ванной перед зеркалом, ваяя и оттачивая образ юного рокера.

Никки поймала его перед баскетбольной площадкой, расчерченной на квадраты.

— Привет, Томас!

— Добрый день, мэм, — ответил тот, убирая мятежную прядь со лба.

— Ты не ответил на мои сообщения.

— Не успел, времени было мало.

— От Джереми ничего?

— Не-а. Мы с ним с пятницы не виделись.

— А почта? Телефонный звонок? Эсэмэска?

— Не, ничего.

Себастьян внимательно приглядывался к подростку. Ему не понравились ни тон, ни вид этого сопляка с готическими кольцами на пальцах, с браслетами и перламутровыми четками на руках. Но он постарался подавить в себе враждебность и спросил:

— А ты не догадываешься случайно, где бы он мог быть?

Томас повернулся к Никки.

— Это еще кто такой?

— Я его отец, балбес!

Подросток отступил на шаг, но стал более разговорчивым:

— В последнее время мы не так часто виделись. Джереми забивал на встречи нашей компании.

— Почему?

— Предпочитал покер.

— Неужели? — забеспокоилась Никки.

— Наверно, ему нужны были деньги. Кажется, он даже гитару продал и дал объявление в Интернете, чтобы продать цифровую камеру.

— А зачем ему деньги? — спросила Никки.

— Не знаю. Мне пора, извините, я должен идти.

Себастьян положил на плечо паренька руку.

— Не спеши. С кем он играл в покер?

— Не знаю. С кем-то по Сети.

— А если не по Сети?

— Не знаю. Надо спросить у Саймона, — ушел он от ответа.

— Саймон на учебной экскурсии, и ты это прекрасно знаешь, — уточнила Никки.

Себастьян легонько встряхнул паренька.

— Давай, давай! Рожай быстрее!

— Вы не имеете права меня трогать! Я свои права знаю!

Никки попыталась утихомирить бывшего мужа, но Себастьян потерял терпение. Несговорчивый малец действовал ему на нервы.

— С кем Джереми играл в покер?

— Ну... В особой компании... С шулерами.

— То есть?

— С парнями, которые занимают столы, где играют на деньги, и ищут новичков, — объяснил Томас.

— Ищут неопытных игроков и обыгрывают, так?

— Ну да, — подтвердил подросток. — Джереми обожает разыгрывать дурачка и ловит их. Он немало из них вытянул.

— А ставки в игре высокие?

— Да не очень. Не Лас-Вегас же. Ребята играют, чтобы оплатить счета и проценты по кредитам.

Никки с Себастьяном обменялись тревожными взглядами. В этой истории все внушало беспокойство: подпольные азартные игры с привлечением несовершеннолетних, возможные долги, побег...

— И где происходят эти игры в покер?

— В маленьких барах на Бушвик.

— Можешь назвать адреса?

— Нет. Меня такие вещи не интересуют.

Себастьян охотно тряхнул бы паренька еще разок и покрепче, но Никки его удержала: на этот раз, похоже, Томас не врал.

— Ладно, я пошел. Помираю с голоду!

— Последний вопрос, Томас! У Джереми есть подружка?

— У него есть дружок.

Лицо Никки выразило крайнее удивление.

— И ты знаешь, как его зовут?

— Хлипкий такой дядек.

— Что ты говоришь?

— Тощий.

Себастьян нахмурился.

— Мы спросили, как его зовут.

— Лысый! Он гоняет лысого! — громко заржал подросток.

Никки вздохнула. Себастьян схватил парня за воротник и притянул к себе.

— Ты достал меня своими грошовыми шутками! Есть у него подружка или нет, говори!

— На той неделе он говорил, что нашел себе девушку по Интернету. Фотки показывал. Кажется, бразильянка. Классная. Но думаю, это треп. Джереми не снять такую красотку.

Себастьян отпустил Томаса. Больше из этого парня ничего не вытянешь.

— Позвони, если узнаешь что-то новенькое, — попросила Никки.

— Можете на меня рассчитывать, мэм, — пообещал Томас на бегу.

Себастьян стоял и массировал себе виски. Желторотый в самом деле его достал. Тон, вид, манера говорить — все препротивное.

— Шут гороховый, — вздохнул он. — На будущее придется внимательнее следить, с кем наш сын дружит.

— Сына нужно сперва найти, — тоже со вздохом отозвалась Никки.

10

Они перешли на другую сторону, где оставили старенький мотоцикл с коляской, на котором примчала сюда Себастьяна Никки, древний «БМВ» серии 2 60-х годов прошлого века.

Никки протянула Себастьяну шлем, в котором он уже ехал.

— Куда теперь?

Лицо у Никки было суровое, замкнутое. Версия побега Джереми вырисовалась уже отчетливее. Чтобы добыть денег, он продал гитару и через Интернет выставил на продажу камеру. Предпринял все необходимые меры предосторожности, чтобы его не нашли. Теперь у него перед ними преимущество в три дня.

— Если он уехал вот так, значит, ему было страшно, — твердо сказала она. — Очень страшно.

Себастьян развел руками, признавая свое бессилие.

— Чего он мог бояться? Почему не доверился нам?

— Потому что ты не являешься образцом понимания.

И вдруг у него мелькнула идея:

— А Камилла? Может, она что-то знает о брате?

Лицо Никки просветлело. В самом деле, Камиллу стоило расспросить. Близнецы виделись не так уж часто, но в последнее время, похоже, сблизились.

— Попробуй набери ее, — предложил Себастьян.

— Почему я? — удивилась Никки.

— Думаю, так будет лучше. Потом объясню...

Никки набирала телефон дочери, а Себастьян позвонил к себе в офис. Джозеф, заведующий мастерской, оставил для него подряд два сообщения с просьбой срочно связаться.

— У нас неприятности, Себастьян. Тебе пытаются дозвониться из Фаразио и очень сердятся, что ты не отвечаешь на их звонки.

— У меня тоже неприятности. Причем совершенно неожиданные.

— Послушай! Они тоже совершенно неожиданно приехали к нам в мастерскую и поняли, что ты не работаешь. И теперь требуют, чтобы ты до часу дня подтвердил, что выполнишь обещанное. В этом случае они согласны ждать до вечера.

— А если нет?

— Если нет, они отдадут скрипку на экспертизу Фрустенбергу.

Себастьян тяжело вздохнул. Сегодня с утра он открыл кран, и из него хлынули неприятности, а как его закрыть, он пока не представляет. Себастьян попытался как можно спокойнее оценить сложившуюся ситуацию. Продажа Карло Бергонци вместе с экспертизой должна принести ему 150 000 долларов. Эту сумму он уже внес в свой бюджет, она нужна ему, чтобы на должном уровне поддерживать мастерскую. Кроме финансовых потерь, передача Бергонци в руки конкурента имеет символическое и очень дурное для него значение. Скрипичный мир весьма тесен. Все мгновенно становится известно.

Аукцион — престижное событие. Фрустенберг соперничает с ним и не преминет раздуть случившееся, чтобы обернуть молву в свою пользу.

Успех не свалился Себастьяну с луны. Вот уже двадцать лет засучив рукава он работает с музыкантами, людьми капризными, мнительными, нервными. Неуравновешенными и гениальными. Для этих людей, в силу преувеличенного самомнения, вопрос, с каким мастером они имеют дело, — вопрос жизни и смерти. Им непременно надо с самым лучшим. А самый лучший — это он, Себастьян Лараби. Вот уже два десятка лет он работает на то, чтобы фирма по изготовлению струнных инструментов «Лараби и сын» стала самой известной в Соединенных Штатах. И его оценили. Не только за деловую хватку. Оценили его талант, тонкий слух, чуткое внимание к клиенту, благодаря чему тот получал инструмент, который как нельзя лучше соответствовал его индивидуальности и манере исполнения. На анонимных пробах его скрипки часто побеждали даже Страдивари и Гварнери. Он достиг наивысшей награды, его имя стало брендом. С некоторых пор музыканты-исполнители стали приходить к нему в мастерскую, чтобы приобрести скрипку Лараби. Его репутация привлекла к нему с десяток самых известных в мире исполнителей, которые царят в скрипичном мире. Он стал мастером, работающим со звездами, потому что мало-помалу ему удалось убедить всех, что он самый умелый и знающий и потому он, а не кто-то другой должен реставрировать их инструменты и делать для них новые. Но положение «лучшего» всегда хрупко и уязвимо. Оно зависит не только от мастерства, но и от моды, а мода всегда изменчива. В нелегкие времена кризиса Фрустенберг и другие скрипичные мастера сидят в засаде и настойчивее, чем когда-либо, ждут, чтобы он оступился. Стало быть, потеря контракта исключена. Раздумывать больше не о чем.

— Позвони им от моего имени, — попросил он Джозефа.

— Они хотят говорить только с тобой.

— Скажи, что я перезвоню им через сорок пять минут.

За это время он как раз вернется в мастерскую. И сегодня вечером они получат нужную им экспертизу.

Он нажал отбой одновременно с Никки.

— Камилла не отвечает, — сказала она. — Я оставила ей сообщение. Почему ты не захотел позвонить сам?

Он не ответил на вопрос, но предупредил:

— Никки, я должен вернуться к себе в мастерскую.

Она посмотрела на него с недоумением.

— Как в мастерскую? Твой сын исчез, а ты возвращаешься на работу?

— Я с ума схожу от беспокойства, но я не коп. Здесь нужен...

— Я позвоню Сантосу, — оборвала она его. — Уж он-то знает, что делать.

Сказано — сделано. Никки набрала телефон любовника и в общих чертах обрисовала ему историю с исчезновением Джереми.

Себастьян спокойно смотрел на нее. Если она надеялась его задеть, то старалась напрасно. Он и в самом деле ничего не мог сделать. Понятия не имел, как взяться за дело, в какую сторону двигаться. Не имея возможности принять решение, только психовал от бессилия.

Вмешательство полиции, наоборот, его успокаивало. Он только сожалел, что они обратились к властям так поздно.

В ожидании конца разговора он уселся на «обезьянье место»[1], надел кожаный шлем — теперь, кажется, требуются пластиковые? — и авиационные очки. Он не мог разрулить ситуацию и чувствовал себя отвратительно. Что он тут делает, сидя в коляске этой дурацкой колымаги в не менее дурацком прикиде? По воле каких дьявольских козней вся его жизнь готова полететь вверх тормашками? Почему он снова рядом со своей бывшей женой? Почему его сын совершает глупость за глупостью? Почему пятнадцатилетней дочери пришло в голову спать с мальчишками? Почему его карьера под угрозой?

Никки замкнулась в себе и молча подошла к мотоциклу. Села, включила газ, мотор взревел, и они помчались к докам. В лицо ей бил ветер, она мчалась, стиснув зубы. Себастьян скорчился в коляске. Он забыл плащ в квартире Никки и теперь дрожал от холода в легком элегантном костюме. В отличие от бывшей жены, он был по натуре домоседом. Авантюрная жилка в нем отсутствовала начисто, и ему куда милее был мягкий комфортный «Ягуар», чем эта задодробилка. К тому же Никки, похоже, доставляло особое удовольствие прибавлять газу на каждой выбоине.

Наконец они домчались до бывшей фабрики, а значит, и до квартиры Никки.

— Я поднимусь с тобой и заберу плащ, — сообщил Себастьян, выбираясь из коляски. — У меня в нем ключи от машины.

---

[1] На соревнованиях так называется место для пассажира, так как ему приходится совершать чудеса акробатики, чтобы сохранить равновесие мотоцикла.

— Делай что хочешь, — отозвалась она, глядя в сторону. — Я буду ждать Сантоса.

Он поднялся следом за ней по лестнице. На площадке она отперла железную дверь, а когда толкнула дверь в квартиру, то громко вскрикнула.

11

Вспоротое канапе, перевернутая мебель, сброшенные с полок вещи. Зрелище разоренной гостиной не оставляло сомнений: в их отсутствие здесь побывали грабители.

С бьющимся в горле сердцем Никки отправилась обследовать квартиру. Все было перевернуто вверх дном. Телевизор вырван из стены, картины сброшены на пол, ящики выпотрошены, бумаги разбросаны по всем углам.

Она невольно вздрогнула в ужасе от варварского вторжения, от надругательства над ее личным мирком.

— Что унесли? — поинтересовался Себастьян.

— Трудно сказать. Во всяком случае, не мой ноутбук. Вон он, на стойке бара в кухне.

«Странно. Очень странно».

На одной устоявшей этажерке Себастьян заметил красивую шкатулку с инкрустацией.

— Что в шкатулке? Что-то ценное?

— Разумеется. Мои драгоценности.

Он открыл шкатулку. Среди колец и браслетов лежали и его подарки. Бесценные изделия от Тиффани.

— Какой грабитель настолько глуп, чтобы отказаться от лежащих на виду ноутбука и драгоценностей?

— Тихо! — перебила его Никки, приложив палец к губам.

Он замолчал, не понимая, чего она хочет, и тут услышал какой-то скрип и треск. В квартире был кто-то еще.

Махнув Себастьяну рукой, чтобы он оставался на месте, Никки стала подниматься по металлической лестнице на второй этаж. Первой по коридору была ее собственная комната.

Никого.

Следующая Джереми.

Опоздала.

Окно-гильотина, выходящее во двор, с грохотом поднялось вверх. Никки подбежала, выглянула — по пожарной лестнице торопливо спускался вниз довольно плотный мужчина. Она перекинула ногу через раму, готовясь пуститься в погоню. Себастьян удержал ее.

— Оставь его. У него наверняка револьвер.

Она послушалась и перешла из комнаты Джереми в свою. С нее грабители и начали свои поиски. Оглядывая вещи, разбросанные по полу, Никки вынуждена была с горестью признать:

— Они явились сюда не грабить, он искали какую-то конкретную вещь.

Себастьяну была интереснее комната Джереми, ею и он занялся. На первый взгляд из нее ничего не исчезло. Он машинально вернул в вертикальное положение накренившиеся колонки. Страсть к порядку доходила в нем до болезненности, до наваждения, он маниакально любил чистоту, беспорядок действовал на него угнетающе. Поднял и прислонил к стенке велосипед, выправил накренившуюся полку, которая, похоже, собиралась обвалиться. Собрал с полу и сложил колоду карт. Подобрал алюминиевый чемоданчик и, наводя в нем порядок, с удивлением обнаружил, что керамические фишки сплавлены между собой и каждая стопка — это своеобразная полая трубка. Он стал осматривать эти трубки. В них лежали маленькие пластиковые пакетики. Вытащил один из пакетиков. В нем оказался белый порошок.

«Нет, этого не может быть!»

С колотящимся сердцем Себастьян вытряхнул на постель содержимое двух керамических трубок — с десяток прозрачных пакетиков с белым порошком.

«Кокаин!»

Нет, он не мог в это поверить!

— Черт знает что такое! — растерянно проговорила Никки, подходя к постели.

Ошеломленные, они посмотрели друг на друга.

— Вот что они искали! Тут не меньше кило!

Себастьян все еще не верил своим глазам.

— Это слишком серьезно, чтобы быть правдой. Может, все-таки это игра... Или шутка...

Никки покачала головой, слова Себастьяна не показались ей убедительными. Она надорвала пакетик и лизнула порошок. Горький островатый вкус и ощущение, что язык онемел.

— Это кокаин, Себастьян. Совершенно точно.

— Но как...

Продолжить фразу ему помешала веселая заливистая трель. Кто-то звонил в дверь.

— Сантос! — воскликнула Никки.

На лицах обоих отразился испуг и нежелание бежать к двери. Впервые за долгие годы они почувствовали себя заодно, встали горой за сына. Сердца бились в унисон: сумасшедшее сердцебиение. У обоих на лбу выступил пот, закружилась голова.

Звонок снова затрезвонил вовсю. Коп проявлял нетерпение.

Ни на какие отсрочки времени не было. Нужно было принимать решение. Мгновенно. Джереми грозила опасность. Смертельная. Если желание спрятать от полиции находку могло показаться самоубийством, то признаться, что их сын прятал у себя в комнате килограмм кокаина, означало усадить его в тюрьму на долгий срок. Поставить под удар его образование. Его будущее. Замуровать для него вход в жизнь. Обречь на тюремный ад.

— Надо... — начал Себастьян.

— Уничтожить эту гадость, — закончила Никки.

Единодушис — последний оплот в море опасности.

Уверившись, что они заодно, Себастьян собрал с кровати пакетики и бросился в ванную, где находился и унитаз, собираясь спустить их в канализацию. Никки стала ему помогать, ссыпая остатки «добычи» в раковину.

Снова раздалась заливистая трель.

— Иди открой. Я сейчас приду.

Она кивнула, пошла к лестнице и стала спускаться. Себастьян нажал на ручку бачка, хлынула вода. Но какаин не растворялся, а пакетиков было слишком много. Они не исчезли в глубинах трубы, похоже, напротив, забили ее. Себастьян снова спустил воду, и снова без успеха. В панике он смотрел на беловатую воду, что наполнила унитаз и грозила перелиться через край.

12

— Чего ты так копаешься? — упрекнул Никки Сантос. — Я уже начал волноваться.

— Не слышала звонка, — соврала Никки.

Она отошла в сторону, пропуская его в квартиру, но он застыл на пороге, обозревая хаос в гостиной.

— Что стряслось? Какой ураган тут бушевал?

Вопрос застал ее врасплох, ответа она не приготовила. Сердце забилось быстро-быстро, на лбу выступили бисеринки пота.

— А что, собственно? Занялась уборкой и...

— Издеваешься, да? Никки, я тебя серьезно спрашиваю.

Она совсем растерялась. Конечно, глядя, что творится вокруг, трудно поверить в уборку. Даже генеральную.

— Ну! Объясни же, что случилось, — потребовал он.

Раздавшийся с лестницы раскатистый голос Себастьяна избавил ее от мучительного допроса:

— Повздорили немного. Случается, не так ли?

Сантос в недоумении обернулся, чтобы посмотреть на неожиданного гостя. Собираясь сыграть роль ревнивца, Себастьян постарался придать лицу злобное выражение.

— Вы называете это повздорить? — уточнил коп, обводя рукой разоренную гостиную.

Никки неловко представила их друг другу.

Мужчины поздоровались сухим кивком головы. Себастьян постарался не выдать своего удивления, но Сантос его удивил. Своей внешностью. Выше его на голову, хорошо сложенный метис с тонкими чертами лица ничуть не походил на недалекого грубого полицейского. В хорошо сшитой форме — наверное, обошлась ему в изрядную долю жалованья! — красиво подстриженный, безупречно выбритый, он выглядел достойным доверия человеком.

— Нельзя терять ни минуты, — объявил он, окидывая взглядом обоих родителей. — Не хочу вас волновать, но трое суток никаких вестей от подростка — это много.

Он машинально расстегнул пуговицу на воротнике и сухо сообщил следующее:

— Дела об исчезновении подростков обычно ведет местная полиция, но если область поисков выходит за границы одного штата или даже государства, то тогда включаются ФБР и Служба быстрого реагирования при похищении детей. У меня в этой службе есть знакомый. Я уже позвонил и сообщил ему об исчезновении Джереми. Он ждет нас у себя в офисе в Мидтауне, офис расположен в Метлайф-билдинг.

— О'кей, мы едем, — мгновенно согласилась Никки.

— Я поеду на своей машине, — осадил ее рвение Себастьян.

— Не лучшее решение. На моей служебной с мигалкой мы проедем без пробок.

Себастьян выразительно глянул на Никки.

— Мы доберемся туда своим ходом, Лоренцо.

— Чудесно, — язвительно одобрил коп. — Будем и дальше терять время! — Поняв, что их ему не переубедить, Сантос направился к двери. — В конце концов, парень ваш, — закончил он и хлопнул дверью.

Уход копа не снял ни напряжения, ни беспокойства. Оставшись одни, Никки и Себастьян вновь оказались перед мучительной необходимостью выбрать единственно правильное решение. Боязнь ошибиться парализовала их. Они еще не были в силах осмыслить все, что на них свалилось: бегство Джереми, его страсть к покеру, найденный в комнате у сына наркотик...

Они снова вернулись в комнату Джереми. Себастьяну удалось прочистить туалет, пробив засор длинной ручкой щетки. Теперь от наркотика и духа не осталось, но он пока еще не перешел в область дурных снов.

В поисках хоть какого-то следа, намека, указания Себастьян еще раз пристально изучил алюминиевый чемоданчик и его содержимое. Но нет, в нем не оказалось двойного дна, на картах не было никаких значков или надписей и на поддельных фишках тоже. Внутренность чемоданчика была сделана из пенопласта с лунками, на крышке был кармашек. Он сунул туда руку. Пусто. Хотя... Бирдекель, кружок из картона. На одной стороне — реклама марки пива, на обратной — изображение кривого кинжала, что-то вроде стилизованного счета за пиво и адрес:

Бар «Бумеранг»

17, Фредерик-стрит — Бушвик.

Владелец Дрейк Декер.

Себастьян протянул бирдекель Никки.

— Знаешь этот бар?

Она помотала головой. Он продолжал настаивать:

— В этом баре Джереми играл в покер! Так ведь? Скажи!

Он пытался заглянуть ей в глаза, но она отвернулась.

Бледная как смерть, глядя в пустоту, она, казалось, впала в прострацию и отказалась действовать.

— Никки! — громко окликнул он.

Она быстро вышла из комнаты. Он догнал ее на лестнице, дошел с ней до ванной, где она дрожащими руками выпила таблетку успокоительного.

Себастьян взял бывшую жену за плечо.

— Приди в себя, очень тебя прошу. — Он постарался как можно спокойнее изложить ей свой план. — Вот что сейчас нужно сделать. Ты отсоединишь коляску и поедешь на мотоцикле на Манхэттен. Как можно скорее. Тебе нужно встретить у лицея Камиллу.

Он глянул на часы.

— Она заканчивает в два. Если выедешь прямо сейчас, то успеешь точно к сроку. Успеть можно только на мотоцикле.

— Почему ты беспокоишься за Камиллу?

— Понимаешь, мы понятия не имеем, откуда в комнате Джереми взялся кокаин, но типы, которым он принадлежит, хотят во что бы то ни стало заполучить его обратно, это ясно.

— И они знают, кто мы такие.

— Да, они знают твой адрес и, разумеется, мой тоже. А это значит, мы все в опасности: ты, я, Джереми и Камилла. Я могу ошибаться, но в таких случаях лучше не рисковать.

Как ни странно, новая угроза подействовала на Никки как стимулятор: она пришла в себя.

— Куда мне ее отвезти?

— На вокзал. Посадишь ее на ист-хэмптонский поезд, и она поедет...

— К твоей маме, — докончила Никки.

— Там она будет в безопасности.

13

Здание лицея Иоанна Крестителя походило на греческий храм. Идеально симметричный фасад из серого мрамора с дорическими колоннами и треугольным фронтоном.

«Scientia potestas est»[1] — девиз лицея был выгравирован по обеим сторонам монументальной лестницы, которая придавала школе вид святилища. Ледяной холод здания смягчали блики солнца, пробивающегося сквозь оранжевую листву, и щебетанье птиц, прыгавших по веткам. Все в этом аристократическом храме науки дышало покоем. Трудно было даже представить, что находишься в сердце Манхэттена, совсем неподалеку от светящихся реклам и всевозможных развлечений Таймс-сквер.

Однако прошло несколько секунд, и монашеской чинности как не бывало. По ступенькам по-

_____

[1] «Знать — значит мочь» (*лат.*).

бежали вниз ученицы, и вскоре болтливые стайки заняли весь тротуар. Смех, звонкие голоса. Девочки в одинаковой строгой форме с круглыми воротничками бойко обсуждают мальчиков, развлечения, покупки, свой круг общения в Твиттере и Фейсбуке.

Прислонившись спиной к мотоциклу, Никки прищурилась, стараясь отыскать Камиллу среди летучих батальонов подростков. Невольно ее ухо ловило обрывки разговоров. Беглые замечания юных девиц, к которым она — увы! — больше не относится. «Я так на него запала, Стефани!» — «В любви я спец, ты же знаешь!» — «Социолог — запарный препод». — «Лично мне это параллельно». — «Я такая ранимая»...

Наконец, к своей радости, она увидела Камиллу.

— Мама, что ты тут делаешь? — широко раскрыв глаза, изумилась Камилла. — Я видела, ты оставила мне сообщение...

— У нас очень мало времени, дорогая, я тебе сейчас все объясню. Ты не видела Джереми в эти дни?

— Нет, — ответила дочка.

Никки в двух словах рассказала об исчезновении брата, но, чтобы не пугать девочку, ни словом не обмолвилась ни о разоренной квартире, ни о найденных наркотиках.

— Пока эта история не закончится, папа хочет, чтобы ты провела несколько дней у бабушки.

— Ни за что! У меня на этой неделе сплошные контрольные! И потом, я договорилась о встрече с подругами!

Никки постаралась говорить как можно убедительнее:

— Послушай, Камилла. Я бы за тобой не приехала, если бы не считала, что тебе грозит опасность.

— Какая еще опасность? Брат сбежал, и что? Не в первый раз он бегает!

Никки вздохнула, посмотрев на часы. До поезда на Ист-Хэмптон оставалось меньше получаса, а следующий только в половине шестого.

— Надевай быстро! — сказала она, протягивая дочери шлем.

— Но...

— Никаких «но». Я твоя мать, и если я тебе говорю «делай это», ты делаешь без разговоров!

— Можно подумать, ты не мама, а папа! — жалобно вздохнула Камилла, устраиваясь на мотоцикле позади матери.

— Не надо меня оскорблять, пожалуйста.

Никки оседлала мотоцикл, торопясь расстаться с Верхним Ист-Сайдом. Помчались они по Лексингтон-стрит, пробираясь на большой скорости между машин в каньоне из стекла и бетона. Никки вся сосредоточилась на езде.

«Только без катастроф. Только не сейчас».

Развод отдалил ее и от Камиллы. Она любила ее всем сердцем, но обстоятельства складывались так, что она не смогла наладить с ней по-настоящему близких отношений. Виной тому были, конечно, дурацкие условия, которые поставил Себастьян. Но были и другие, более глубокие причины. Если говорить начистоту, Никки испытывала немалые комплексы по отношению к дочери. Камилла была блестящей молодой девушкой во всеоружии классической культуры. Совсем еще юная, она прочитала множество книг, посмотрела множество культовых фильмов. С этой точки зрения Себастьян воспитывал ее просто отлично. Благодаря ему дочь попала в привилегированное общество. Он водил ее по театрам, концертам, выставкам...

Камилла росла славной девочкой, покладистой и совсем не высокомерной, но Никки всегда чувствовала ее превосходство, когда в разговоре они вдруг касались области «высокой» культуры. Мать, плетущаяся в хвосте. Мать-недоучка. Стоило ей подумать об этом, и слезы наворачивались на глаза, но она старалась не сосредотачиваться на своей горечи.

Никки на полной скорости обогнула Центральный вокзал и глянула в обзорное зеркало, прежде чем перестроиться, чтобы обогнать пожарную машину.

Головокружительная скорость, ветер в лицо, вкус опасности. Она обожала этот город, она его ненавидела. Его перенаселенность, постоянное движение веселили ее и доводили до сумасшествия.

Крошечный мотоцикл мчался между двигающихся стен по геометрическим траншеям.

Вой сирен, выхлопные газы, сумасшедшие такси, клаксоны, гул голосов.

Никки пришлось сделать небольшой круг, чтобы попасть на Тридцать девятую, а потом войти в поток на Фэшн-авеню. Перед глазами мелькали картинки: толпа народа, растресканный асфальт, тележки продавцов хот-догов, сверкающие отблески билдингов, длинные ноги в джинсах крупным планом на фасаде.

Нью-Йорк — ад для двухколесных: дорожная полоса забита, и нигде нет стоянок.

— Конечная! Просьба освободить салон!

Камилла спрыгнула и помогла матери запереть мотоцикл.

14 часов 24 минуты.

Поезд отходит через десять минут.

— Скорее, детка!

Они перебежали площадь, лавируя между машинами, и вошли в неуклюжее здание Пенн-стейшн.

Если верить старинным фотографиям, развешанным по стенам холла, самый популярный в Соединенных Штатах вокзал когда-то располагался в грандиозном здании с колоннами из розового гранита. Зал ожидания под стеклянной крышей напоминал интерьер собора с химерами, витражами и мраморными статуями. Но золотой век давно миновал. Под давлением предпринимателей увеселительной индустрии могучее здание в 60-х годах разрушили, заменив безликим комплексом офисов, гостиниц и концертных залов.

Никки и Камилле пришлось поработать локтями, чтобы пробиться к окошечку кассы.

— Один до Ист-Хэмптона, пожалуйста.

Кассирша, похожая на Будду, принялась не спеша нажимать кнопки. Вокзал гудел. Мало того что Пенн-стейшн служил пересадочным узлом между Вашингтоном и Бостоном, он обслуживал еще станции Нью-Джерси и Лонг-Айленда.

— Двадцать четыре доллара. Поезд отходит через шесть минут.

Никки заплатила и схватила Камиллу за руку, увлекая ее к подземному переходу, который вел к железнодорожным путям.

На лестнице толкотня. Удушающая жара. Орут ребятишки. Народ толкается. То и дело получаешь под коленку чемоданом. Пахнет потом.

— Двенадцатый путь — это здесь?

Никки изо всех сил тянет за собой Камиллу. Бегом они поднимаются на нужную платформу.

— До отправления осталось три минуты, — объявляет контролер.

— Как только приедешь, позвони, хорошо?

Камилла молча кивает.

Никки наклоняется, чтобы поцеловать дочку, и чувствует, что та в затруднении.

— Ты что-то от меня скрываешь?

Камилле неприятно, что она себя выдала, но вместе с тем она рада, что может избавиться от гнетущей ее тяжести. И решается на откровенность:

— Ты спросила о Джереми... Я обещала не говорить, но...

— Вы с ним виделись, так ведь? — догадалась Никки.

— Да. Он пришел ко мне в полдень в субботу, когда у меня кончились занятия по теннису.

«В субботу, три дня назад».

— Он был ужасно взволнован, — продолжала Камилла. — И очень спешил. У него явно были какие-то неприятности.

— Он не сказал какие?

— Он сказал только, что ему нужны деньги.

— Ты ему дала?

69

— У меня с собой было очень мало, и он проводил меня до дома.

— Папа был дома?

— Нет, они с Натальей обедали в ресторане.

Поезд вот-вот захлопнет двери. Подбегают последние пассажиры, спеша влезть в вагоны. Никки торопит Камиллу, и та продолжает:

— Я дала Джереми двести долларов, которые были у меня, но ему было этого мало, и тогда мы открыли папин сейф.

— Ты знаешь код?

— Ну да, это же год нашего рождения.

Свисток сообщил, что поезд отправляется.

— Там лежало пять тысяч долларов, — сообщила девочка, уже стоя на площадке. — Джереми пообещал, что вернет их, так что папа ничего не заметит.

Стоявшая на платформе Никки побелела как полотно. Камилла заволновалась.

— Мама! Ты думаешь, с Джереми случилось что-то серьезное?

Двери поезда захлопнулись.

14

Погода испортилась. В один миг.

Небо стало свинцовым, тяжелые черные тучи закрыли горизонт.

На автошоссе Бруклин–Квинс–Экспрессвэй машины двигались бампер к бамперу. Направляясь по адресу, указанному Сантосом, Себастьян мысленно сортировал то, о чем сейчас сообщит ФБР, и то, о чем умолчит. Выбирать было нелегко. Едва сев за руль, он стал пытаться сложить пазлы в картинку, но слишком многих не хватало. Картинки не получалось. Мучительным и болезненным оставался вопрос: по какой причине Джереми прятал у себя в комнате чуть ли не килограмм кокаина?

Себастьяну приходил в голову только один ответ: потому что украл его. И без сомнения, у хозяина бара, который носит название «Бумеранг». А потом, сам перепуганный тем, что натворил, ударился в бега, пытаясь избежать расправы дилера.

Но как его сын мог очутиться в этом кошмаре? Джереми не дурачок. Его стычки с правосудием были пустяками: мелкое мошенничество, подростковое шалопайство. Ничто — ни далеко, ни близко — не намекало на его связь со страшным преступным миром.

Внезапно движение убыстрилось. Шоссе нырнуло в длинный туннель, чтобы вынырнуть наконец-то на свежий воздух у начала набережной Ист-Ривер.

В кармане Себастьяна завибрировал мобильник. Звонил Джозеф.

— Очень сожалею, — начал начальник мастерской, — но мы упустили контракт. Проводить экспертизу Бергонци будет Фрустенберг.

Себастьян выслушал новость совершенно равнодушно. Сейчас ему было не до контрактов. Зато он воспользовался разговором с Джозефом, чтобы спросить его напрямую:

— Скажи, пожалуйста, сколько может стоить килограмм кокаина?

— Что? Что? Шутишь, что ли? Что там с тобой творится?

— Долгая история. Потом объясню. Ну, как ты думаешь?

— Понятия не имею, — ответил Джозеф. — Я больше разбираюсь в солоде и винах двадцатилетней выдержки.

— У меня нет времени на шутки, Джозеф.

— Понял. Думаю, цена зависит от качества, от того, откуда привезли...

— Об этом я догадался и без тебя. Ты можешь посмотреть в Интернете?

— Погоди. Сейчас выйду в Гугл. Так, вышел. Что нажимать?

— Сообрази сам, только быстро.

В телефоне раздался оглушительный треск. Себастьян въехал в зону дорожных работ. Рабочий, отвечающий за движение на полосе, сделал знак Себастьяну свернуть и ехать в объезд. Поворот на юг, и вот он снова в пробке, которая не дает ему выбраться в нужную сторону.

— Нашел статью, которая может тебе помочь, — снова раздался в трубке голос Джозефа. — Слушай: «Девяносто килограммов кокаина стоимостью в 5,2 миллиона долларов было обнаружено на парковке в Вашингтон-Хайтс».

Себастьян занялся арифметикой:

— Если девяносто килограммов стоят 5,2 миллиона, то килограмм...

— Где-то около 60 000 долларов, — закончил Джозеф. — А теперь ты можешь мне объяснить...

— Не теперь, Джозеф, потом. Спасибо тебе. Я вынужден отключиться.

Луч надежды блеснул перед Себастьяном. У него возник план. Сумма, конечно, значительная, но не чрезмерно. В любом случае он мог ее быстро достать наличными. Значит, действовать он будет так: немедленно поедет в бар «Бумеранг» и сделает предложение этому Дрейку Декеру, от которого тот «не сможет отказаться», а именно: Себастьян возместит стоимость пропавшего наркотика и прибавит в качестве компенсации еще 40 тысяч долларов за беспокойство и за обещание забыть о существовании Джереми навсегда.

«Деньги — единственная сила, против которой устоять невозможно», — любили повторять в их семье. Изречение дедушки Лараби стало своего рода мантрой, семейным девизом, который на долгие десятилетия определил их образ жизни. Себастьян долго осуждал подобный образ мыслей, но теперь и сам уцепился за него. И сразу без опаски посмотрел в будущее. Он заплатит дилеру и избавит семью от опасности. Как только им ничего не будет больше грозить, он разыщет сына и сам займется его воспитанием и кругом общения. Еще не поздно. Возможно, случившееся станет для всех них спасением.

Вот так. Решение принято, теперь нельзя терять ни секунды.

Себастьян уже выехал к указателю, но, вместо того чтобы взять направление на Манхэттенский мост, развернулся и снова поехал в сторону Бруклина.

Он торопился в «Бумеранг».

15

— Вали отсюда, падла!

Эти слова относились к Себастьяну, огибающему компанию бомжей, которые рылись в мусорных ящиках «Пиццы-хат» на Фредерик-стрит. С бутылками пива в руках, которые они складывали в крафтовый мешок, бомжи охраняли свою территорию, отгоняя ругательствами прохожих и водителей, если те оказывались слишком близко.

— Крысиная морда!

Остатки пива потекли по ветровому стеклу. Себастьян поднял стекло со своей стороны и включил дворники.

«Какая прелесть, однако!»

В этой части города он был в первый раз. И не сомневался, что в последний.

В воздухе веяли запахи жирной пуэрториканской кухни. Из открытых окон неслись карибские мотивы. Крыльцо дома украшали доминиканские флаги. Ни для кого давно уже не было секретом, что Бушвик-авеню стала обиталищем латино. Квартал щупальцами расползся в разные стороны, занял немало домов и остался подозрительным. Колонии фриков, которые заполонили Вильямсбург, сюда еще не добрались. Здесь не было юных чудаков, модных художников, биоресторанов, зато были склады, лачуги с крышами из толя, кирпичные домишки, стены, покрытые граффити, и пустыри, заросшие сорной травой.

Улица была широкой и почти безлюдной. Себастьян заметил «Бумеранг», но предпочел поставить свой «Ягуар» на параллельной улочке. Он запер машину и вернулся на Фредерик-стрит, как раз когда на мостовую упали первые капли дождя, сделав Бушвик серым и унылым.

Бар «Бумеранг» ничуть не походил на модную уютную гостиную, он был мрачной грязной забегаловкой, где подавали дешевый виски и сэндвичи — хлеб с мясом — за два доллара. Прилепленная скотчем к железной шторе записка извещала, что алкогольные напитки начинают продаваться здесь только с пяти часов. Между тем металлическая решетка была уже на три четверти поднята, открывая доступ к входным дверям заведения.

Дождь лил уже вовсю, когда Себастьян постучал в закопченное стекло.

Никакого ответа.

Он отважился поднять решетку до конца и попробовал открыть дверь.

Она легко поддалась ему.

Он успел уже промокнуть под проливным дождем, но все же колебался, застыв на пороге. Заведение выглядело мрачно, глубина комнаты терялась в потемках. В конце концов он решил войти и осторожно прикрыл за собой дверь, чтобы не привлекала внимания прохожих.

— Есть тут кто? — спросил он, не без опаски делая шаг вперед.

Сделал еще несколько шагов и зажал рот рукой. От особого специфического запаха у него защекотало в горле и поднялась тошнота. Запах был явственным, настойчивым.

В этой полутемной комнате пахло кровью.

Себастьяну захотелось убежать, но он подавил страх. Подошел к стене и стал искать выключатель.

Тусклый свет растекся по помещению, и Себастьяна охватил ужас.

Куда бы он ни посмотрел, всюду он видел кровь. На полу черные липкие пятна. На кирпичных стенах что-то вроде красного мусса. Стойка бара в бурых потеках. Брызги долетели даже до полок, на которых теснились бутылки за стойкой.

Бойня, по-другому не скажешь.

В глубине комнаты на бильярдном столе в луже крови плавал мертвец.

«Дрейк Декер?»

Себастьян старался держать себя в руках, но сердце у него колотилось как сумасшедшее. Преодолевая панику и отвращение, он подошел к мертвому. Изуродованное тело лежало на спине, вокруг чернела застывшая кровь. Бильярдный стол, на котором лежал труп, походил на алтарь, на жертвенник, где приготовились совершить темное жертвоприношение. Убитый — лысый великан с усами — весил, наверное, килограммов сто. С большим животом, волосатый, он, похоже, был из «медведей», гомосексуалистов, которые нарочито подчеркивают свою мужественность. Его хлопчатобумажные брюки цвета хаки почернели от крови. Распоротая клетчатая рубашка открывала не грудь и не живот, а месиво внутренностей. Кишки, печень, желудок — липкий и клейкий ком.

Себастьян не выдержал. Желудок был пуст, и его стошнило горькой зелено-желтой желчью. Несколько минут он посидел на корточках, не чувствуя сил подняться, весь мокрый от пота, с пылающим лицом, пытаясь перевести дыхание.

Мало-помалу ему удалось преодолеть смятение. Он увидел кожаный бумажник, торчащий из кармана рубашки убитого. С трудом, но все-таки вытащил его и, заглянув в водительские права, убедился, что на бильярдном столе лежит Дрейк Декер.

Когда он пытался засунуть бумажник обратно, тело Дрейка сотрясла конвульсия.

Себастьян чуть не подпрыгнул. Кровь запульсировала в жилах на висках.

«Последнее *посмертное* содрогание?»

Себастьян наклонился к лицу, залитому кровью.

«Покойник» открыл глаза. Себастьян вскрикнул и отшатнулся.

«Черт бы их всех побрал!»

Скорее всего, Дрейк уже был в агонии, хрип из его груди смешался с тоненькой струйкой крови, вытекающей изо рта.

«Что же делать?»

Паника. Растерянность. Горло, сведенное судорогой.

Себастьян вытащил мобильник и набрал номер «Скорой». Отказался назвать свое имя, но попросил как можно скорее прислать машину по адресу Фредерик-стрит, 17.

Дал отбой и заставил себя снова посмотреть на лицо и тело Дрейка. Не было никаких сомнений, что «медведя» пытали, не избавив ни от одного из возможных мучений. Кровь пропитала сукно, покрывавшее бильярдный стол. Бортики стола послужили своеобразными плотинами, перекрыв путь потокам крови и направив их в лузы. И вот только теперь Дрейк Декер умер по-настоящему.

Желчь снова обожгла пищевод и подступила к горлу. Зато во рту было сухо. Колени подгибались. В голове лихорадочно бились мысли.

Нужно было как можно скорее бежать отсюда. Обдумает он все потом. Проверяя, не оставил ли он здесь случайно какой-нибудь мелочи, Себастьян заметил на стойке бутылку бурбона и рядом налитый наполовину стакан. В виски плавала цедра апельсина и два больших кубика льда. Вид этого стакана заставил его задуматься. Кто пил из этого стакана? Несомненно, «мясник». Тот, кто пытал Дрейка. Но раз лед еще не растаял, значит, он ушел только что...

А если не ушел? Что, если он все еще в этой комнате?

Себастьян направился к двери и услышал позади себя скрип пола. Он застыл. Что, если Джереми — пленник в этой клоаке?

Он обернулся и заметил тень, метнувшуюся за лакированную перегородку.

Еще минута, и из-за деревянных панелей появился огромный детина и устремился к нему.

Широченные плечи, бронзовая кожа, на лице татуировка воинов маори. В руках у детины обоюдоострый боевой нож.

Обмерев от ужаса, Себастьян застыл на месте.

Он не поднял даже рук, чтобы защититься, когда нож обрушился на него.

16

— А ну, брось! Брось нож! — заорала Никки, врываясь в комнату.

Великан от неожиданности замер. Воспользовавшись его растерянностью, Никки метнулась к маори и изо всей силы врезала ему ногой под ребра. Однако великан не потерял равновесия. Напротив, убийца мгновенно пришел в себя. Оба его противника не внушали ему особого страха. Судя по садистской улыбке, которая появилась у него на лице, появление молодой женщины даже придало драке особый шарм.

Себастьян воспользовался передышкой и ринулся в глубь зала. Не потому, что струсил, а потому, что не понимал, как себя вести, что делать. Он не дрался никогда в жизни. Никогда не наносил ударов, не умел их держать.

Зато отчаянно дралась Никки. Она ловко увернулась от ножа, затем увернулась еще раз, резко отклонившись в сторону. Прыжок, поворот, обманное движение туловищем. Никки старалась использовать все, чему их учили в спортзале. Но великан не будет промахиваться вечно, он скоро загонит ее в угол, нанесет смертельный удар...

Его нужно обезоружить! Вырубить во что бы то ни стало!

Не обращать внимания на запах крови. Забыть о смерти, которая стала хозяйкой в баре «Бумеранг». Думать только о Джереми.

«Я не имею права умереть, пока не найду сына!»

Никки заметила прислоненый к бильярдному столу кий и схватила его. Кий не так опасен, как нож, зато теперь до нее труднее дотянуться. Вооруженная крепкой деревянной палкой, она ловко отражала атаки маори и даже ухитрилась ткнуть его кием в лицо. Маори взревел от ярости. Игра, по его мнению, слишком затянулась. Он размахнулся и ударил со всей силы ножом по кию, разрубив его на части. Никки швырнула обломки ему в лицо. Тот от них отмахнулся, будто это были спички.

Себастьян вышел из ступора. Осознав, какая опасность грозит Никки, он в бешенстве схватил висевший на стене огнетушитель, сорвал с него кольцо, надавил на ручку, поднимая раструб.

— А ну, получай в свою мерзкую рожу! — заорал он, направляя в голову маори струю углекислого газа.

Маори в самом деле обернулся, запоздало прикрыв глаза рукой, однако ножа не выпустил. Воспользовавшись тем, что противник временно ослеп, Никки со всей силы ударила его в пах. Себастьян, топчась с ней рядом, в ярости лупил огнетушителем куда придется. Один из ударов достался маори по голове, и тот метнул нож в Никки. Та едва успела увернуться. Нож, не попав в цель, завершил полет, ударившись плашмя о стену.

Ужас перед смертоносным стальным лезвием отпустил Себастьяна, его охватило что-то вроде эйфории. С несвойственной ему бесшабашностью он ринулся к маори, намереваясь вступить в рукопашную, но наступил в лужу крови, поскользнулся и оказался на полу. Мгновенно вскочил и занес руку, собираясь стереть маори в порошок. Но не успел и

80

получил кулаком в переносицу. Мощный, как молот, удар опрокинул его, перебросив за стойку. Себастьян влетел спиной в полку с бутылками и повалил ее. Вместе с бутылками вниз полетело и большое зеркало. Все это рухнуло, разлетелось вдребезги и осталось лежать грудой осколков. Потеряв сознание от удара, Себастьян рухнул на коврик за стойкой.

Преисполнившись чувства превосходства, великан решил как можно скорее покончить с Никки, схватил ее за шиворот и шваркнул головой о бильярдный стол. Волосы Никки оказались в луже жирной крови. Она вскрикнула от ужаса, оказавшись в нескольких сантиметрах от трупа Дрейка.

Маори принялся отвешивать удары.

Один, второй, третий...

В голове у Никки мутилось, она теряла сознание. Совершив над собой усилие, схватила что попалось под руку.

Обломок кия.

Собрав последние силы, Никки ткнула кий прямо в лицо маори. Щербатый острый обломок скользнул по лбу, рассек бровь и с отвратительным звуком погрузился в глаз.

Нестерпимая боль заставила циклопа взреветь, и он выпустил свою добычу. Зажав пустую глазницу рукой, он орал и крутился вокруг себя.

Последним, кого увидел маори, был Себастьян с осколком зеркала в руке.

Сверкающий как клинок и острый как бритва, осколок зеркала перерезал ему сонную артерию.

17

— Никки! Уходим как можно скорее!

Душным смрадом невозможно дышать.

Маори лежал у стойки, кровь толчками вытекала из сонной артерии, лужа крови росла. Сумрачный темный бар окончательно превратился в бойню. В логово сумасшедшего маньяка, который запасся двумя здоровенными тушами, собираясь заняться их разделкой.

На улице шел дождь, заливая потоками окна. Выл ветер. Но не настолько громко, чтобы заглушить вой сирены «Скорой помощи», которая мчалась по улице.

— Вставай, — торопил Себастьян Никки. — Приехала «Скорая», и через пять минут прибудут копы! — Он помог Никки подняться на ноги и повел, поддерживая за талию. — В баре должен быть черный ход.

Они нашли его и вышли в небольшой двор, а потом в переулок. Они выбрались из ада, и чистый воздух с проливным дождем ощутили как благословение. После всего, что перенесли, они наслаждались струями воды, им хотелось, чтобы они текли бесконечно, вымывая из всех пор запах крови.

Себастьян усадил Никки в «Ягуар», включил зажигание и резко взял с места, в то время как синие вспышки мигалок полосовали мрачную серость Бушвик-стрит.

Они мчались довольно долго, пока наконец не поняли, что находятся вне опасности. Себастьян остановился возле строительной площадки на пустынной улице Бедфорд-Стивезан.

Выключил мотор. Пелена дождя плотно обняла машину.

— Блин! Какой черт тебя к ним понес?! — набросилась на Себастьяна Никки, у которой не выдержали нервы. — Мы же договорились, что встречаемся у копов!

— Пожалуйста, успокойся. Я решил, что один смогу все уладить. Но ошибся. А ты? Ты-то как туда попала?

— Хотела узнать, что это за место, прежде чем беседовать с представителями отдела похищения детей. И подоспела как нельзя вовремя, так ведь?

Никки била дрожь, она никак не могла успокоиться.

— А эти два парня, кто они такие?

— С усами Дрейк Декер. А кто монстр с татуировкой, не знаю.

Никки опустила солнцезащитный щиток и посмотрелась в зеркало. Опухшее лицо, спутанные волосы слиплись от крови, одежда разорвана.

— Как мог Джереми попасть в этот ад? — спросила она сдавленным голосом.

Она крепко зажмурилась, пытаясь справиться со слезами, но выдержка оставила ее, горе захлестнуло, и она безудержно разрыдалась. Себастьян положил руку бывшей жене на плечо, желая ее утешить, но она ее сбросила.

Он вздохнул и принялся массировать себе веки. Голова налилась тяжестью. Похоже, вот-вот начнется жестокая мигрень. Рубашка промокла насквозь, и теперь он дрожал от холода. Ему не верилось, что он только что убил человека, перерезав ему горло. Как вышло, что он так быстро позволил обстоятельствам себя смять?

Утром он проснулся в своем удобном уютном доме. Солнце ободряюще светило в окно. А вечером у него на руках кровь, он на волосок от тюрьмы и ничего не знает о своем сыне.

Боль давила на череп, вызывала тошноту, но Себастьян во что бы то ни стало хотел привести свои мысли в порядок. Мозг тасовал картинки одну за другой: встреча с Никки, найденные пакетики с кокаином, изуродованный труп Декера, зверская жестокость маори, осколок зеркала, который он вонзил татуированному великану в горло...

Прогремел гром, ливень усилился. Тонущую в потоках дождя машину сотрясал ветер, она казалась кораблем, попавшим в бурю. Себастьян протер рукавом запотевшее стекло. В трех метрах ничего не было видно.

— Мы не имеем права скрывать от полиции все, что знаем, — сказал он, обернувшись к бывшей жене.

Никки, не соглашаясь, покачала головой.

— Мы только что кого-то убили. Точка невозврата пройдена. Речи не может быть о том, чтобы говорить о чем-то с полицией.

— Никки! Опасность, которая нависла над Джереми, куда хуже, чем то, чего можем опасаться мы.

Она отвела пряди, закрывавшие ей лицо.

— Копы нам не помогут, Себастьян, не строй иллюзий. Когда они окажутся с двумя трупами на руках, им понадобится виноватый.

— Это была законная самозащита.

— Поверь, доказать это будет нелегко. А журналисты так просто с ума сойдут от радости, втаптывая в грязь уважаемого человека.

Последний довод был серьезным. В глубине души Себастьян понимал, что бывшая жена права. Все, что произошло в баре, нельзя назвать обычным сведением счетов между дилерами. Там было не просто убийство, а живодерня. И хотя они с Никки не знали, каким образом Джереми причастен к этой грязной трясине, они знали другое: речь идет о чем-то крайне опасном. И теперь они боялись не только ареста и тюрьмы, которые грозят их сыну. Они боялись, что ему грозит смерть.

Их телефоны зазвонили одновременно. «Партита» Баха у Себастьяна, риф Джими Хендрикса у Никки. Никки взглянула на экран: звонил Сантос, он, похоже, потерял терпение, дожидаясь их в отделе похищения детей ФБР. Она решила не отвечать. Конечно, даст ему о себе знать, но попозже.

Никки искоса взглянула на экран Себастьяна. Код указывал, что звонок заграничный. Он сдвинул брови, давая понять, что номер ему незнаком, однако после секундного колебания решил ответить и включил громкую связь.

— Господин Лараби? — осведомился мужской голос с иностранным акцентом.

— Он самый.

— Что-то мне подсказывает, что вы бы не отказались узнать новости о своем сыне.

Себастьян почувствовал, как к горлу подкатил ком.

— Кто вы такой? Что вы сделали....

— Интересное кино, господин Лараби, — оборвал его голос и отключился.

Потрясенные Никки и Себастьян смотрели друг на друга, они были встревожены и взволнованы.

Хрустальное позванивание заставило их обоих вздрогнуть.

Мейл пришел на телефон Никки. Адрес отправителя был ей незнаком. Она открыла письмо. Текста не было, но был прикреплен файл, и грузился он довольно долго.

— Это видео, — сообщила она.

Рука у нее дрожала, когда она нажала кнопку воспроизведения.

Потом инстинктивно схватилась за руку Себастьяна, ища хоть какой-то опоры.

Фильм начался.

Никки приготовилась к худшему.

По крыше машины продолжал колотить дождь.

18

Специализированный отдел ФБР по делам о похищении несовершеннолетних размещался на пятьдесят шестом этаже Метлайф-билдинг, гигантского небоскреба, подавившего Парк-авеню массивностью и обилием углов.

Лоренцо Сантос уже места себе не находил от нетерпения, сидя в кресле в приемной, похожей на длинный коридор из стекла и никеля с видом на восточную часть Манхэттена.

Лейтенант нью-йоркского департамента полиции то и дело поглядывал на часы. Он дожидался Никки вот уже битый час. Она что, решила не заявлять о пропаже сына? Но почему? Странное, нелогичное поведение. По ее милости он прослывет идиотом в глазах своего коллеги из ФБР, с которым он срочно договорился об этой встрече.

Сантос вытащил телефон и отправил еще одно сообщение Никки. Третья попытка. Никки явно не желала отвечать на его сообщения. Ее молчание приводило его в ярость. Он не сомневался, что всему виной Себастьян Лараби, ее бывший муж, появление которого его не порадовало.

Черт побери! Что бы ни случилось, он не может потерять Никки! Вот уже полгода, как он влюблен до потери пульса. Ему дорого каждое ее слово, каждое движение. Он следит за любой ее мыслью, вникает в каждый жест. И всегда настороже, боясь лишиться ее, ловит любой намек на опасность со стороны. Магнетизм этой женщины превратил его в зависимого от ее любви наркомана.

У Сантоса болезненно засосало под ложечкой, его бросило в жар, на лбу выступили капельки пота.

С Никки не дождешься спокойной умиротворяющей любви, с ней тебя трясет лихорадка страсти, и от этой лихорадки он терял голову, сходил с ума. Ее кожа, запах, взгляд. Как самый настоящий наркотик, Никки породила в нем зависимость, которая граничила с мукой. Перед ней он был беззащитен, безволен, он сам покорно пошел в ловушку. И теперь уже поздно думать, как из нее выбраться.

Охваченный беспокойством и совершенно разъяренный, Сантос встал и подошел к окну. От стен, среди которых он ждал, веяло холодом и безразличием, зато вид из окна завораживал. Вдали виднелись стальной шпиль и углы Крайслер-билдинг, подвесные конструкции Вильямсбургского моста, суда и лодки, скользящие по Ист-Ривер, а за Ист-Ривер до горизонта — крыши Квинса.

Коп горько вздохнул. Он бы очень хотел излечиться от любви к этой женщине. Почему Никки стала для него сумасшедшим наркотиком? Почему именно она? Что в ней такого, чего нет в других?

Как уже не раз бывало, он попытался призвать на помощь разум, но тут же оставил бесплодные попытки. Он прекрасно знал, что ему не удастся разгадать загадку этого волшебства. В глазах своевольной и непокорной Никки горел огонь, который говорил: «Я всегда свободна. Я никогда не стану твоей». И этот огонь сводил его с ума.

Сантос прищурился: дождь, похоже, прекратился. Вон по небу плывут уже белые облака. Смеркается, и один за другим в городе вспыхивают огни. С двухсотметровой высоты Нью-Йорк казался пустым и спокойным, он был похож на неподвижный лайнер, окруженный облаком света.

Сантос сжал кулаки и надавил ими на стекло.

Он не отличался сентиментальностью, не был романтиком. Ему быстро удалось занять прочное место в полицейском департаменте Нью-Йорка. Он был не лишен честолюбия и знал, как взяться за дело: свой квартал он держал в руках и без малейших колебаний шел на контакт с ворами и мошенниками, стараясь обеспечить себе сеть информаторов. Иметь дело с подобными людьми было делом рискованным, но у Лоренцо Сантоса была дубленая шкура, и он прекрасно управлялся с этим ненадежным и опасным народцем. Именно поэтому он никак не мог взять в толк, как же он, такой искушенный и опытный человек, мог стать жертвой безумной страсти. И хотя не в его привычках было страдать и жаловаться, он не мог не признаться себе, что с сегодняшнего дня в нем усилился страх. Он боялся потерять Никки, боялся, что ее уведет другой.

В кармане запел телефон, и он вздрогнул. Напрасная радость. Звонил Мадзантини, его помощник.

Он нажал кнопку и сказал:

— Сантос слушает.

Среди воя сирен и городского шума голос помощника был едва слышен.

— Срочный вызов, лейтенант: двойное убийство в квартале Бушвик. Я уже в дороге.

«Двойное убийство...»

У Сантоса тут же включился инстинкт копа.

— Где именно?

— Бар «Бумеранг», Фредерик-стрит.

— Бар Дрейка Декера?

— Судя по сведениям «Скорой», там настоящая живодерня.

— Скоро буду.

Он выключил телефон, вышел в коридор и вызвал лифт, чтобы спуститься в подземный гараж, где стояла его служебная машина.

17 часов 30 минут.

Самый кошмарный час для машины, выезжающей с Манхэттена. Сантос включил мигалку и сирену, чтобы не зависеть от движения на полосе.

Унион-сквер, Гринвич-Виллидж, Литл-Итали.

«Два трупа у Дрейка Декера...»

С тех пор как он работает в квартале Бушвик, он не раз прижимал гризли Декера, однако владелец «Бумеранга» был не из крупных дилеров. В пирамиде распространителей наркотиков он был не из тех, кто отдает приказы. Скорее осторожный и опасливый поставщик, который не отказывался по временам и от услуг полиции.

Непонятное убийство некоторое время занимало мысли Сантоса, но вскоре перед ним снова возникло лицо Никки, и он перестал думать об убийстве. Посмотрел на экран мобильника. По-прежнему никаких новостей.

Беспокойство его росло и осаждали сотни вопросов, пока он ехал по Бруклинскому мосту. Где она сейчас? С кем? Ему очень хотелось бы это знать.

Разумеется, первым делом он должен мчаться на место убийства, но, съехав с моста, вдруг решил, что два жмурика никуда не убегут, и свернул в Ред Хук, в квартал, где жила Никки.

19

Бруклин.

Вернувшись в разоренную квартиру, Никки и Себастьян устроились на кухне, присев возле деревянной стойки, на которой стоял компьютер Никки.

Она включила его и перекинула видео с телефона на компьютер. Они немного пришли в себя после первого просмотра, и у них появилось множество вопросов. Они должны были рассмотреть все мелочи в этом фильме. Но на крошечном экране телефона мало что разглядишь.

Никки перевела воспроизведение в цифровой режим.

— Где ты этому научилась? — спросил Себастьян, удивленный познаниями Никки в компьютере.

— Работала в любительском театре с труппой Вильямсбурга, — объяснила она. — Снимала эпизоды, которые мы потом включали в спектакль.

Себастьян кивнул. Он знал эту новую тенденцию, но никогда не одобрял появления кино на театральной сцене, впрочем, сейчас вряд ли стоило начинать дискуссию по этому поводу.

Никки пустила видео во весь экран. Увеличение оказалось слишком большим, картинка рассыпалась на пиксели. Она отрегулировала картинку, добиваясь возможности ее рассмотреть. Фильм был немым, зеленоватого цвета, немного растянутым в ширину. Не было никаких сомнений, что это съемка видеокамерой.

Теперь они смотрели фильм с нормальной скоростью. Он длился около сорока секунд, но от этого не становился менее душераздирающим. Неподвижная камера смотрела сверху на платформу метро или пригородных электричек. Запись начиналась с прибытия на платформу поезда. Едва открылись автоматические двери, подросток, явно Джереми, выскочил из вагона и бросился бежать по платформе. Было видно, как он работает локтями в толпе, пытаясь пробраться сквозь нее, как его преследуют двое мужчин. Преследование продолжалось на протяжении метров тридцати и окончилось возле лестницы тем, что подростка грубо повалили на землю. В последние секунды можно было видеть лицо одного из преследователей, он улыбнулся нехорошей улыбкой, обернувшись и поглядев прямо в камеру. Но лицо было искажено.

И сразу белый экран. Съемка прервана.

Боль и тревога терзали Никки, хотя она всеми силами старалась держать себя в руках. Отсутствие эмоций — условие sine qua non[1], чтобы фильм заговорил.

— Как ты думаешь, где это происходит? — спросила она.

Себастьян почесал висок.

— Понятия не имею. Может происходить где угодно.

— Ладно. Я пущу в замедленном темпе, при необходимости будем останавливать и просматривать кадр за кадром, чтобы разглядеть как можно больше подробностей.

Он кивнул, соглашаясь, и постарался сосредоточиться.

Как только Никки начала прокручивать фильм снова, Себастьян ткнул пальцем в экран. На картинке справа внизу стояла дата.

— 13 октября, — прочитал он, прищуриваясь.

— Значит, вчера...

---

[1] Непременное (*лат.*).

Первые кадры показывали поезд метро, подъезжающий к платформе. Никки нажала на «стоп», чтобы более внимательно рассмотреть вагон.

— Можешь увеличить?

— Могу.

И увеличила.

Судя по виду, поезд был достаточно старой модели, вагоны белые с темно-зеленым и с хромированными блестящими ручками.

— Смотри, внизу на вагоне логотип!

Никки выделила часть кадра и вновь увеличила. Логотип получился расплывчатым, но можно было различить стилизованное лицо, обращенное к небу.

— Ну что? Тебе это что-то говорит? — спросил Себастьян.

Никки отрицательно покачала головой, потом задумалась.

— А знаешь... Неужели? Нет, вряд ли...

Она снова замедлила видео. Двери открылись, и стал виден подросток в шерстяной, отделанной кожей куртке «Тедди».

Никки снова остановила картинку и увеличила. Подросток наклонил вниз голову, лица не было видно, видна была бейсболка «Метц».

— Мы не можем быть уверены, что это в самом деле Джереми, — вздохнул Себастьян.

Никки отмела сомнения:

— Я точно уверена. Его походка, бейсболка, куртка.

Себастьян, продолжая сомневаться, наклонился к экрану поближе. Подросток был в узких джинсах, майке и в кедах «Конверс». Как все подростки мира.

— Поверь моему материнскому инстинкту, — продолжала настаивать Никки.

В доказательство своей правоты Никки выделила на картинке середину майки подростка. И постаралась как можно четче сделать увеличение. На экране стала отчетливо видна сделанная на хлопчатобумажной майке надпись красными буквами на черном фоне: «Шутерз».

— Рок-группа, которую обожает Джереми! — ахнул Себастьян.

Никки молча кивнула, а потом снова пустила видео.

Встревоженный, испуганный Джереми выбежал из вагона и стал продираться сквозь толпу, спасаясь от преследователей. Потом на экране появились два преследователя. Наверняка выскочили из соседнего вагона. Видны были только их спины.

Не отрывая глаз от экрана, родители вновь и вновь прокручивали кадры, но две удаляющиеся фигуры оставались смутными и неотчетливыми.

И вот самое волнующее: их сына грубо повалили на пол в конце платформы, как раз возле лестницы, которая ведет наверх, к выходу. Пять последних секунд были самыми значимыми в фильме — схватив Джереми, один из преследователей обернулся, ища глазами камеру, а потом посмотрел в нее с насмешливой улыбкой.

— Эта гадина знала, что их снимают! — взорвался Себастьян. — Он издевается над нами!

С помощью трекпада Никки выделила лицо и произвела все, какие только возможно, операции, чтобы сделать его более отчетливым. Лицо выглядело до крайности нелепым: издевательская гримаса, кустистая борода, длинные сальные волосы, темные очки, натянутая на уши лыжная шапочка. Достигнув максимальной четкости, Никки запустила принтер, чтобы получить снимки. В ожидании, когда аппарат выплюнет их, Себастьян принялся задавать вопросы:

— С какой целью нам прислан этот фильм? В нем нет наводящих на след деталей, нет просьбы о выкупе. Не вижу логики!

— Подожди, может, она еще появится?

Принтер закончил работу, Себастьян взял из лотка портрет и принялся рассматривать. Он искал зацепку, деталь, которая могла бы навести их на след, помочь определить похитителей. Похоже, что человек загримирован. Мог ли он быть знакомым? Вряд ли. Но утверждать что-либо невозможно. Изображение оставалось расплывчатым, лицо было скрыто очками, надвинутой на лоб шапочкой, бородой, которая, похоже, была поддельной.

Никки запустила видео по новой.

— Сосредоточимся на обстановке. Любой ценой мы должны понять, где это происходит.

Себастьян решил не обращать внимания на лица и как можно внимательнее рассмотреть станцию. Безусловно, станция была подземной, с полукруглым сводом в качестве потолка и двумя путями. Стена была выложена белым кафелем, на ней висели рекламные плакаты.

— Ты можешь увеличить эту афишу?

Никки увеличила. Ярко-розовая афиша приглашала на музыкальную комедию «Моя прекрасная леди». Присмотревшись внимательнее, Никки удалось прочитать название театра:

— «Шатле». Парижский музыкальный театр.

Себастьян потерял дар речи.

«Неужели Париж?..»

— Что Джереми может делать во Франции? Фантастика. Быть такого не может!

И все-таки...

Теперь Себастьян вспомнил, где он видел логотип: лицо, смотрящее в небо. Он видел его во время своего единственного путешествия в Париж семнадцать лет назад. Он открыл еще одно окно в компьютере, вышел в Интернет, набрал «парижское метро» в Гугле и, кликнув два раза, вышел на сайт парижского траспорта.

— Логотип на вагоне и в самом деле логотип парижского метро, — подтвердил он.

— Сейчас попробуем определить станцию, — пообещала Никки, выделяя часть, где в глубине экрана на синей полосе белели буквы.

Операция заняла несколько минут. Название станции было длинным и сложным, буквы появлялись на экране не сразу, с перерывами. После поисков в Интернете они решили, что, скорее всего, станция называется «Барбес-Рошешуар».

Станция в северной части Парижа.

Волнение Себастьяна возрастало с каждой секундой. Каким образом это видео могло прийти к ним сюда, в Америку? В парижском метро так же, как и в нью-йоркском, в коридорах и на станциях работают тысячи камер видеонаблюдения. Однако доступ к ним совсем не простое дело. Эти камеры присоединены к компьютерам пунктов охраны, смотреть материал имеет право только охрана и полиция в соответствии со строгими служебными инструкциями.

— Попробуй еще раз набрать номер телефона, — предложила Никки.

Она имела в виду высветившиеся на экране цифры, перед тем как голос произнес: «Что-то мне подсказывает, что вы бы не отказались узнать новости о своем сыне».

Они попробовали набрать этот номер сразу, когда еще сидели в машине, но безуспешно.

Но на этот раз получилось удачнее. После трех гудков кто-то поднял трубку и весело сообщил:

— «La langue au chat», bonjour![1]

Знание французского у Себастьяна было весьма приблизительным. Но в конце концов после длительных объяснений собеседника он понял, что «La langue au chat» — это кафе в 4-м округе Парижа. Собеседник, бармен кафе, разумеется, не имел ни малейшего понятия об этой истории. Мало ли кто час тому назад мог позвонить по телефону из его заведения? Конечно, он ничего не понимал. Себастьян разъярился:

— Они издеваются над нами! Играют, как кошка с мышкой!

— В любом случае все дороги ведут в Париж, — вынуждена была признать Никки. Она взглянула на часы и спросила: — Паспорт у тебя с собой?

---

[1] Французская идиома, которую в данном случае можно перевести как «молчок». Добрый день, «Молчок» слушает (*фр.*).

Себастьян кивнул. Однако, прекрасно понимая, что за этим последует, предпочел занять оборонительную позицию:

— Только не говори, что собираешься сегодня же отправиться в Париж!

— Это единственное, что мы можем сделать. Ты слишком много думаешь и поэтому мало делаешь.

— Подожди, не торопи события. Мы понятия не имеем, кто эти люди и чего добиваются. Действуя по их сценарию, мы идем в волчью пасть.

Но Никки уже все решила.

— Ты можешь поступать, как считаешь нужным, Себастьян, а я еду!

Себастьян сжал голову руками. Ситуация выходила из-под контроля. Он прекрасно знал, что никогда и ни за что не сможет переубедить Никки. С ним или без него, но она отправится в Париж. И что иное, собственно, он может ей предложить?

— Я куплю билеты, — сдался он и вышел на сайт «Дельта Эйр Лайнз».

Она поблагодарила его кивком головы и побежала к себе в комнату наскоро собрать кое-что из вещей.

Появилась иконка: «Пожалуйста, введите ваши банковские реквизиты».

Туристический сезон миновал, Себастьян без труда заказал два билета на 21 час 50 минут. Тут же расплатился, распечатал полученные билеты и посадочные талоны. Он собирался подняться наверх к Никки, но тут услышал заливистую трель. Он машинально вытащил мобильник, но сообразил, что звонят в дверь. На цыпочках подкрался к ней и глянул в глазок.

Сантос.

Только его тут не хватало!

Бесшумно вернулся, подхватил билеты и поднялся наверх к Никки. Она лихорадочно совала одежду в спортивную сумку. Одними губами он прошептал: «Сантос», потом приложил к губам палец и протянул ей другую руку, предлагая следовать за собой.

Они вошли в комнату Джереми и направились к окну. Никки вдруг остановилась, подбежала к столу и схватила плеер сына, красного цвета айпод, который сунула к себе в сумку.

Себастьян только укоряюще покачал головой.

— Ну и что? У меня фобия! Я не выношу самолетов. Если не буду слушать музыку, впаду в панику.

— Давай скорей, — поторопил он ее.

Никки уже была у окна и помогала ему поднять окно-гильотину.

Себастьян вылез на пожарную лестницу первым и протянул Никки руку, помогая выбраться и ей.

Секунда — и беглецы растворились в темноте.

20

— Никки, открой!

Сантос стучал в металлическую дверь, которая отделяла тамбур от двери в квартиру.

— Я знаю, что ты дома!

Вне себя он яростно колотил кулаком по металлу, но без толку. Только руку отбил.

«Черт подери!»

За полгода совместной жизни Никки так и не соизволила дать ему ключи.

«Чтобы проломить эту дверь, таран нужен!»

Сантос спустился и обошел вокруг дома. Как он и предполагал, в окнах на двух последних этажах горел свет. По пожарной лестнице он поднялся наверх и обнаружил, что одно из окон открыто. Через это окно он проник в комнату Джереми.

— Никки!

Сантос двинулся по коридору. Обошел одну за другой все комнаты. В квартире ни души, но разгром страшный. Мерзавец Лараби навешал ему лапши на уши, сказав о ссоре.

Сантос попытался сообразить, что же произошло здесь на самом деле. Невооруженным глазом было видно, что квартиру навестили грабители, но почему Никки решила скрыть это от него?

В кармане запиликал мобильник. Понятно, что Мадзантини потерял терпение. Сантос и сам понимал, что время не ждет и ему нужно как можно скорее быть на месте преступления в «Бумеранге», но решил не отвечать на звонок помощника.

Сам не понимая, что он ищет, Сантос принялся рыться в комнате подростка, доверившись чутью сыщика. Прочесал комнату частым гребешком. Наверное, хотел отыскать что-то связанное с предполагаемым похищением. На постели валялся чемоданчик с фишками для покера, Сантос внимательно его осмотрел и сразу же обнаружил, что фишки предназначены вовсе не для покера. И, уже не сомневаясь, для чего они, понял, что ему есть что искать. Заглянув в ванную, он удивился не столько беспорядку, сколько следам и мокрому полу вокруг унитаза и раковины. Наклонился и обнаружил на раковине следы белого порошка.

И шестым чувством понял: нет, это не моющее средство!

«Кокаин!»

Для полной уверенности он собрал остатки порошка ватной палочкой и сунул в один из маленьких пластиковых пакетиков, которые всегда носил с собой.

Может быть, кто-то счел бы его предположение невероятным, но Сантос всегда доверял интуиции.

Время поджимало, и сильно, но он все же уделил еще несколько минут «расследованию». Спустился на нижний этаж, осмотрел гостиную, открыл несколько ящиков и проверил полки. Уже стоя на пороге и собираясь уйти, он вдруг заметил на кухне компьютер Никки. Подошел к нему, разбудил, на экране высветился сайт «Дельта Эйр Лайнз». Он стал вызывать иконку за иконкой и вышел на заказ двух билетов на самолет.

Выругался по-черному и запустил компьютером в стенку.

Сегодня вечером Никки намылилась прокатиться в Париж со своим бывшим супругом...

21

Спустилась ночь.

«Ягуар» съехал с основной трассы и покатил к третьему терминалу аэропорта Джона Кеннеди. Неподалеку от терминала свернул к парковке «на долгий срок», въехал в ворота и стал спускаться по спирали подземного гаража, уходящей на глубину шести этажей.

— Тебе необходимо переодеться, — сообщил Себастьян Никки, посмотрев на нее в зеркальце.

Они сбежали из дому так поспешно, что не успели ни принять душ, ни надеть другую одежду. Никки оглядела свои джинсы и майку. Повсюду кровавые пятна, майка порвана. Потом тоже взглянула в зеркальце и полюбовалась своим отражением. На скуле кровоподтек, губы опухли, волосы слиплись и спутались.

— Если ты в таком виде появишься в терминале, не пройдет и трех минут, как нами займутся копы.

Никки дотянулась до спортивной сумки, которую бросила на заднее сиденье, быстренько переодела майку и джинсы, засунула рваную одежку на самое дно, накинула толстовку, стянула волосы резинкой и заправила их под капюшон. Потом они сели в лифт, поднялись наверх и оказались в зале терминалов. Без всяких затруднений прошли паспортный контроль, потом контроль безопасности с арочным металлодетектором и, предъявив посадочные талоны, оказались в самолете.

Когда они уже шли по проходу в самолете, в кармане Себастьяна заиграл мобильник. Звонила Камилла. Она все еще ехала в поезде, который вез ее в Ист-Хэмптон к бабушке. Как обычно, поезд на Лонг-Айленд опаздывал, но Камилла была в прекрасном настроении и, похоже, совсем не сердилась на отца.

— Жду не дождусь, когда бабуля напечет мне в камине каштанов, — радостно сообщила она.

Себастьян, обрадованный хорошим настроением дочки, невольно улыбнулся. На какую-то долю секунды он погрузился в счастливые времена, когда близнецы были еще малышами и они с Никки водили их собирать каштаны в парк Мейн. Прогулка на свежем воздухе, потом жар углей в камине, специальная сковородка с дырками, треск скорлупы жарящихся каштанов, сладкий запах, наполняющий гостиную, почерневшие пальцы, опасения, как бы не обжечься, когда снимаешь со сладкого ядрышка шкурку.

— Есть какие-нибудь новости о Джереми?

Вопрос Камиллы вернул его к реальности.

— Мы непременно найдем его, дорогая, не волнуйся.

— Мама с тобой?

— Да. Передаю ей трубку.

И Себастьян передал телефон бывшей жене, а сам двинулся по проходу дальше. Не очень-то они широки в аэробусе. Вот и их места. Но прежде чем усесться, Себастьян засунул спортивную сумку Никки наверх, в багажный отсек.

— Ты не забыла, что немедленно сообщишь нам любую новость о брате? — напомнила Никки дочке.

— А вы, собственно, где находитесь? — поинтересовалась Камилла.

— Мы... Мы в самолете, — промямлила Никки.

— Оба? И куда же летите?

Никки совсем не хотелось отвечать, и она поспешила закончить разговор:

— Должна с тобой попрощаться, дорогая. Мы взлетаем. Я тебя люблю.

— Но, мамочка...

Однако Никки уже нажала на кнопку и вернула мобильник бывшему мужу, потом проскользнула мимо него на свое место возле иллюминатора.

Себастьян смотрел, как Никки забивается поглубже в кресло, как вцепляется в подлокотники. Она и в пору их совместной жизни плохо переносила перелеты. С годами, видно, проблема не уменьшилась.

Напряженная, сжавшаяся в комок, Никки следила за стюардессами и другими пассажирами. Время от времени боязливо и недоверчиво поглядывала в иллюминатор, где возле трапа суетились служащие, а вдоль взлетной полосы светились сотни фонарей. Любой непонятный звук, непривычное движение подстегивали ее воображение, рисующее сотни возможных катастроф.

Себастьян попробовал ее успокоить:

— Самолет — самый надежный вид траспорта, и...

— Ты можешь ничего мне не объяснять? — спросила она, еще глубже забиваясь в кресло.

Вздохнула и закрыла глаза. Никки чувствовала себя раздавленной, навалились усталость, стресс, страх за сына, которому грозит столько опасностей, все ужасы, которые она пережила за последние несколько часов. Ей бы пробежать сейчас километров двадцать или попинать как следует боксерскую грушу. Но уж никак не преодолевать свою самую мучительную из фобий...

У нее пересохло в горле, она тяжело дышала. И не могла вспомнить, взяла с собой успокоительное или нет. Стараясь отвлечься от происходящего, она надела наушники, включила плеер сына и постаралась целиком отдаться музыке. Слушая ее, она начинала дышать ровнее.

Никки почти уже пришла в себя, когда стюардесса попросила ее выключить айпод.

Никки повиновалась, но без большой охоты.

Огромный могучий А380 добрался до конца взлетной полосы и на секунду замер, прежде чем подняться в воздух.

— Взлетаем, — предупредил командир экипажа.

Моторы заработали еще мощнее, и, перед тем как махина должна была оторваться от земли, вибрация передалась и взлетной полосе.

Никки ощутила эту вибрацию и была на грани срыва.

Она не могла отнестись к полету пятисоттонного чудовища как к чему-то совершенно естественному. Клаустрофобией она не страдала, но болезненно реагировала на необходимость провести связанной и неподвижной семь или восемь часов. Подобное положение порождало в ней тревогу, которая постепенно превращалась в тоску и могла завершиться паникой.

К тому же сейчас, когда она оказалась в самолете, у нее возникло ощущение, что она попала в ловушку, что она больше не владеет ситуацией. Она привыкла рассчитывать только на саму себя, и ей было нелегко доверить свою жизнь невидимому и неизвестному летчику.

На последнем сантиметре полосы металлический монстр с трудом оторвал от земли свое мощное тело. Встревоженная, дрожащая, Никки замерла в кресле и не пошевелилась до тех пор, пока самолет не набрал положенной высоты. Как только было разрешено, она снова включила плеер, завернулась в плед, и не прошло десяти минут, как Никки крепко-крепко спала.

Себастьян, почувствовав, что Никки спит, повернулся к ней, выключил фонарик, который светил ей в лицо, уменьшил мощность кондиционера, боясь, как бы она не замерзла.

Он не ожидал, что будет долго-долго смотреть на спящую. Она выглядит такой хрупкой, а ведь сегодня днем вступила в яростную борьбу, защищая и его, и свою собственную жизнь. Стюард предложил напитки. Себастьян одним глотком выпил свою водку со льдом и попросил еще одну порцию. Глаза у него резало от усталости, тупая боль по-прежнему давила на затылок, вызывая ощущение, что голову сзади взяли в тиски.

Он стал массировать виски, надеясь умерить боль. Пытался замедлить лихорадочную какофонию мыслей и отыскать смысл в этой абсурдной ситуации. Навстречу каким опасностям они летят? С каким врагом вступили в борьбу? Почему такую ярость у этих неведомых людей вызывает Джереми? Почему он сам поддался безумию и ничего не сообщил полиции? Обязательно ли их приключения закончатся тюрьмой?

Последние двенадцать часов были самыми тяжкими в его жизни. И самыми непредсказуемыми. Он, который всегда заранее скрупулезно планировал свою жизнь, входя в самые мельчайшие детали, искореняя любую случайность, с маниакальным упорством цепляясь за размеренную

106

житейскую колею, оказался вовлеченным в стихию неведомого.

Днем он обнаружил изуродованный труп, потом дрался, стоя в луже крови, перерезал горло великану, который был вдвое выше его ростом... А вечером летит в Европу с женщиной, которую поклялся вычеркнуть из своей жизни.

Себастьян снял ботинки, вытянул ноги, закрыл глаза, но слишком большое возбуждение мешало погрузиться в сон. Он видел то бойню с лужами крови и трупами, то бегущего Джереми, которого хватают два урода... Однако мало-помалу усталость и мерный рокот моторов стали брать свое, обволакивая лихорадочно работающий мозг пеленой анестизирующего забвения. Кошмарные картинки стали меркнуть, расплываться. Пытаясь распутать кровавый ком событий минувшего дня, Себастьян невольно вернулся в прошлое, к той минуте, когда он увидел Никки в первый раз.

Их встреча-стычка не должна была иметь последствий.

Встреча, которая произошла семнадцать лет назад.

24 декабря.

В Нью-Йорке.

За несколько часов до Рождества...

Себастьян.
Семнадцать лет назад...

«Почему же я заранее не позаботился о подарках?!»

«Мэйсис» не просто суперуниверсам, это целый городской квартал, расположившийся между Бродвеем и Седьмой авеню. И 24 декабря «этот самый большой в мире магазин» был набит битком. Снег, который валил с утра, не разубедил туристов и ньюйоркцев в необходимости срочно купить подарки к Рождеству. В холле под гигантской елкой хор распевал рождественские гимны, а покупатели и зеваки толпились перед эскалаторами, торопясь разбежаться по десяти этажам прославленного магазина. Одежда, косметика, часы, украшения, книги, игрушки — в этом храме потребления любой охотник мог отыскать добычу на свой вкус.

«А меня-то как сюда занесло?»

Мальчуган с горящими глазами на бегу врезался в меня, бабуля отдавила ногу, от обилия народа голова шла кругом. Зря, зря я вступил на враждебную территорию! Я хотел обойти ее стороной, но что поделаешь? Разве можно прийти на Рождество к родителям без подарков? Так что же подарить маме? Ума не приложу! Может быть, шелковую косынку? Или в прошлом году я уже дарил ей косынку? Тогда сумочку. Ну и цены у этих сумочек. Сумасшедший дом! Тогда духи! Какие же выбрать?

С отцом куда проще. У нас с ним негласный взаимовыгодный договор. В четный год он получает в подарок коробку сигар, в нечетный имеет право на бутылку коньяку.

Я вздохнул и оглядел людей вокруг себя, чувствуя себя одиноким чужаком среди множества целеустремленных охотников. Продавщица-недотепа чуть было не надушила меня женскими духами, и я едва сдержался, чтобы не выругать ее. Неудивительно, что терпение у меня лопнуло, я схватил с полки первый попавшийся флакон и отправился к ближайшей кассе.

Стоя в очереди, я вытирал пот и ругательски ругал дуру-продавщицу, которая вконец испортила мне настроение.

— С вас пятьдесят три доллара.

Я стал доставать бумажник, чтобы расплатиться, и тут в нескольких метрах от себя заметил стройную девичью фигурку. Красивая девушка уверенным шагом направлялась к выходу из секции косметики. В небрежно наброшенной шерстяной накидке она выглядела очень женственно и соблазнительно. Серый берет. Короткая обтягивающая юбка. Сапоги на высоких каблуках. Сумочка последний писк.

— Молодой человек!

Я искал по карманам пальто очки, но кассирше надоело ждать, и она грубо вернула меня к себе и своей кассе. Я протянул ей кредитную карту, продолжая следить за прекрасной незнакомкой... И вдруг увидел, что к ней подошел продавец секции косметики. Мужчина в черной форменной одежде с уоки-токи в руках требует, чтобы девушка расстегнула накидку. Девушка возмущается, машет руками, но спрятанный в накидке косметический набор шлепается на пол, подтверждая, что воровство и правда имело место.

Служащий крепко берет ее за плечо и вызывает по радио подкрепление.

Я расплачиваюсь за духи и подхожу к девушке. Замечаю, что глаза у нее зеленые, на лице веснушки, а на руках длинные кожаные перчатки. Я вообще-то не имею обыкновения заглядываться на девушек. На Манхэттене красоток пруд пруди, но я не верю в любовь с первого взгляда. Однако сейчас это что-то совсем другое. Тот единственный миг, который у каждого бывал в жизни. Миг, когда чувствуешь: произошла встреча. Редкий миг. Необыкновенный.

У меня всего несколько секунд, чтобы решиться и не упустить своего шанса. Сейчас или никогда. Я открываю рот, не зная, что скажу в следующую минуту. Слова вылетают, словно кто-то мне их подсказывает.

— Мэдисон! Ты что? Думаешь, что все еще у себя в глухомани? — осведомился я, подтолкнув девушку локтем в бок.

Она посмотрела так, будто я свалился с Юпитера, а она никогда не видела юпитерианцев.

Я повернулся к служащему.

— Моя кузина Мэдисон недавно приехала из Кентукки. — Потом я взглянул на косметический набор. — И это все, что ты нашла для нашей дорогой тети Бэт? Сразу видно, заморачиваться тебе не захотелось! — И опять очень дружески повернулся к служащему. — Кроме «Вилмара», она больше нигде не бывала. Думает, что во всех магазинах кассы на первом этаже.

Он не поверил ни единому моему слову, однако магазин жил предвкушением праздника, и никому здесь не нужны были неприятности. Я предложил заплатить за набор и забыть о досадной случайности. На ходу я бросил девушке:

— Расплатишься со мной дома, Мэдисон.

— Ладно, ладно, — устало согласился служащий.

Я поблагодарил его улыбкой за понимание и поспешил к ближайшей кассе. Мигом заплатил за покупку, а когда вернулся, красавицы и след простыл.

*

Я бросился вниз по эскалатору, который полз вверх. Несся через три ступеньки. Проскочил через секцию игрушек, растолкав во все стороны мальчишек и девчонок, и оказался наконец на Тридцать четвертой авеню.

Снег падал крупными хлопьями.

В какую сторону она пошла? Направо? Налево?

Или — или. Я решился и свернул налево. Мне некогда было искать очки, а без них я вижу не лучше крота, так что и не сомневался: мне ее не найти. И все-таки бежал.

Скользкий, как каток, асфальт припорошило снежком. В пальто, со свертками под мышкой, я пробирался сквозь толпу куда медленнее, чем хотелось. Мне показалось, что по мостовой я побегу быстрее, и я перебрался на мостовую. Но очень скоро пожалел об этом: поток машин не лучше потока людей. Я опять перепрыгнул на тротуар, поскользнулся, упал и, увлекаемый инерцией, покатился дальше. Не знаю, сколько бы я катился, но, скользя, я подсек какую-то прохожую, она упала и затормозила меня.

— Поверьте, я очень сожалею, извините, — сказал я, поднимаясь на ноги.

Пошарив по карманам куртки, я наконец-то нашел очки, надел их и...

Это была она!

— Снова вы? — мрачно процедила она, поднимаясь на ноги. — Больной вы, что ли, на людей бросаться?..

— Ну-ну! Могли бы и спасибо сказать! Как-никак я избавил вас от неприятностей.

— Я вас об этом не просила! А таких гадостей мне никто еще в жизни не говорил! Это я-то похожа на деревенщину из Кентукки?!

Ну и нахалка! Я только руками развел. А она, ежась от холода, похлопывала себя, скрестив руки, по плечам.

— Колотун. Ну ладно, пока! До новых встреч!

— Подождите! Может, выпьем чего-нибудь согревающего?

— Еще чего! Меня вон метро ждет на той стороне! — И она кивнула головой в сторону станции «Джеральд-сквер».

— И прекрасно! По бокалу хорошего вина в кафе «Брайант-парк»! Оно рядом с метро, вы согреетесь!

Что-то вроде колебания отразилось у нее на лице.

— Ну, так и быть. Только ничего не думайте, вы не в моем вкусе.

*

Кафе «Брайант-парк» расположилось как раз за зданием изящных искусств Нью-йоркской библиотеки. Летом здешний небольшой сквер — настоящий зеленый оазис среди небоскребов Мидлтауна. Студенты, обитатели квартала — все приходят сюда отдохнуть, послушать концерт или лекцию, поиграть в шахматы, съесть хот-дог. Но в этот зимний вечер садик походил скорее на лыжную станцию.

А прохожие, за которыми сквозь большие окна наблюдали посетители кафе, на эскимосов, которые, закутавшись в парки, с трудом пробираются по снежным сугробам.

— Опережая ваш вопрос, отвечаю, меня зовут Никки.

— Себастьян Лараби. Очень приятно.

В кафе яблоку негде упасть. По счастью, нам все-таки достался маленький столик у окна, выходящего на каток.

— Кисловатое вино, не находите? — спросила она, поставив на стол бокал.

— Кисловатое?! Да это же «Шато Грюо-Лароз» тысяча девятьсот восемьдесят второго года!

— И прекрасно! А с чего это вы так разобиделись?

— Да вы знаете, сколько оно стоит?! И на каком месте стоит в «Винном гиде» Паркера?

— Не знаю и знать не хочу! Оно что, должно мне нравиться, потому что дорогое?

Я покачал головой и сменил тему:

— Где будете праздновать Рождество?

Она ответила небрежным тоном:

— С ребятами! Мы заняли старый дом возле доков, выпьем чего-нибудь, покурим травки, расслабимся. Если хотите, тоже подходите...

— Выпивать со сквоттерами, нет уж, увольте.

— Не хотите, как хотите. А здесь небось курить не разрешают?

— Не знаю, думаю, что нет.

— Жаль.

— А чем вы занимаетесь? Учитесь?

— Изучаю театральное искусство и позирую для фотосессий в одном агентстве для манекенщиц. А вы?

— Я скрипичных дел мастер.

— Правда?

— Делаю и реставрирую скрипки.

— Спасибо, что сказали, а то я не знаю, чем занимается скрипичный мастер! За кого вы меня принимаете? За дурочку из Кентукки?

Она выпила еще глоток «Шато Грюо-Лароз».

— В общем-то, вино совсем не плохое. А для кого духи? Для подружки?

— Для моей мамы.

— Бедная она бедная. В следующий раз посоветуйтесь со мной, избежите дурновкусия.

— Вот, так и побежал советоваться с воровкой!

— Что за пафос! Я же сразу поняла: у вас дурной вкус!

— А если серьезно, вам часто случается так шалить?

— А вам известно, сколько стоит губная помада? Поверьте, воры вовсе не те, кого называют ворами, — убежденно заявила она.

— У вас могли быть большие неприятности.

— Поэтому это и кайфово! — отозвалась она и раскрыла сумочку.

У меня глаза на лоб полезли: она была набита всякой косметикой, с которой предусмотрительно были сняты штрихкоды.

Я покачал головой.

— И все-таки я чего-то не понимаю. Вам что, на жизнь не хватает?

— Да нет, дело, в общем-то, не в деньгах. Просто внезапно возникает соблазн цапнуть! И противиться ему невозможно!

— Вы, наверное, больны?

— И вдобавок ко всему клептоманка. — Она передернула плечами и прибавила: — Вам бы тоже не мешало попробовать. Риск, ощущение опасности, адреналин. Очень поднимает тонус.

— Не помню, где я это читал, но психиатры считают клептоманию компенсацией неудовлетворительной сексуальной жизни.

Она рассмеялась и отмела предположение врачей:

— Хреновые, значит, психиатры! Они сильно заблуждаются, если так считают, и вы тоже, старина!

Среди баночек и коробочек у нее в сумке я заметил потрепанную книжонку, на корешке: «Габриэль Гарсиа Маркес. Любовь во время чумы».

— Мой любимый роман, — сказал я совершенно искренне.

— Мой тоже. Обожаю эту книгу.

На несколько минут я и эта очень странная девушка обрели общую почву и взаимопонимание. Но она не пожелала, чтобы мы оставались в этом райском состоянии.

— А у вас на вечер какая программа?

— Рождество — семейный праздник. Через час сяду на поезд и поеду в Ист-Хэмптон к родителям встречать с ними Рождество.

— Вау! Конец света! — прыснула она. — И, наверно, носочки под елку повесите? И Санта-Клаусу поставите чашку теплого молока?

Она смотрела на меня с насмешливым видом, улыбка у нее стала еще ядовитее, когда она задала мне следующий вопрос:

— Может, расстегнете пуговицу на воротничке? Терпеть не могу людей, застегнутых на все пуговицы.

Я только плечами пожал.

А она не унималась:

— А прическа? Не идет вам такая прическа! Весь прилизанный, волосок к волоску! Жуть! Тоска, да и только!

Она провела рукой по моей голове и взлохматила мне волосы.

Я отстранился, но она продолжала с тем же задором:

— А жилетка? Вам забыли сказать, что сейчас не тридцатые годы? А если тридцатые, то где ваши карманные часы и цепочка на животе?

На этот раз девица явно переборщила.

— Если я вам так не по душе, ступайте, никто вас здесь не держит.

Она допила вино и встала.

— Вы правы. Но я вас предупреждала, ходить по кафе нам с вами не стоит.

— Вы тоже совершенно правы. Надевайте вашу накидку а-ля Бэтмен, и скатертью дорожка. Терпеть не могу таких, как вы.

— О! Вы не все еще о таких знаете! — таинственно проговорила она, надела накидку и удалилась.

В окно я увидел, как она закурила сигарету, выпустила дым, подмигнула мне на прощанье и исчезла.

Еще какое-то время я посидел за столиком в кафе, допивал, не спеша, вино, размышлял о недавнем происшествии. Я не стал приглаживать волосы, расстегнул пуговицу на воротничке и жилетку, в которой был как в корсете, тоже расстегнул, и вправду почувствовав себя гораздо лучше.

Попросил счет и полез в карман пиджака, собираясь рассчитаться. Потом полез в пальто.

Странно...

Охваченный беспокойством, я вывернул все карманы и вынужден был признать очевидное.

Эта чума стырила мой бумажник!

Верхний Ист-Ривер
Три часа утра

Меня разбудил пронзительный звонок. Я открыл глаза и посмотрел на часы. Кто-то, не жалея своих и моих нервов, трезвонил в дверь. Я нащупал очки на тумбочке, надел и вышел из спальни. В доме было пусто и холодно. Из-за кражи бумажника, о которой я заявил в полицию, я опоздал на поезд в Лонг-Айленд, и мне пришлось остаться в одиночестве на Манхэттене.

Кто мог ломиться ко мне среди ночи? Открываю дверь — на пороге моя воровка с бутылью водки в руках.

— Какой же ты сладенький в этой пижамке! — заявляет она.

И от нее разит водкой.

— Что вы здесь забыли? У вас хватает наглости среди ночи ломиться ко мне в дверь после того, как вы украли у меня бумажник?!

Уверенным движением руки она отстраняет меня и, слегка покачиваясь, входит в квартиру. На волосах у нее блестят снежинки. Где она бродила по такому холоду?

Она входит в гостиную, бросает мне бумажник и усаживается в кресло.

— Я хотела купить это самое ваше вино, «замок, не знаю какой», но нашла только это, — сообщила она, раскачивая бутылку, из которой было уже немало выпито.

Я вышел ненадолго из гостиной, принес полотенце и одеяло. Пока я разводил огонь в камине, она вытирала волосы, а потом, завернувшись в плед, подошла ко мне.

Встав рядом со мной, она протянула руку и погладила меня по щеке. Я осторожно отклонил голову. В глазах у нее горел странный завораживающий огонь. Она обняла меня.

— Остановитесь, вы же пьяны!

— Именно! Вот и пользуйся, — стала она подначивать.

Потом встала на цыпочки и приблизила губы к моим губам. В комнате было еще совсем темно.

Огонь в камине потихоньку разгорался, распространяя вокруг слабый дрожащий свет. Я чувствовал запах ее кожи. Она сбросила накидку, и я увидел, как поднимается и опускается ее грудь под блузкой. Я был возбужден, но мне это было неприятно. Я сделал последнюю попытку:

— Вы сами не знаете, что творите.

— Пошел ко всем чертям со своими деликатностями, — выругала она меня и яростно стала целовать, а потом повалила на софу.

На потолке две наши тени слились и стали одной.

Когда на следующее утро я открыл глаза, голова была тяжелой, веки набухли, во рту металлический вкус. Никки исчезла, не оставив адреса. Я встал и дотащился до окна. Снег все падал и падал, малопомалу превращая Нью-Йорк в призрачный город. Я открыл окно. Пахнуло ледяным холодом. Ветер взбудоражил пепел в камине. Чувство невыносимой потери скрутило мне все внутренности. Я поднял бутылку с водкой.

Пусто.

Бродя, как тень, по квартире, я увидел, что на антикварном зеркале Луи-Филипп в гостиной губной помадой что-то написано. За это зеркало в золоченой раме с резными листочками мама заплатила на аукционе целое состояние. Я стал искать очки, но никак не мог найти. Прижавшись чуть ли не носом к зеркалу, прочитал:

«Только то, что запомнилось, важно в жизни»[1].

---

[1] Жан Ренуар.

Часть вторая
ВДВОЕМ ПРОТИВ ВСЕХ

Женщины начинают влюбляться, узнавая нас.

Мужчины наоборот: узнав женщину до конца, они готовы с ней расстаться.

Джеймс Солтер. «Американский экспресс»

22

«МЕСТО ПРЕСТУПЛЕНИЯ — ЗА ОГРАЖДЕНИЕ НЕ ЗАХОДИТЬ».

Обозначая зону, где проводятся следственные мероприятия, в свете мигалок моталась на ветру желтая пластиковая лента. Сантос, торопясь за своим помощником, пробивался к ней сквозь толпу зевак и полицейских, показывая полицейский значок.

— Сами увидите, лейтенант, настоящее месиво, — предупредил Мадзантини, приподнимая ленту.

Едва переступив порог бара, Сантос остановился — зрелище и в самом деле было впечатляющим, остаться равнодушным было трудно.

На бильярдном столе громоздился Дрейк Декер с выкаченными от ужаса глазами, перекошенным ртом и выпущенным комом кишок. А в метре от него на полу лежал еще один жмурик: здоровенный мужик с медно-красной рожей, весь в тату. Этому перерезали горло острым осколком зеркала.

— А этот-то кто? — спросил Сантос, присаживаясь на корточки возле трупа.

— Понятия не имею, — ответил Мадзантини. — Я обыскал его, но при нем ни бумажника, ни документов. Зато нашел вот этот нож в голенище сапога.

Сантос осмотрел прозрачный пластиковый пакет, который протянул ему помощник. Там лежал небольшой ножичек с эбеновой рукоятью и тонким, острым как бритва лезвием.

— Он им не воспользовался, — сообщил Мадзантини. — Но мы нашли еще кое-что.

Сантос осмотрел еще одно вещественное доказательство: Ka-Bar, боевой нож американской армии, с широкой рукояткой, обмотанной кожаным шнуром, и стальным лезвием длиной пятнадцать сантиметров. Похоже, именно этим ножом и был обработан Дрейк Декер.

Сантос в задумчивости сдвинул брови. Судя по расположению трупов, в этой комнате должен был быть по крайней мере еще и третий.

— Ты сказал, что кто-то позвонил по 911, в участок?

— Да. И я жду результатов записи. Звонок был сделан с мобильного телефона. Сейчас определят с какого. Это недолго.

— Отлично, — одобрил Сантос, поднимаясь на ноги. — Попроси Круза, пусть сделает максимально четкие снимки татуировки на лице этого типа. Скажи еще, чтобы сфотографировал маленький нож. Как только получишь снимки, перешлешь их мне по электронке. Я покажу их Рейнолдсу из Третьго отдела. У них в штате есть антрополог, он нам очень и очень пригодится.

— Понял, лейтенант. Сейчас все сделаем.

Прежде чем выйти из бара, Сантос еще раз обвел глазами комнату. Работники отдела криминалистики в белых комбинезонах и латексных перчатках молча и сосредоточенно занимались своим делом. Вооруженные флуоресцентными лампами, кисточками и пудрой, они собирали какие только возможно следы, чтобы впоследствии внимательно их изучать.

— Здесь полно отпечатков пальцев, они просто повсюду, лейтенант, — сообщил Круз, старший над экспертами.

— И на осколке зеркала тоже есть отпечатки?

— Да, на осколке и на огнетушителе. Вообще везде. Совершенно свеженькие и очень четкие. Дилетантская работа, сразу видно. Если на парня заведено дело, мы найдем его в пять минут.

23

Самолет компании «Дельта Эйр Лайнз» приземлился в аэропорту Шарль де Голль в одиннадцать утра при ослепительном свете солнца. Измученные до крайности, Никки и Себастьян почти весь рейс крепко спали. Несколько часов сна благотворно подействовали на них, и новый день они встретили с более ясными головами.

Они спустились по трапу из самолета и встали в длинный хвост, чтобы пройти паспортные и таможенные формальности.

— С чего начнем? — спросила Никки, включив мобильник.

— Может, стоит поехать на станцию «Барбес»? Расспросить людей, попытаться понять, откуда могло появиться у нас это видео, явно полученное с видеокамеры наблюдения. Это же единственная зацепка, так ведь?

Никки молча кивнула и протянула свой паспорт полицейскому.

Потом они прошли через зал, где выдают багаж, и направились к выходу. За барьером толпились люди: родственники, которым не терпится увидеть своих, влюбленные, жаждущие обрести свою половинку, шоферы, машущие плакатами с фамилиями. Себастьян уже направился к стоянке такси, но Никки вдруг потянула его за рукав.

— Посмотри вон туда!

Посреди толпы в безупречном костюме-тройке стоял шофер со строгим бесстрастным лицом и держал плакат:

Господин и госпожа Лараби

Они изумленно переглянулись. Никто не мог знать, что они полетели в Париж. Только похитители Джереми.

Мгновенно поняв друг друга и обменявшись молчаливым кивком, они решили подойти к шоферу. Может быть, через него они отыщут своего сына?

Шофер обратился к ним по-английски с оксфордским акцентом, голос у него был низкий и теплый:

— Мадам, месье, добро пожаловать в Париж! Меня зовут Спенсер, прошу вас следовать за мной.

— Погодите! Объясните сначала, что происходит. Куда вы намерены нас везти? — не без тревоги засыпал его вопросами Себастьян.

Спенсер совершенно бесстрастно, чуть презрительно скривив губы, достал из внутреннего кармана листок бумаги. Надел очки в черепаховой оправе и развернул листок.

— Мне приказано встретить госпожу и господина Себастьяна Лараби. Рейс авиакомпании «Дельта Эйр Лайнз» в одиннадцать часов из Нью-Йорка. Это вы?

Они кивнули, онемев от изумления.

— Кто зарезервировал для нас машину? — спросила Никки.

— Этого я не знаю, мадам. Поинтересуйтесь об этом у секретаря из «Лакшери кэб». Это единственное, что я могу вам посоветовать. Заказ был подтвержден сегодня утром именно этой организацией.

— И куда вам поручено нас отвезти?

— На Монмартр, месье. В «Гранд-отель де ла Бютт», и, можете мне поверить, для романтического путешествия вы сделали наилучший выбор.

Себастьян, закипая от ярости, взглянул на шофера.

«Я здесь не для романтических путешествий! Я ищу своего сына!»

Никки положила руку ему на рукав, стараясь успокоить. Шофер, скорее всего, лишь пешка в игре. Он, очевидно, и не подозревает о ней. Вероятно, им надо рискнуть и, не устраивая никаких сцен, поехать с ним и посмотреть, чем все это закончится.

«Мерседес» покатил по северному шоссе.

Спенсер настроил радио на классическую музыку и покачивал головой, наслаждаясь «Временами года» Вивальди.

Расположившись на заднем сиденье, Себастьян и Никки разглядывали рекламные щиты, которые сопровождали их путь к столице Франции: «Трамбле-ан-Франс», «Гарж-ле-Гонесс», «Ле-Блан-Мениль», «Стад де Франс»...

Они были в Париже семнадцать лет назад. Воспоминания о первом их путешествии невольно всплывали одно за другим, но отдаться им мешала тревога.

Машина пересекла парижскую окружную, свернула направо и по «бульварам маршалов» помчалась к Монмартру. Улица Коленкур, улица Жюно, деревья, одевшиеся осенней листвой, огненно-красные листья, усеявшие тротуар...

Спенсер свернул на маленькую площадь, окруженную серыми домами. Въехал в высокие кованые ворота, и Никки с Себастьяном оказались в настоящем деревенском садике, в загородном островке посреди Парижа. Над дверями гостиницы элегантная вывеска со строгими буквами на белом фоне: «Гранд-отель де ля Бютт».

— Миссис и мистер Лараби, желаю вам приятного отдыха, — сказал шофер, поставив сумку Никки на крыльцо.

По-прежнему напряженные и настороженные, Никки и Себастьян вошли в холл красивого здания. Их встретил ретросвинг в исполнении джазового трио. Холл красивый и очень уютный. Гостиница напоминала роскошный домашний пансион, убранный с тщанием и любовью. Мебель в стиле ар-деко напоминала о 20-х и 30-х годах: клубные кресла, буфет из сикоморы, лампа Ле Корбюзье, лакированные деревянные консоли, панно-маркетри из слоновой кости с перламутром.

У стойки ресепшн ни души. Слева от входа виднеется располагающая к отдыху гостиная, а за ней библиотека с книжными шкафами. Справа длинная стойка из красного дерева, там, как видно, бар с алкоголем и коктейлями.

По плиткам застучали каблучки. Никки и Себастьян разом резко обернулись и увидели элегантную фигуру дамы-администратора, которая появилась в арке, ведущей в столовую.

— Господин и госпожа Лараби, не так ли? Мы вас ждем. Добро пожаловать в «Гранд-отель де ля Бютт», — сказала она на безупречном английском.

Короткая стрижка под мальчика, плоская грудь, юношеская фигура, узкое платьице до колен: администраторша, похоже, сошла со страниц одного из романов Скотта Фицджеральда.

Она прошла за стойку и приготовилась приступить к формальностям регистрации.

— Подождите, — остановил ее Себастьян. — Простите, но я хотел бы знать, откуда вы о нас узнали.

— У нас всего пять номеров, месье. Наш отель полон. Вы наши последние гости.

— А кто заказал для нас номер?

Администраторша поднесла к губам янтарный мундштук, который до этого держала в руке между большим и указательным пальцами, сделала затяжку и ответила с непоколебимой уверенностью:

— Вы сами заказали этот номер, месье Лараби!

— Я сам?

Она проверила заказ по компьютеру.

— Заказ был сделан неделю тому назад через наш сайт в Интернете.

— Номер оплачен?

— Безусловно. Оплачен в день заказа банковской картой на имя Себастьяна Лараби.

Себастьян, не в силах поверить, склонился к экрану. В верхней части экрана после звездочек красовались четыре цифры с его банковской карты. Сомнений не было: его счет был пиратски вскрыт.

Он мрачно взглянул на бывшую жену. Хотел бы он знать, какую мерзкую игру затеяли те, кто заманил их сюда.

— Какие-то проблемы? — осведомилась хозяйка.

— Никаких, мадам, — ответил Себастьян.

— Тогда предлагаю вам пройти в ваши апартаменты, номер пять на последнем этаже.

В узком лифте, обслуживающем этажи этой небольшой гостиницы, Никки нажала на последний.

— Если заказ был сделан неделю назад, — сказала она, — значит, похищение Джереми было спланировано заранее.

Себастьян в знак согласия кивнул.

— Так и есть. Но зачем они пошли на риск и вскрыли мой счет, чтобы заказать нам эту гостиницу?

— Может быть, они все же хотят потребовать выкуп? — предположила Никки. — Вскрыв твои счета, они точно узнали размеры твоего состояния, а значит, поняли, сколько могут с тебя потребовать.

Лифт остановился на последнем этаже, они открыли дверь своего номера и оказались в просторных апартаментах с высоким сводчатым потолком мансарды.

— Могли бы выбрать и поскромнее, — заметила Никки, надеясь шуткой смягчить терзающее их беспокойство.

Королевская кровать, ванна на ножках в ванной комнате, стены в пастельных тонах. Оформленная со вкусом комната дышала старинным очарованием, воспроизводя обстановку мастерской богемного художника: дощатый пол, большое овальное зеркало, небольшой балкончик, выходящий в сад.

Но самым очаровательным был в этой комнате свет. Он едва пробивался сквозь плети плюща и ветки деревьев, золотя комнату. Трудно было поверить, что ты в гостинице, скорее было похоже, что гостишь у друзей-эстетов, которые на каникулы предоставили тебе свое секретное убежище.

Они вдвоем вышли на балкон, внизу под ним расстилался небольшой сад, а с балкона открывался завораживающий вид на Париж. Весело щебечут птицы, ветер шуршит листвой.

Но очарование города, простиравшегося у их ног, не заворожило Никки и Себастьяна. Осенняя ласковость не умерила тревоги.

— Что предпримем теперь? — спросил Себастьян.

— Не знаю. Думаю, что они не вызвали бы нас сюда, если бы не хотели пообщаться, так ведь?

В надежде найти какое-нибудь сообщение они проверили мобильники, осведомились о звонках на ресепшн, внимательно осмотрели комнату. Ничего.

Прошло полчаса, и ожидание сделалось невыносимым.

— Поеду на «Барбес», — решил Себастьян, надевая пиджак.

— Я с тобой. Не возражай, я с ума сойду одна в этой комнате.

— Нет. Ты же сама сказала: вполне возможно, они хотят вступить с нами в контакт.

— Но мы же договорились быть всегда вместе, — умоляюще проговорила Никки.

Но Себастьян уже закрыл за собой дверь.

24

Нью-Йорк
Полицейский участок № 87

Автомат налил Сантосу очередной стакан кофе. Солнце над Бруклином еще не взошло, а Сантос пил уже третью порцию. В какой уже раз ночь выдалась беспокойной: ограбления, насилие в семье, воровство в магазинах, убитые проститутки... Вот уже десять лет подряд средства массовой информации уверяют, что Нью-Йорк — очень спокойный город, где не существует опасностей. Для Манхэттена, может быть, это и верно, но что касается предместий...

Из-за недостатка места в камерах коридор, где стоял автомат с напитками, походил на центр для беженцев: на скамейках арестованные в наручниках, жмутся, как сардины в банках, свидетели, все стонут, жалуются, кутаются в жалкую одежонку. Освещают коридор мигающие и зудящие неоновые лампы. Гул голосов, тяжелый удушливый запах. Нервы у всех напряжены, все на пределе.

Сантос убежал из этого ада к себе в кабинет. Он ненавидел грязный шумный участок и не собирался именно здесь закончить свою карьеру. Не лучше был и его кабинет, тесный, плохо изолированный, мало приспособленный для работы, с окнами, выходящими в жалкий дворик. Он сделал глоток кофе, больше похожего на пойло, откусил кусок зачерствевшего пончика и с трудом проглотил.

Швырнул надкушенный пончик в корзину и набрал номер лаборатории, которая занималась анализом наркотических веществ. Лаборант подтвердил — интуиция Сантоса не обманула, — порошок, который он нашел в квартире Никки, это кокаин. Лоренцо отложил папку в сторону и, воспользовавшись тем, что был на линии, попросил соединить его с отделом криминалистики.

На протяжении тех лет, что Сантос работал в полиции, он сумел обзавестись множеством чем-то обязанных ему и дружественно настроенных людей. В огромном многообразном созвездии полицейских служб у него было немало друзей, с которыми он мог в пять минут поговорить напрямую. Сантос не задумываясь тоже помогал, если было чем. Таким уж он уродился. Помогал совершенно бескорыстно, но приходило время, и он собирал плоды своего бескорыстия.

— Тинкер слушает.

Ганс Тинкер, один из ведущих экспертов-криминалистов научного подразделения полиции, был, возможно, самым ценным из друзей Сантоса. Два года назад помощники Сантоса совершенно случайно загребли старшего сына Тинкера — паренька в разгаре подростковых проблем — с немалым количеством наркотиков. Ежу было понятно, что дурачок не только балуется зельем у себя в комнате, но и снабжает им приятелей. Сантос закрыл тогда на это глаза и не стал заводить дела. Тинкер до сих пор был ему за это безмерно благодарен.

— Привет, Ганс! Есть новости по части двойного убийства в моем квартале?

— Работаем и, похоже, долго будем еще работать. На месте преступления миллион отпечатков, будем делать генетические анализы.

— Это-то я понимаю. Но хотелось бы узнать поскорее хоть что-то об отпечатках на ноже Ka-Bar, осколке зеркала и бильярдном кие.

— Как раз эти результаты уже есть. Пришлю тебе отчет часа через два.

— Не трудись, не стоит. Сбрось в самом общем виде по почте. Хочу побыстрее отправить их в Систему идентификации по отпечаткам пальцев.

Держа ноутбук под мышкой, Мадзантини постучался в стекло, а потом, приоткрыв дверь, просунул голову в кабинет. Помощник подождал, пока начальник положит трубку, и объявил:

— Есть новости, лейтенант. Можно установить, откуда был сделан звонок на 911. Послушайте-ка.

Он поставил на стол ноутбук и дал прослушать запись. Она была очень короткая. Слышен был мужской голос, человек был явно в панике, отказался назвать фамилию, но потребовал срочно прислать «Скорую помощь» по адресу «Бумеранга».

«Там человек в агонии! У него на теле ножевые раны! Приезжайте срочно! Срочно!»

— Странно, что он сообщил только об одном умирающем, согласны? — спросил Мадзантини.

Сантос не ответил. Он уже слышал где-то этот голос и пытался понять где.

— Мы установили, с какого телефона сделан звонок, — продолжал помощник. — Телефон принадлежит Себастьяну Лараби. Это богатый скрипичных дел мастер, живет в Верхнем Ист-Сайде. Я посмотрел его дело. Чист, словно снег. Была одна мелочь еще в студенческие годы, сопротивлялся дорожной полиции, которая остановила его за превышение скорости. Думаю, он и не подозревает, что на него в те времена было заведено дело.

Теперь Сантос понял, где слышал этот голос.

— Посылаю команду, чтобы арестовать его, так, патрон?

Сантос молча кивнул. Он знал, что Себастьян Лараби уже в Париже, но ему нужно было время на размышление.

— О'кей, посылайте, — распорядился он и закрыл за Мадзантини дверь. Потом подошел к окну и застыл, глядя в пустоту. Новость его ошеломила. Как мог Себастьян Лараби оказаться замешанным в убийстве хозяина «Бумеранга»? Его размышления прервала коротенькая мелодия, уведомив, что он получил послание по электронной почте. Сантос уселся перед экраном и посмотрел, что пришло. Тинкер прислал материал для идентификации отпечатков пальцев.

Ребята из отдела криминалистики даром хлеб не ели, все сделано по высшему разряду: дактилограммы четкие, готовые для использования. Сантос перебросил их на свой жесткий диск и вышел на сайт Объединенной автоматической системы идентификации по отпечаткам пальцев. Следователи нью-йоркской полиции имели прямой доступ к базам данных ФБР и к этому их подразделению тоже. Золотая жила: более семидесяти миллионов человек, взятых на заметку, арестованных или получивших приговоры на территории Соединенных Штатов. Сантос начал с отпечатков, оставшихся на рукоятке боевого ножа. Ввел данные, нажал на поиск, база данных была проверена со сверхзвуковой скоростью. Выскочила иконка:

Match not found[1].

Первый выстрел мимо.

Второй он запустил дактилограмму, найденную на длинном окровавленном осколке зеркала — орудии, которое, совершенно очевидно, послужило для убийства «татуированного». На этот раз Сантосу повезло больше. Не прошло и секунды, как программа дала ответ. Отпечатки принадлежали... Себастьяну Лараби! Сантос лихорадочно запустил ту, что на кие, попросив сравнить ее с предыдущими. Не прошло и секунды, как на экране появилась фотография молодой женщины. Сантос дрожащими руками увеличил карточку и стал читать:

Фамилия: Никовски.

Имя: Никки.

Родилась 24 августа 1970 года в г. Детройте (Мичиган).

Состоит в разводе с Себастьяном Лараби.

---

[1] Данные отсутствуют (англ.).

В 90-х годах Никки не раз привлекалась за мелкие кражи, вождение в нетрезвом состоянии, курение наркотиков. Ее ни разу не посадили, но она заплатила бесчисленное множество штрафов и провела немало часов, выполняя принудительные общественные работы. Последний привод датировался 1999 годом. После этого года она стала держать себя в рамках.

Сердце Сантоса учащенно забилось.

«Теперь-то в какую еще историю ты вляпалась, Никки?!»

С таким-то досье всю вину мгновенно переложат на нее. По счастью, все карты на руках у Сантоса. Действуя ловко и осторожно, он может спасти любимую женщину и раз и навсегда избавиться от Лараби.

Отложив в сторону все, что можно было поставить в вину Никки, он стал тщательно собирать улики, свидетельствующие против Себастьяна Лараби: телефонный звонок в участок 911, отпечатки пальцев на орудии преступления, билет на самолет в Париж, который можно квалифицировать как бегство.

Картина получилась впечатляющей. Оснований вполне достаточно, чтобы убедить судью в необходимости подключить к поискам скрывшегося преступника Интерпол. Чтобы подлить масла в огонь, он продумает, в какие газеты стоит дать информацию, тщательно отберет ее и поделится с журналистами. Состоятельный человек, спасающийся бегством в Париж после того, как он совершил убийство в злачном месте. Журналюги обожают такие истории. Лараби, ничего не скажешь, элита,

принадлежит к старинному респектабельному нью-
йоркскому семейству, но в наши кризисные времена люди, держащие в своих руках экономические
вожжи, перестали быть неприкасаемыми. Вот уже
второй год луддиты воюют против Уолл-стрит. Не
один раз сотни манифестантов, запрудив Бруклин-
ский мост, блокировали движение. Возмущение
среднего класса растет и набирает силу по всей
стране.

Времена меняются.

Те, кто держит власть сегодня, завтра могут ее и
не удержать.

Кто такой на данный момент Себастьян Лараби?
Убийца в бегах, и ничего больше. Приказ о его аре-
сте отдан. Поймать его ничего не стоит.

25

Париж
18-й округ

Себастьян вышел из отеля и пошел по улице
Жюно в сторону площади Пекер. Стоял конец октября, но лето, как видно, договорилось об отсроч-
ке. На террасах кафе туристы и жители Монмартра
подставляли лица и руки теплым солнечным лучам.

Себастьян не замечал тепла и солнца, он неотступно думал о сыне. Возникновение у них на пути
романтического отеля в деревенском садике окончательно сбило его с толку. Он оказался на неиз-
вестной ему территории и чем дальше углублялся в
нее, тем яснее понимал, что им с Никки грозит

опасность. А поскольку он не мог понять, откуда она придет и в чем будет состоять, очень нервничал. Он постоянно оборачивался, проверяя, не следят ли за ним. Вообще-то не должны бы, не тот случай, а там кто может поручиться?

На площади он подошел к банкомату, чтобы снять деньги. И получил по своей «Black Card» две тысячи евро, максимум, который выдал ему его банк. Спрятав деньги в бумажник, Себастьян направился к станции метро «Ламарк-Коленкур» — он заметил ее по дороге из аэропорта. Вход в метро с типичными для Монмартра двумя лестницами слева и справа напомнил ему фильм «Амели», который они с Камиллой смотрели на DVD. Он купил книжечку и подошел к карте, чтобы найти станцию «Барбес-Рошешуар». Она находилась на стыке 9-го, 10-го и 18-го округов и была всего в нескольких остановках. Охваченный нетерпением, Себастьян не стал дожидаться лифта и пустился бегом по винтовой лестнице, которая вела к платформе, расположенной на двадцатипятиметровой глубине. Сел на первый подошедший поезд в направлении к «Мэри-д'Исси», проехал две остановки, на «Пигаль» перешел на линию 2 и спустился на «Барбес-Рошешуар».

Вот она, эта станция, где был похищен его сын...

Себастьян вместе с потоком пассажиров дошел до касс, выстоял длинную очередь и спросил, показав фотографию Джереми и видео, которое сбросил себе на мобильник, не может ли кассирша чем-нибудь ему помочь. Может быть, она видела Джереми?

— Нет. Ничем помочь не могу. Обратитесь в полицию, месье, — последовало в ответ.

Он не отступал, но вокруг было так шумно, и столько народу стояло в очереди за билетами! Дело было не в том, что кассирша не хотела помочь Себастьяну, просто она слишком плохо знала английский и не могла понять, что от нее нужно, нервничала, потому что волновалась очередь. Кое-как соединяя чужие слова, она старалась дать понять Себастьяну, что в последние дни не было никаких особых происшествий, кроме обычных мелких краж.

— No aggression, sir! No aggression![1] — повторяла она.

Поняв, что никакого толку от нее не добиться, Себастьян поблагодарил девушку и стал подниматься на эскалаторе к выходу.

«Барбес»...

Выйдя на улицу, Себастьян оказался в Париже, совершенно не похожем на привычные картинки. Ни одного прохожего в берете с багетом под мышкой, ни одной булочной, ни одного магазинчика с сырами, которые должны были бы попадаться на каждом шагу. Париж Эйфелевой башни, Париж Елисейских Полей остался неведомо где, а Себастьян стоял в многонациональном Париже, шумном и разноцветном, который напомнил ему нью-йоркский melting-pot[2].

---

[1] Нападений не было, сэр! Нападений не было! *(англ.)*

[2] Букв. «плавильный котел» *(англ.)*. Идиома, широко распространившаяся в англоязычном регионе в эпоху позднего колониализма для обозначения феномена образования нового этноса благодаря смешению разных народов, рас и культур.

На тротуаре один прохожий обогнал его, чуть ли не прижимаясь к нему боком, другой толкнул, и он вдруг почувствовал осторожно шарящую руку.

«Воришка!»

Себастьян резко дернулся вбок, не желая, чтобы ему обчистили карманы, но тут же попал в объятия торговца сигаретами, который стал совать ему под нос красные с белым пачки:

— «Мальборо»! «Мальборо»! Три евро! Три евро!

Опять пришлось метнуться в сторону, чтобы от него отвязаться. Себастьян перешел на другую сторону, но и там творился тот же цирк. Улица кишела продавцами контрабандных сигарет.

— Легендарный «Мальборо»! Три евро! Три евро!

И ни одного полицейского до самого горизонта.

Под козырьком остановки с металлическими колоннами наземного метро Себастьян заметил газетный киоск. И снова достал из кармана фотографию сына, чтобы показать продавцу.

— My name is Sebastian Larabee. I am American. This is a picture of my son Jeremy. He was kidnapped here two days ago. Have you heard anything about him?[1]

Киоскер, родом из Северной Африки, вот уже тридцать лет держал газетный киоск на перекрестке Барбес-Рошешуар. Он был воистину памятью квартала и благодаря туристам выучил английский, на котором говорил свободно.

— Нет, месье, я ничего не слышал об этой истории.

---

[1] Меня зовут Себастьян Лараби. Я американец. Это фотография моего сына Джереми. Его похитили здесь два дня назад. Вы ничего не слышали о нем? (*англ.*)

— Are you sure? Look at the video,[1] — умоляюще произнес Себастьян, протягивая киоскеру телефон, на который он записал видео с похищением Джереми.

Киоскер протер стекла очков полой рубахи и снова водрузил их на нос.

— Экран слишком маленький, почти ничего не разглядеть, — пожаловался он.

— Посмотрите еще раз, прошу вас!

Народу на перекрестке сновало много. Крик, шум, суета. Себастьян то и дело получал толчки в бок. Сгрудившись у входа в метро, толпа продавцов с лотками заняла все пространство перед газетным киоском. «Мальборо»! «Мальборо»! Три евро! Три евро!» От их крика лопались барабанные перепонки...

— Сожалею, но мне ничего сказать по поводу этой истории, — сказал киоскер, возвращая Себастьяну мобильник. — Оставьте свой номер телефона. Я спрошу у Карима, моего помощника, может, он что-то слышал. В понедельник он закрывал киоск.

В благодарность Себастьян, достав пачку купюр, вытянул пятьдесят евро и протянул киоскеру. Но у того тоже была гордость.

— Уберите ваши бумажки, месье, и никому не показывайте их в этом квартале, — посоветовал он, кивнув подбородком на разношерстный люд, что толкался вокруг киоска.

Себастьян протянул ему свою визитную карточку, подчеркнув на ней телефон мобильника и написав имя и возраст сына.

---

[1] Вы уверены? Посмотрите видео (*англ.*).

— Если похищение было заснято, — снова заговорил киоскер, — охранники в метро должны быть в курсе.

— А где здесь ближайший полицейский участок?

Киоскер скептически покачал головой.

— Участок есть на Гут-д'Ор, в двухстах метрах отсюда, но там сидят не самые любезные люди, каких вы можете встретить в столице.

Себастьян снова поблагодарил его, закивав головой.

Да, конечно, сейчас не было никакого смысла идти в полицию. Он решил вернуться в гостиницу, но тут в голове у него мелькнула новая идея.

«Мальборо»! «Мальборо»! Три евро!»

Внизу, возле эскалатора метро, продавцы сигарет наверняка толкутся день и ночь. Где найти лучшую точку обзора и быть в курсе всего, что происходит? Информацию, скорее всего, нужно искать у них, а не в полицейском участке!

Себастьян решительным шагом направился к метро, замешавшись в толпе постоянных жителей квартала и редких туристов, которые забрели сюда, странствуя по Монмартру.

«Мальборо»! Три евро!»

На ходу продавцы сигарет распахивали куртки, соблазняя своими коробочками с плохим табаком. Они не были агрессивны, скорее навязчивы и бесцеремонны. Еще удручало их количество, их громкие крики, хотелось выбраться из этой клоаки как можно скорее. Но Себастьян доверял своей интуиции.

«Мальборо»! Три евро!»

Он вытащил из кармана фото Джереми и помахал им. Он уже привык показывать его фотографию.

— Have you seen this boy? Have you seen this boy?[1]

— Отвали, парень! Не мешай работать!

Но Себастьян упорно продолжал свой путь, шагая по тротуару перекрестка Барбес-Рошешуар, показывая фотографию сына каждому торговцу сигаретами. И уже готов был отказаться от поисков, как вдруг услышал у себя за спиной негромкий голос:

— This is Jeremy, isn't it?[2]

26

Себастьян обернулся на голос, который спросил:

— This is Jeremy, isn't it?

— Yes! That's my son! Have you seen him?[3] — спросил он, преисполнившись надежды.

Человек, окликнувший Себастьяна, стоял среди торговцев сигаретами. Чистая рубашка, пиджак, аккуратно подстриженные волосы, поношенные, но отлично начищенные ботинки. Несмотря на низкопробную работу, человек старался выглядеть достойно.

— My name is Youssef, — представился он. — I'm from Tunisia[4].

---

[1] Вы видели этого мальчика? Вы видели этого мальчика? (*англ.*)

[2] Это ведь Джереми, правильно? (*англ.*)

[3] Да, это мой сын. Вы его видели? (*англ.*)

[4] Меня зовут Юсуф. Я из Туниса (*англ.*).

— Have you seen my son?[1]
— Yes. I think so. Two days ago[2]...
— Where?[3]

Тунисец с подозрением оглянулся.

— Я не могу разговаривать с вами здесь, — продолжал он по-английски.

— Прошу вас! Это очень важно!

Юсуф по-арабски обругал двух своих «коллег», которые подошли слишком близко, не сводя с него глаз.

— Знаете что... — начал он нерешительно. — Подождите меня, пожалуйста, в «Подкове». «Подкова» — это маленькое кафе на улице Бельом, всего в ста метрах от метро, как раз за магазинами «Тати». Я подойду буквально через пятнадцать минут.

— Конечно! Спасибо вам! Спасибо!

Себастьян воспрял духом, у него появилась надежда. Он оказался прав, что упорно продолжал поиски. На этот раз ему повезло. Он напал на след.

Себастьян перешел улицу, оказался на бульваре Барбес и двинулся вдоль огромного магазина с ярко-розовой вывеской, на которой синими буквами красовалось «Тати». Этот магазин одним из первых открыл выгоду распродаж, и вот уже полвека его вывеска оживляет квартал. В поисках выгодных покупок покупатели роются в больших пластиковых контейнерах, выставленных вдоль тротуара. Платья, брюки, рубашки, сумки, белье, пижамы, игрушки... Контейнеры переполнены всем и ничем: сюда сбросили вперемешку остатки партий, залежав-

---

[1] Вы видели моего сына? *(англ.)*
[2] Да. Мне кажется, видел. Два дня назад *(англ.)*.
[3] Где? *(англ.)*

шийся на складе товар, уцененные и нераспроданные вещи.

На противоположной стороне тротуара разложили свой товар другие разносчики, эти предлагают поддельные сумки «Вуитон» и контрабандные духи.

Себастьян свернул на улицу Бервик, которая вела к улице Бельом. Барбес — густо населенный и всегда оживленный квартал. Множество народа, громкие разговоры, которые производят впечатление ругани. Пестрота, движение, ощущение, что все вокруг кипит, подействовали на американца угнетающе. Даже дома и те тут были все вразнобой: к османовским[1] фасадам лепились здания из светлого известняка, а за ними виднелись муниципальные коробки.

Наконец Себастьян нашел кафе, о котором говорил Юсуф. Бистро с узкой дверью, зажатое между магазинчиком свадебных платьев для цветных невест и парикмахерской африканских причесок. В кафе было совсем пусто. Остро пахло имбирем, корицей и вареными овощами.

Себастьян уселся за столик у окна и спросил кофе. Он хотел позвонить Никки, но удержался. Позвонит ей позже, когда будет знать что-то определенное, не стоит растравлять ее ложными надеждами. Он залпом выпил чашку эспрессо и посмотрел на часы. «Время, похоже, остановилось», — подумал Себастьян, грызя ногти. Приклеенная к стеклу афишка предлагала услуги мага-ведуна:

---

[1] В XIX веке по поручению Наполеона III префект департамента Сена барон Осман произвел радикальную перепланировку Парижа и осуществил грандиозные градостроительные работы, во многом определившие современный облик французской столицы — *Прим. ред.*

«Доктор Жан-Клод.

Избавит от порчи, снимет сглаз.

Вернет неверного супруга.

Любимый муж, любимая жена навсегда вернутся в лоно семьи».

«Вот к кому стоило бы обратиться», — с насмешкой подумал Себастьян и увидел входящего в кафе Юсуфа.

— У меня очень мало времени, — предупредил тунисец, усаживаясь напротив Себастьяна.

— Спасибо, что пришли, — поблагодарил его Себастьян и положил на стол фотографию Джереми. — Вы уверены, что видели моего сына?

Юсуф стал внимательно рассматривать фотографию.

— Совершенно уверен. Юный американец лет пятнадцати-шестнадцати, который сказал, что его зовут Джереми. Я видел его позавчера у Мунира, одного из наших «банкиров».

— Банкиров?

Юсуф отхлебнул кофе, которое себе заказал.

— На перекрестке Барбес-Рошешуар каждый день продается не одна сотня пачек сигарет, — объяснил он. — Продажа табака организована точно так же, как продажа наркотиков. Оптовики закупают товар у китайцев. Утром они приносят его на место и распихивают всюду, где только могут: по мусорным ящикам, в ящики под витринами, в багажники машин, которые стоят в условленном месте. А потом мы продаем эти пачки, бегая по улицам.

— А «банкиры»?

— Они собирают выручку.

— Но что мог делать Джереми у этого Мунира?

— Не знаю, но мне показалось, что его держат там против воли.

— Где живет этот Мунир?

— Улица Капла.

— Далеко отсюда?

— Не слишком.

— Пешком можно добраться?

— Да, но я не советую вам этого делать. Мунир не простой человек и...

— Могу я вас попросить проводить меня к нему? Я хочу поговорить с ним с глазу на глаз.

— Я вам уже сказал, что это плохая идея.

Лицо у тунисца стало испуганным. Чего он боится? Лишиться работы? Привести с собой нежелательного свидетеля?

Себастьян постарался расположить его к себе.

— Я вижу, вы добрый человек, Юсуф. Отведите меня к Муниру. Вы понимаете, как я хочу найти своего сына.

— Хорошо, — сдался наконец тот.

Они вышли из кафе и по улице София вновь вышли на Барбес. Было два часа дня, солнце светило вовсю. Бульвар все так же кипел жизнью. Молодые, старые, дети, инвалиды. Женщины в чадрах, женщины в коротких юбках.

— Где вы научились говорить по-английски, Юсуф?

— В Тунисском университете. Я окончил факультет английской литературы и цивилизации, но полгода назад был вынужден покинуть родину.

— А мне казалось, в Тунисе все налаживается.

— Жасминовая революция и свержение Бен Али не создали рабочих мест по мановению волшебной палочки, — горько сказал он. — Жить в Тунисе по-прежнему очень трудно. Молодежи, даже с дипломом, рассчитывать не на что. Я решил попытать счастья во Франции.

— У вас есть документы?

Он отрицательно покачал головой.

— Ни у кого из нас нет документов. Мы все приехали сюда на «Лампедузе» прошлой весной. Я ищу квалифицированную работу, но это практически невозможно, не имея документов. Я не особенно привередлив, но мне удалось пристроиться только к продаже сигарет. Мы вынуждены жить в мире, где царит мошенничество, где каждый за себя. И выбирать остается только между воровством, торговлей коноплей, кражей мобильников, подделкой документов и продажей сигарет...

— А куда смотрит полиция?

Тунисец расхохотался.

— Для очистки совести полицейские совершают рейды каждые десять дней. Ночь проводишь под арестом, платишь штраф и снова возвращаешься на улицу.

Юсуф шагал быстро, его ждала работа, он дорожил временем.

Себастьян с трудом выдерживал темп, заданный тунисцем. Чем дальше они шли, тем сильнее возрастало его беспокойство. Честное слово, такая удача не могла быть правдой. С какой стати его сын мог оказаться у какого-то спекулянта сигаретами за шесть тысяч километров от Нью-Йорка?

Они вышли на крошечную площадь, залитую солнцем, но провожатый тут же увлек Себастьяна в узкий темный проулок, который вел к бульвару Шапель.

— Мне очень жаль, — произнес Юсуф, вынимая из кармана нож.

— Но...

Тунисец присвистнул сквозь зубы. И тут же по бокам Себастьяна выросли еще два парня.

— Я же предупреждал: здесь каждый за себя.

Американец открыл было рот, но тут же получил удар в печень. Он попытался сопротивляться, но у Юсуфа это получилось лучше, и ударом кулака в челюсть он повалил Себастьяна на землю.

Сообщники тунисца подняли его, но лишь для того, чтобы было удобнее избивать. Себастьяну досталось по полной: локтем в поддых, удары ногами, пощечины, оскорбления. Не в силах защититься, Себастьян прикрыл глаза и старался выстоять под ударами, которые сыпались на него со всех сторон. Избиение было заслуженной расплатой и возмездием. Его крестным путем. Via Dolorosa.

Его обвели вокруг пальца, как ребенка.

А какого черта он тряс своей пачкой денег перед этими людьми? Теперь получает по заслугам. Тунисец и в глаза не видел Джереми. Зато слышал его имя, когда Себастьян разговаривал с киоскером. Когда Себастьян так беспечно достал целую пачку евро... Юсуф воспользовался его доверчивостью, и ему, Себастьяну, нет оправданий. Он само легкомыслие, беспечность и бестолковость. Он сам полез в волчью пасть. Элегантный костюм, толстый бумажник, самодовольная американская рожа — лучшей добычи не найти. Сам, сам во всем виноват.

Хорошенько отмутузив американца и забрав все, что было у него в карманах, Юсуф сделал знак помощникам. Оба мгновенно отпустили жертву и в тот же миг исчезли.

Тупая боль в затылке, разбитая губа, набрякшие веки, Себастьян с большим трудом приходил в себя. Попробовал открыть один глаз. С трудом различил вдалеке толпу пешеходов и поток машин на бульваре. С немалым трудом поднялся на ноги.

Рукавом пиджака стер кровь, которая сочилась из губы и из носа. У него забрали все: бумажник, деньги, мобильный телефон, паспорт, ремень, ботинки. И старинные часы, которые достались ему от дедушки.

Слезы бессилия, обиды, унижения закипели у него на глазах. Что он скажет Никки? Как он мог быть таким доверчивым идиотом? Неужели, несмотря на страстное желание и все усилия, нет никакой возможности отыскать сына?

27

Балкон нависал над садом.

Опершись на решетку балкона, Никки старалась успокоиться, вслушиваясь в мирное журчанье фонтана в мраморной чаше. Дом был окружен зарослями вечнозеленых растений, аллея кипарисов придавала этой части сада что-то тосканское. Плети дикого винограда с алыми листьями заплели всю стену, споря с жасмином, чьи белые цветы сладко благоухали, их аромат чувствовался даже в комнате.

С тех пор как ушел Себастьян, Никки бродила по номеру, изводясь от бессилия. В другое время она наслаждалась бы красотой поэтичного сада, его покоем и безмятежностью. Но сейчас чувствовала только тревогу и страх, который скручивал ее внутренности, сжимал сердце, перехватывал горло, не давая дышать.

Нет, сад не успокоил ее, она снова вернулась в номер и стала наполнять ванну.

Ванна наполнялась водой, ванная комната дымкой пара, а Никки тем временем подошла к небольшой старенькой этажерке, на которой стоял такой же старенький проигрыватель. Проигрыватель-чемоданчик, которые были в ходу в шестидесятые годы, с откидной крышкой, потому что в ней находился динамик. На той же этажерке стояли пластинки, 33 оборота, штук пятьдесят, не меньше. Никки быстренько просмотрела обложки: сплошь культовые диски: «Highway 61» Дилана, «Ziggy Stradust» Боуи, «The Dark Side of the Moon» «Пинк Флойд», «The Velvet Underground»...

Никки выбрала «Aftermath», один из лучших альбомов тех времен, когда «Роллинги» были еще настоящими «Роллингами». Она положила пластинку на кружок, подвела звукосниматель и нажала кнопку. С первой секунды от рифов маримбы и басов «Under my Tumb» комната завибрировала. Ходили слухи, что Мик Джаггер написал эту песню, сводя счеты с моделью Крисси Шримптон, с которой тогда тусовался. Феминистки в те времена не одобряли слов этой песни, женщину нельзя сравнивать ни с собакой, ни с кошкой.

Никки считала песню куда более сложной. В ней говорилось о борьбе за власть внутри пары, о жажде реванша, когда любовь стала ненавистью.

Никки остановилась перед большим овальным зеркалом в кованой раме и сняла с себя джинсы, майку, лифчик, трусики. Придирчиво вгляделась в отражение.

Солнечный луч, заглянувший в окно, погладил ей затылок. Никки закрыла глаза и подставила лицо солнышку, чувствуя, как оживает и теплеет кожа под ласковым солнечным светом. С годами фигура у нее округлилась, но благодаря занятиям спортом мышцы не одрябли, остались по-прежнему упругими. Грудь была все такой же высокой, талия тонкой, ноги стройными, щиколотки крепкими.

Обласканная солнцем, она смотрела на себя и внезапно наполнилась уверенностью.

«На конкурсе на мисс Кугуар у тебя есть все шансы, миссис Робинсон!»[1]

Она закрыла кран и погрузилась в теплую ванну. И сделала так, как не делала уже давным-давно: крепко зажала нос и погрузилась в воду с головой. Когда-то она могла просидеть под водой, не дыша, почти две минуты. Время, которое всегда помогало ей привести себя в порядок.

---

[1] Возможно, имеется в виду отсылка к героине скандально известного в 60-е фильма «Выпускник» («The Graduate») или же к еще более известной песне Саймона и Гарфункеля «Миссис Робинсон» из этого же фильма. — *Прим. ред.*

«Десять секунд».

Желание остаться молодой только портило ей жизнь. Сколько лет она потратила на то, чтобы удостовериться в своей привлекательности! Главная беда была в том, что и теперь, и прежде она рассчитывала только на свое телесное обаяние. Она нравилась мужчинам, потому что у нее хорошая фигура. В первую очередь замечали ее тело — и никогда обаяние, ум, чувство юмора, культуру...

«Двадцать секунд».

Но молодость все равно уходит. Напрасно в магазинах с товарами для женщин вешают слоганы: «Сорок — это снова тридцать!» Подлая демагогия. Постоянно требуется новая кровь, юность, молодое свежее тело. Она же чувствует, что мужчины на улице уже не оборачиваются так часто, как раньше, когда она идет. Месяц назад в магазинчике в Гринвиче ей польстило внимание продавца, очаровательного молодого человека, и только потом она поняла, что он привлекает внимание... Камиллы.

«Тридцать секунд».

Может, ей и не хотелось себе в этом признаваться, но встреча с Себастьяном ее растрогала. Он остался таким же неподатливым, косным, несправедливым, убежденным в своей правоте, но ей сразу стало спокойнее, когда он встал с ней бок о бок, чтобы пройти это испытание.

«Сорок секунд...»

Когда они поженились, она постоянно чувствовала себя не на высоте. Была убеждена, что любовь их — случайность, нелепое недоразумение, что рано или поздно Себастьян поймет свою ошибку, уви-

151

дит, какая она на самом деле, и... Она жила в постоянном страхе, что он ее бросит.

«Пятьдесят секунд...»

Развод с каждым днем становился все неотвратимее, потому что она делала все, чтобы его приблизить: заводила любовников, пускалась в нелепые разрушительные авантюры. И в конце концов взорвала их семейную жизнь, подтвердив справедливость своего самого главного страха. Кроме боли, разрыв принес ей и утешение: потеряв Себастьяна, она перестала бояться...

«Минута...»

Пошел обратный отсчет. Жизнь ускользала от нее, текла между пальцев. Через два-три года Джереми уедет учиться в Калифорнию. Она останется одна. Одна. Одна! Одна...

Откуда у нее панический страх, что ее бросят? Откуда взялась эта незаживающая рана? Из детства? С младенчества?

Она предпочитала не думать об этом.

«Минута, десять секунд...»

Тело напряглось, дрожь внизу живота. Вот теперь она стала ощущать недостаток кислорода. Припев песни «Роллингов» шел в каком-то искажении, его сопровождал... риф Джимми Хендрикса!

«Телефон!!!»

Она мгновенно высунула из воды голову и схватила мобильник. Звонил Сантос. Со вчерашнего дня он отправил ей множество эсэмэсок, полных то любви, то ярости. В лихорадке, которая наступила из-за всего обрушившегося на нее, она сочла за лучшее не отвечать.

Сейчас заколебалась. В последнее время Сантос все чаще ее раздражал, но следователь он был хороший. Что, если он напал на след Джереми?

— Да? — задушенным голосом произнесла она.

— Никки! Наконец-то! Я второй день пытаюсь тебе дозвониться! Что ты творишь, черт тебя побери!

— Я была очень занята, Лоренцо.

— За каким лихом тебя понесло в Париж?

— Откуда ты знаешь, где я?

— Заходил к тебе и увидел билеты на самолет.

— Какое ты имел право?

— Скажи спасибо, что это был я, а не другой полицейский, — сердито перебил он. — Я ведь нашел еще и кокаин в ванной!

Смертельно напуганная, Никки благоразумно промолчала. А Сантос продолжал ее пугать:

— Очнись, старушка! Отпечатки пальцев твои и твоего бывшего супруга нашли в изобилии в баре, где совершено жуткое убийство. Ты по уши в дерьме!

— Мы совершенно ни при чем, — начала обороняться Никки. — Когда мы пришли, Дрей Декер уже был мертв. А что касается второго, то это была законная самозащита.

— Но что ты делала в этой крысиной норе?

— Пыталась найти своего сына. Послушай, я все тебе объясню, как только смогу. У тебя есть какие-нибудь новости о Джереми?

— Нет, но я единственный человек, который может тебе помочь.

— Каким образом?

— Я могу затянуть расследование убийства Декера при условии, что ты вернешься в Нью-Йорк как можно скорее.

— ?..

— Договорились, Никки?

— Договорились, Лоренцо.

— Не позволяй Себастьяну на себя влиять, — угрожающе добавил Сантос. Никки выдержала паузу. Он постарался говорить мягче: — Мне так тебя не хватает! Я сделаю все, чтобы защитить тебя. Я тебя люблю.

Не одну секунду он ждал ответного «и я», но Никки так и не смогла это произнести. Зазвонил телефон в номере. Никки воспользовалась предлогом, чтобы закончить разговор.

— Вынуждена попрощаться. Городской звонит. В самом скором времени позвоню... Алло! — она схватила трубку городского телефона.

— Миссис Лараби?

— Speaking[1].

— С вами говорит представитель компании парижского речного пароходства, — сообщил женский голос по-английски. — Я звоню, чтобы вы подтвердили сделанный вами заказ на вечер.

— Какой еще вечер?

— Вы сделали заказ на ужин «Совершенство» на сегодняшний вечер в 20 часов 30 минут на прогулочном катере «Адмирал».

— А-а... вы уверены, что не ошиблись?

— У нас есть заказ от имени господина и госпожи Лараби, сделанный неделю назад, — уточнил го-

---

[1] Говорите (*англ.*).

лос. — Вы хотите сказать, что отказываетесь от заказа?

— Нет, мы обязательно приедем, — заверила Никки. — Вы сказали, в 20 часов 30 минут? А где мы можем сесть на этот катер?

— У моста Альма, в 8-м округе. Вечерние туалеты желательны.

— Хорошо, — ответила Никки, стараясь запомнить адрес.

И повесила трубку. В голове хаос. Непонимание. Тревога. Что означает этот заказ? Этот ужин? Неужели на пристани Альма кто-то наконец назначил им встречу? Может быть, Джереми?..

Никки закрыла глаза и снова с головой погрузилась в воду.

Как ей хотелось, чтобы в голове все стало по местам, как в компьютере. Клавиша Rezet.

Ctrl-Alt-Suppr.

Самые мрачные мысли одолевали ее, страшные картины, кошмары, ужасы мелькали перед глазами. Она медленно приручала свой страх, стараясь сосредоточиться, как ее учили на занятиях медитацией. Мало-помалу мускулы ее расслабились. Задержка дыхания приносила пользу. Теплая вода вокруг показалась защитным коконом. Отсутствие кислорода — фильтром, стирающим из сознания все, что его засоряет.

Наконец осталась одна-единственная картина. Давнее воспоминание, которое она тщательно прятала от себя. Капсула, заточенная в глубинах времени. Любительский фильм, который перенес ее на семнадцать лет назад.

В день ее второй встречи с Себастьяном.
В весенний день 1996 года.
Снова в Париж...

Никки
Семнадцать лет назад...

Сад Тюильри
Париж
Весна 1996 года

— Последний дубль, девочки! По местам! Внимание! Камера!

Перед Луврским дворцом батальон манекенщиц разыгрывает задуманную мизансцену. Снимая рекламный ролик, дом высокой моды не поскупился на расходы: пригласил режиссера с именем, приготовил роскошные костюмы, сделал грандиозное оформление и нагнал множество статисток, которые служат фоном для звезды — той, что станет олицетворением фирмы, ее брендом.

Меня зовут Никки Никовски, мне двадцать пять лет, я одна из статисток. Нет, не супермодель первого плана, ни в коем случае. Одна из безымянных, малозаметных, которые шагают в четвертом ряду. Сейчас середина девяностых. Горстке топ-моделей — Клаудиа, Синди, Наоми — удалось стать звездами и сделать себе состояние. Я живу совсем на другой планете. Джойс Купер, мой агент, не утруждал себя особой любезностью, сообщив: для тебя и поездка в Париж удача!

Моя жизнь не похожа на сказку, какими потчуют читательниц журналы, рассказывая о моделях. Ког-

156

да мне было четырнадцать, ни на пляже, ни в магазине меня не заметил фотограф элитного агентства, который «совершенно случайно» оказался в моем мичиганском захолустье... Нет, я начала работать манекенщицей куда позже, мне было уже двадцать, когда я приехала в Нью-Йорк. Меня никогда не видели на обложке «Эль» или «Вог», и если мне доводилось время от времени выходить на подиум, то только с коллекциями модельеров второго ряда.

«До каких пор мне надо еще держаться?!»

У меня болят ноги, болит спина. Мне кажется, что кости у меня сейчас треснут, но я изо всех сил стараюсь выглядеть как можно лучше. Я уже научилась приклеивать счастливую улыбку, выгодно показывать ноги и грудь, ходить плавной, чуть раскачивающейся походкой, каждое движение делать с грацией сильфиды.

Но сегодня вечером сильфида вымотана до предела. Я прилетела самолетом сегодня утром, а завтра уже улетаю. Каникулами мою поездку не назовешь. Последние месяцы тоже были очень тяжелыми. С ноутбуком под мышкой я всю зиму бегала по кастингам. Пригородная электричка до Манхэттена в шесть часов утра, переодевание в кое-как отапливаемых студиях, съемка за гроши для низкопробных журнальчиков. И каждый день все неотвратимее тривиальная истина: я уже не юная девушка. Мало того, что во мне нет счастливой искорки, которая позволила бы мне стать Кристи Тарлингтон или Кейт Мосс. Я еще и постарела. Уже.

— Стоп! — кричит режиссер. — О'кей! Хорошо, девочки! Можете идти праздновать. Париж в вашем распоряжении!

«Скажешь тоже!»

Нам устроили кабинки под тентом. Закат радует, но холод зверский. Я на сквозняке смываю макияж, и тут вдруг появляется помощница Джойса Купера.

— Мне очень жаль, Никки, но мест в «Роял Опера» не хватило. Пришлось поселить тебя в другой гостинице.

Она протягивает мне листок, на котором напечатан адрес какой-то гостиницы в 13-м округе.

— Ты что, издеваешься? А подальше найти не могли? Почему тогда вообще не на краю света, такие вы разэтакие!

Помощница разводит руками в знак своего бессилия.

— Мне правда очень жаль, Никки! Но сейчас школьные каникулы. Все переполнено.

Я вздыхаю, переодеваюсь, надеваю другие туфли. Атмосфера вокруг наэлектризована. Девушки в страшном возбуждении: праздник будет в саду отеля «Риц». Обещали быть Лагерфельд и Галлиано.

Когда я добираюсь до «Рица», выясняется, что моей фамилии в списке приглашенных нет.

— Пропустишь с нами стаканчик, Никки? — спрашивает один из фотографов.

Он не один, с приятелем-оператором, который уже с утра положил на меня глаз.

У меня нет ни малейшего желания идти с этими ребятами, но я не отказываюсь. Я боюсь остаться одна. Мне необходимо чувствовать себя желанной, пусть даже этими парнями, которых я презираю.

Я иду с ними в бар на улице Дальже. Мы заказываем коктейль «камикадзе»: горючую смесь водки, куантро и лайма. Алкоголь согревает меня, расслабляет и ударяет в голову.

Я смеюсь, шучу, притворяюсь, что веселюсь. Но я ненавижу этих фотографов — извращенцев, охотников за свежатинкой. Я в курсе, как они действуют: они поят девушек, дают нюхнуть кокса, пользуются их усталостью, одиночеством, душевной неустроенностью. You're awesome! So sexy! So glamorous...[1] Они считают меня легкой добычей, и я их не разочаровываю. Меня подзаряжает огонек, который я вижу в глазах мужчин, даже таких скотов, как эти. Я, как вампир, питаюсь их желанием.

В мире моды я уже не вижу гламура, не вижу золотых блесток. Для меня это гонка, усталость, изнеможение. Я поняла, что я только оболочка, женщина, которую вот-вот отбракуют, продукт, у которого заканчивается срок годности.

Парни садятся поближе, тянут лапы, они все веселее, все раскованнее. На какой-то миг им кажется, что я поеду с ними, соглашусь на их тройную программу.

Свечерело. Я смотрю на загорающиеся огни, а парни тем временем становятся все настойчивее. Но пока я не опьянела окончательно, я поднимаюсь и ухожу. Забираю свой чемодан и выхожу из кафе. Слышу оскорбления, летящие мне вслед: динамистка, шлюха... Business as usual[2].

---

[1] Ты потрясающая! Такая сексуальная! Такая гламурная... (*англ.*)

[2] Ну как всегда (*англ.*).

На улице Риволи такси поймать невозможно. Я спускаюсь в метро. Станция «Пале-Рояль». Посмотрев на схему, вывешенную на платформе, сажусь в поезд и еду по линии номер семь: Пон-Неф, Шатле... Жюсье... Ле Гоблен.

Уже совсем темно, когда я приезжаю на площадь Итали. Я уверена, что гостиница совсем близко, но приходится все идти и идти. Начинает накрапывать дождь. Я спрашиваю дорогу у прохожих, но от меня отмахиваются, потому что я не говорю по-французски. Странная страна!.. Я иду по улице Бобий и волоком тащу чемодан, у него заблокировало колесики. Дождь все сильнее.

В этот вечер я блеклая, усталая, уязвимая. Одинокая как никогда. Я промокла до нитки, я разбита. Думаю о будущем. А какое у меня будущее? У меня ни гроша. За пять лет работы не отложила ни доллара. Система организована так, чтобы держать тебя в постоянной зависимости. Агентства — большие умельцы по части этой игры, и чаще всего я работаю, чтобы возместить их комиссионные и дорожные расходы.

Ковыляя по тротуару, я вдобавок сломала каблук, и вот, хромая, с туфлями под мышкой, распрощавшись с самоуважением, я наконец добираюсь до Бютт-о-Кай.

Я слыхом не слыхивала об этом квартале Парижа, который словно парит над городом. В те времена он напоминал затерянный в глуши городок. Ни широких улиц, ни османовских домов, мощеные переулки, провинциальные домишки. Я показалась себе Алисой, очутившейся в Зазеркалье.

Моя гостиница на улице Синк-Дьяман оказалась узким домиком с обветшалым фасадом. Промокшая, еле дыша, я вползла в старомодный холл и протянула хозяйке квитанцию на зарезервированный номер.

— Комната двадцать один, мадемуазель. Ваш кузен уже час как приехал, — объявила она, не давая мне ключ.

— My cousin?! What are you talking about?[1]

Я знаю по-французски всего несколько слов, она не говорит по-английски, хотя табличка на стойке утверждает обратное. Через пять минут нашего нелегкого разговора я наконец понимаю, что какой-то американец завладел моей комнатой час назад, выдав себя за моего кузена. Я требую другую комнату, она отвечает, что гостиница переполнена. Я прошу ее вызвать полицию, она отвечает, что джентльмен уже заплатил за номер. Что означает этот бред?

Я бросаю чемодан в середине холла, в бешенстве поднимаюсь по лестнице на второй этаж и стучу в дверь номера 21.

Никакого ответа.

Спускаюсь вниз, выхожу на улицу, огибаю гостиницу по узкой мощеной дорожке. Нахожу окно захватчика и отправляю в него мою туфлю. В цель с первого раза я не попала, но в запасе у меня еще один снаряд. На этот раз туфля влетает в окно. Через несколько минут у окна появляется человек и высовывает голову в окно.

— Это вы тут скандалите? — осведомляется он.

_____
[1] Мой кузен? О чем вы говорите? (_англ._)

Я не верю своим глазам. Это... Себастьян Лараби, скрипичных дел мастер, обитатель Манхэттена. Я с трудом сдерживаю ярость.

— Что вы забыли в моем номере?

— Видите ли, пытался немного поспать. Пытался, пока вы не подняли весь этот шум.

— Надеюсь, вы доставите мне удовольствие и немедленно освободите номер!

— Боюсь, что нет, — флегматично отвечает он.

— Мне не до шуток! Что вы делаете в Париже?

— Приехал вас повидать.

— Повидать меня? С какой это радости? И как вы меня нашли?

— Провел небольшое расследование.

Я вздохнула. Понятно, что парень немного того. Зациклился на мне. Такое уже бывало. Я уже встречалась с сумасшедшими. У этого хоть вид нормальный, и сам такой вежливый, обходительный.

Я постаралась выглядеть как можно независимей.

— И что же вам от меня надо?

— Извинения.

— Подумать только! И по какому же поводу?

— Во-первых, за кражу бумажника три месяца назад.

— Я вернула вам ваш бумажник! Это была игра. Способ узнать ваш адрес.

— Вы могли узнать мой адрес у меня, и скорее всего, я бы даже пригласил вас в гости.

— Вполне возможно, но так интереснее.

Фонарь освещает мокрую мостовую. Себастьян Лараби смотрит на меня, улыбаясь своей неотразимой улыбкой.

— Во-вторых, за то, что вы убежали, не оставив своего адреса.

Я покачала головой.

— Это еще зачем?

— Но мы вместе спали! Так мне кажется.

— И что? Я сплю со всеми, — сообщила я, чтобы его разозлить.

— Вот и хорошо, значит, сегодня вы будете спать на улице, — заявил он и закрыл окно.

Было темно, мокро, холодно. Я злилась, но вместе с тем была заинтригована. И уж в любом случае не собиралась позволить этому грубияну так с собой обращаться.

— Прекрасно! Ты сам этого захотел!

На углу улицы стоял пластиковый контейнер. Я, хоть и была усталая, влезла на мусорный бак и стала карабкаться по водосточной трубе. Передохнула, пристроившись на выступе второго этажа, где стоял ящик с цветами, и полезла дальше. Я смотрела вверх и видела за стеклом лицо Себастьяна. Трудно описать его выражение. Внезапно он распахнул окно, глаза у него чуть не вылезали из орбит, он был в ужасе.

— Вы сломаете себе шею, — прошипел он.

От неожиданности я отпрянула и потеряла равновесие. Но прежде чем рухнуть вниз, судорожно вцепилась в протянутую мне руку.

— Вы сумасшедшая, — обругал он меня, втаскивая меня на подоконник.

Почувствовав себя вне опасности, я схватила его за воротник, потрясла, а потом стала лупить куда попало.

— Это я-то сумасшедшая, псих ненормальный?! Еще минута, и вы бы меня угробили!

Он не ожидал от меня такой ярости и как мог защищался. Открытый чемодан лежал на постели, я заперла его и потащила к окну, чтобы выбросить. Он крепко обнял меня и остановил.

— Успокойтесь, — умоляюще произнес он.

Его лицо было в нескольких сантиметрах от моего. У него был прямой и честный взгляд. Он светился добротой, и она подействовала на меня успокаивающе. От него хорошо пахло. Одеколоном, которым пользовались мужчины во времена Кэри Гранта.

И я вдруг почувствовала, что он меня возбуждает. Я куснула его за губу, толкнула на матрас и рванула рубашку, оторвав пуговицы.

Следующее утро.

Я подпрыгнула, проснувшись от телефонного звонка. Ночь была короткой. Не открывая глаз, я взяла трубку и прижала к уху.

На другом конце провода хозяйка кое-как сложила несколько английских фраз. Я открыла слипающиеся глаза. Мягкий свет сочился сквозь кружевные шторы, освещая маленькую комнатку. Понемногу просыпаясь, я заглянула в ванную.

Никого...

Что же это? Себастьян Лараби меня бросил?

Я попросила хозяйку повторить фразу более отчетливо.

— Your cousin is waiting for you at the coffee shop just around the corner[1].

_____
[1] Ваш кузен ждет вас в кафе за углом (*англ.*).

Мой кузен ждет меня в кафе на углу.

Очень хорошо, пусть ждет, сколько хочет!

Я мигом вскочила, мигом приняла душ, оделась. Спустившись вниз, подхватила чемодан, который так и стоял в холле. Кивнула хозяйке, которая сидела за стойкой, и выглянула на улицу. Кафе было в сотне метров, если свернуть налево. А я пошла направо, к метро. Но не прошла и двадцати метров, как меня догнала хозяйка.

— I think your cousin kept your passport[1], — сообщила она мне ледяным голосом.

Новшества пощадили кафе «Зеленый огонек», его, похоже, телепортировали прямиком из 50-х: цинковая стойка, пластиковые столики, клетчатые скатерти, банкетки, обтянутые искусственной кожей. Прислоненная к стене черепица напоминала, какими блюдами угощали здесь вчера: колбаски с фисташками, свиные ножки, сосиски де Труа.

Я фурией влетела в кафешку и в углу за столиком увидела Себастьяна. Подбежала к нему и угрожающе произнесла:

— Извольте отдать мой паспорт.

— Доброе утро, Никки! Я тоже очень надеюсь, что ты хорошо спала, — сказал он, протягивая мне мое удостоверение личности. — Сядь, очень тебя прошу. Я взял на себя смелость и сделал заказ за тебя.

Я проголодалась и капитулировала перед аппетитным завтраком: кофе с молоком, круассаны, то-

---

[1] Мне кажется, ваш кузен забрал ваш паспорт (*англ.*).

сты, конфитюр. Отхлебнула кофе, развернула салфетку и обнаружила в ней сверток, обвязанный ленточкой.

— Это еще что такое?

— Подарок.

Со вздохом я подняла глаза к небу.

— Если мы два раза переспали, не из-за чего подарки дарить. Или уже готовы поделиться со мной фамилией?

— Разверни. Надеюсь, понравится. И не беспокойся, это не обручальное кольцо.

Вздохнув, я разорвала бумагу. Там лежала книга. Изумительное издание. «Любовь во время чумы». С иллюстрациями, в роскошном переплете, с автографом самого Габриэля Гарсиа Маркеса.

Я опустила голову, но расчувствовалась страшно. Даже мурашки по коже побежали. В первый раз в жизни мужчина подарил мне книгу. У меня даже слезы на глаза выступили, но я удержалась, не расплакалась. Я и представить себе не могла, что так расчувствуюсь.

— Чего тебе нужно, можешь сказать? — спросила я, откладывая книгу в сторону. — Она кучу денег стоит. Я не могу ее принять.

— Почему?

— Мы друг друга совсем не знаем.

— Можно попробовать узнать.

Я повернула голову: через улицу переходили сухонькие маленькие старичок и старушка, и непонятно было, кто из них опирается на костыль, который был между ними.

— Ты можешь сказать, чего тебе надо?

И тут сдержанный, спокойный Себастьян без всяких околичностей заявил:

— Четыре месяца подряд я просыпаюсь и сразу вижу тебя. Думаю о тебе постоянно. Все остальное не имеет значения.

Я с тоской посмотрела на него. Я поняла, что это пустая болтовня, но он искренне верит в то, что говорит. Сколько же в нем наивности! И с чего он такой привязчивый?

Я встала, собираясь уйти, но он удержал меня за руку:

— Дай мне сутки, чтобы я тебя убедил.

— Убедил в чем?

— Что мы созданы друг для друга.

Я снова села и взяла его за руку:

— Послушай, Себастьян, ты очень милый, с тобой хорошо заниматься любовью. Мне лестно, что ты вдруг взял и влюбился в меня, и я нахожу очень романтичным, что ты совершил такое путешествие, чтобы меня разыскать...

— И что дальше?

— Но посмотри на вещи трезво, никакой совместной жизни у нас получиться не может. Я не верю в сказки о Золушке, которая вышла замуж за прекрасного принца.

— Но ты же не Золушка, а золото.

— Перестань шутить! У нас с тобой ничего общего: ты элита, интеллектуал, родители у тебя миллионеры, ты живешь в доме в три тысячи квадратных метров, бываешь в лучших домах Верхнего Ист-Сайда.

— И что? — перебил он меня.

— И что? Не знаю, что ты там навоображал себе обо мне, но точно знаю: я не такая. Во мне нет ничего, что ты мог бы на самом деле любить.

— А тебе не кажется, что у страха глаза велики?

— Нет. Я непостоянная, неверная, эгоистичная. Тебе никогда не удастся сделать из меня милой, внимательной и заботливой женушки. Я никогда в тебя не влюблюсь.

— Дай мне двадцать четыре часа! Сутки! — снова попросил он. — Двадцать четыре часа, ты, я и Париж.

Я кивнула головой. Ладно.

— Но я тебя предупредила.

Он улыбнулся, как малый ребенок. Я была уверена, что он очень скоро остынет.

Я тогда еще не знала, что встретила свою любовь. Единственную, настоящую, ошеломляющую. Такую, которая дает все, прежде чем все отнять. Ту, которая озаряет жизнь, а потом сжигает ее дотла.

28

Едва дыша, обливаясь потом, Себастьян вошел в холл гостиницы «Гранд-отель». Ошеломленная администраторша не сводила с него глаз. Стоя посреди безупречного вестибюля, босой Себастьян с окровавленным носом и в разорванном пиджаке представлял собой впечатляющее зрелище.

— Что с вами случилось, месье Лараби?

— Ничего особенного... Несчастный случай.

Обеспокоенная администраторша подняла телефонную трубку.

— Я вызову врача.

— Не трудитесь.

— Вы уверены?

— Да. Со мной все в порядке, уверяю вас, — сказал Себастьян уже куда более уверенным тоном.

— Ну, раз вы так считаете. Хорошо. Сейчас принесу вам примочки и чего-нибудь крепкого. Если вам еще что-нибудь нужно, дайте мне знать.

— Большое спасибо.

Несмотря на одышку и боль от побоев во всем теле, Себастьян предпочел подняться на свой этаж пешком, а не дожидаться лифта.

Он вошел в номер. Никого. Во всю мощь распевали «Роллинг Стоунз», а Никки исчезла. Себастьян заглянул в ванную. Бывшая жена лежала под водой с закрытыми глазами.

Испугавшись до смерти, он схватил Никки за волосы и дернул на воздух. Никки от неожиданности громко вскрикнула.

— Что ты себе позволяешь, чудовище! Хотел снять с меня скальп? — осведомилась она, прикрывая грудь.

— Мне показалось, что ты утонула! Дурацкие у тебя шутки, черт побери! Мне кажется, играть в русалочку поздновато, ты не находишь?

Она сердито взглянула на него и тут заметила ссадины у него на лице.

— Ты что, подрался? — встревожилась она.

— Меня как следует отодрали, так будет вернее, — невесело усмехнулся он.

— Отвернись, я вылезу из ванны! И не смей за мной подглядывать!

— Напоминаю, я тебя уже не раз видел голышом!

— Видел! Но в другой жизни!

Отвернувшись, он подал ей купальный халат. Она завернулась в халат и накрутила на голове тюрбан из полотенца.

— Сядь, я тебя полечу.

Пока она промывала ему ссадины и царапины мыльной водой, он рассказывал ей о своих злоключениях на станции «Барбес». В ответ Никки поведала ему о двух телефонных звонках: от Сантоса и загадочном из компании парижского речного пароходства.

— Ой-е-ей! — не смог удержаться он от возгласа, когда она стала прикладывать антисептик.

— Перестань верещать! Терпеть этого не могу!

— Щиплется же!

— Щиплется, щиплется! Тебе, кажется, не три года! Или я ошибаюсь?

Он искал ответ пообиднее, но тут раздался стук в дверь.

— Дежурный по этажу, — сообщил голос из-за двери.

Никки сделала шаг к выходу из ванной, но Себастьян удержал ее за полу халата.

— Надеюсь, ты не станешь открывать дверь в таком виде?

— В каком таком?

— В полуголом!

Она вздохнула, заведя глаза к потолку.

— Ты, я вижу, ничуть не изменилась! — упрекнул он ее, направляясь к двери.

— Ты тоже! — парировала она, хлопнув дверью в ванную.

На пороге стоял молодой человек в красной шапочке и форменной тужурке с золотыми пуговицами. В руках у него была груда коробок и свертков с брендами самых престижных фирм: «Ив Сен-Лоран», «Кристиан Диор», «Зегна», «Джимми Чу»...

— Получите ваш заказ, месье.

— Это ошибка, мы ничего не заказывали.

— Позволю себе возразить, месье: заказ поступил на вашу фамилию.

Себастьян в недоумении пропустил посыльного в комнату, и тот сложил свертки и коробки на диван. Он уже подошел к дверям, а Себастьян все еще шарил по карманам в поисках чаевых, пока наконец не вспомнил, что его ограбили. Выручила Никки, протянув пареньку пять долларов, прежде чем он исчез за дверью.

— Я вижу, между делом ты сделал еще кое-какие покупки, дорогой, — насмешливо улыбнулась она, принимаясь за свертки.

Себастьян с любопытством стал помогать ей разворачивать пакеты и раскладывать вещи на постели. Оказалось, что в свертках и коробках все необходимое для двух вечерних туалетов: костюм, платье, ботинки, туфли...

— Честно говоря, ничего не понимаю.

— Женский вечерний костюм и мужской, — задумчиво отметила Никки и вспомнила предупреждение дамы из парижского речного пароходства: на ужине желательно быть в вечерних костюмах.

— Но почему я должен надевать именно то, что они прислали?

— Там, может быть, какие-то датчики? Чтобы отслеживать, куда мы пойдем?

Предположение показалось Себастьяну не лишенным оснований. Кто-то их вел. С очевидностью не поспоришь. Он взял наудачу пиджак и принялся его ощупывать. Напрасный труд: в наше время такого рода аппаратура стала микроскопической. И потом, зачем от нее избавляться, раз она должна помочь им встретиться с похитителями сына?

— Думаю, выбора нет, придется надеть эту одежду, — сказала Никки.

Себастьян, соглашаясь, кивнул.

Но сперва отправился в душ и долго стоял под обжигающими струями, намыливаясь от макушки до пят, словно хотел смыть с себя унизительный опыт, полученный в квартале Барбес.

Затем надел на себя присланную одежду. И почувствовал себя в ней удобно и хорошо. Отличного покроя белая рубашка пришлась ему в самый раз, классический, отменного качества костюм, строгий галстук, прекрасные ботинки, без всяких изысков и вывертов.

Выбирай он сам, он вполне мог бы купить все эти вещи.

Он вышел из ванной, когда уже вечерело. В мягком сумеречном свете он увидел Никки в красном вечернем платье до полу с узким длинным вырезом на спине и головокружительным, обшитым жемчугом, декольте.

— Помоги мне, пожалуйста, — попросила она.

Он молча встал позади нее и привычно, как делал это на протяжении многих лет, застегнул молнию и приладил невидимые бретельки. От прикосновений рук Себастьяна к ее плечам и спине у Никки побежали мурашки. Загипнотизированный

Себастьян не мог оторвать глаз от бархатистой нежной кожи своей бывшей жены.

Он положил ладонь на чуть выступающую лопатку, готовый превратить прикосновение в ласку. Себастьян поднял глаза и взглянул в овальное зеркало, напротив которого они стояли. Зеркало вернуло картинку из модного журнала: он и Никки, счастливая, красивая пара.

Никки приоткрыла рот, собираясь что-то сказать, но тут сильный порыв ветра хлопнул рамой. Чары рассеялись.

Чтобы избавиться от охватившего ее волнения, Никки принялась надевать туфли, которые довершали ее туалет. Себастьян шарил у себя по карманам, обретая душевное равновесие. В правом он нащупал картонную этикетку. Вытащил, собираясь выбросить в мусорную корзину, но в последний миг взглянул на нее.

Это была вовсе не этикетка.

Это был листок бумаги, свернутый вчетверо.

Квитанция на ячейку камеры хранения.

На Северном вокзале.

29

19-й округ.

В этом малоизвестном парижанам квартале, который называется американским, когда-то находились карьеры, где добывали гипс и белый известняк. Свое название он получил из-за легенды, согласно которой из этого известняка, отправляемого на строительные площадки, были сделана американская статуя Свободы и Белый дом. Красивая легенда, но всего-навсего легенда.

Во время «славных тридцатых» большая часть предместья была снесена и «осовременена». Теперь ряды унылых зданий и уродливые башни портят вид северной части старинной коммуны Бельвиль. Зажатая между парком Бютт-Шомон и окружной, улица Музайя осталась последней памятью о былых временах. На протяжении трех сотен метров городская артерия живет в виде мощеной улочки со столбами фонарей и небольшими домишками с палисадниками.

В маленьком кирпичном домике с красным фасадом под номером 23 бис по этой улице телефон звонил уже в третий раз, звонил минут по десять, и все впустую.

Между тем Констанс Лагранж была дома. Она спала, полулежа в надувном кресле у себя в гостиной. Бутылка виски, которую она выпила ночью, еще не отпустила ее из состояния тяжелой дремы, отгородив от всего остального мира.

Три месяца назад, в день своего тридцатисемилетия, Констанс узнала три новости: две хороших и одну плохую.

Когда она пришла на работу утром 25 июля, ее начальник, полковник Сорбье, сообщил, что ей присвоено звание капитана полиции в престижной национальной бригаде по розыску беглых преступников.

В полдень ей позвонили из банка и сообщили, что ее просьба о кредите удовлетворена, а это означало: Констанс сможет осуществить свою мечту и купить домик на улице Музайя, которую обожала.

Констанс сказала себе: этот день — счастливый. Однако в конце рабочего дня позвонил врач, у которого она недавно проходила обследование, и сообщил результаты: у нее обнаружена опухоль мозга. Саркома, 4-я стадия. Худший из видов рака. Агрессивный, инвазивный, неоперабельный. Жить ей осталось четыре месяца.

Телефон, стоящий на полу, зазвонил снова.

На этот раз звонку удалось пробиться сквозь дурную пелену сна, сплетенную из страшных раковых клеток. Констанс открыла глаза и вытерла капли пота, выступившие на лбу. Несколько минут она приходила в себя, справляясь с тошнотой, и ждала нового звонка, чтобы протянуть руку и взять трубку. Телефон зазвонил. Она посмотрела, какой номер высветился на экране. Звонил Сорбье, ее бывший начальник. Она взяла трубку, но дала возможность заговорить ему.

— О чем вы думаете, Лагранж? — обрушился на нее гневный голос. — Вот уже полчаса, как я вам звоню, и все без толку!

— Напоминаю вам, патрон, что я подала заявление об увольнении, — проговорила Констанс, протирая глаза.

— Что у вас происходит? Вы надрались? От вас разит виски на километр!

— Не говорите чушь. Мы говорим по телефону.

— И что?! Вы пьянее поляка, и я чувствую, как от вас разит!

— Тем лучше. Так чего вы от меня хотите? — осведомилась она, с трудом поднимаясь на ноги.

175

— У нас операция! Международная! Поручение нью-йоркской полиции! Должны без промедления накрыть двух америкосов. Мужика и его бывшую жену. Дело тяжелое: наркотики, двойное убийство, потом бегство...

— А почему этим не занимается уголовная полиция Парижа?

— Понятия не имею и знать не хочу! Зато я знаю другое: горбатиться предстоит нам. Ясно?

Констанс покачала головой.

— Вы хотели сказать, вам. Я больше не состою на службе.

— Все! Довольно болтать, Лагранж! — занервничал начальник. — Вашими отставками вы меня достали! У вас проблемы на личной почве? Ладно! Я оставил вас покое на целых две недели! А теперь пошли к черту все ваши глупости!

Констанс вздохнула. На какую-то долю секунды собралась все ему выложить: про рак, который жрет ее мозг, про то, что ей осталось жить всего ничего и она с ума сходит от страха. Она боится смерти! Но не стала. Сорбье — ее шеф, учитель, последний из великих следователей старой школы, один из тех, перед кем благоговеют. Она не хотела, чтобы он разжалобился, почувствовал себя не в своей тарелке. Нет, ей совсем не хотелось плакаться ему в жилетку...

— Пошлите кого-нибудь еще. Например, лейтенанта Босари.

— И речи быть не может! Вы прекрасно знаете, как он относится к америкосам! Я не хочу проблем с посольством. В общем, так, вы разыскиваете эту парочку и к завтрашнему дню доставляете ее ко мне!

— Я сказала вам, что больше не работаю.

Сорбье как будто не услышал ее.

— Я передал папку с делом Босари, но контролировать операцию должны вы. Копию дела посылаю вам на мобильный.

— Идите вы ко всем чертям! — заорала Констанс и бросила трубку.

С трудом она дотащилась до ванной, и ее вырвало в раковину горькой желтой желчью. Сколько времени она уже не ела? Больше суток, это точно. Вчера вечером она заливала свой страх виски, старалась напиться как можно быстрее, с первых стаканов. «Экспресс-пьянка», которая отправила ее в страну снов часов на десять.

Гостиную заливал послеполуденный осенний свет. Констанс переселилась в этот дом три недели назад, но так и не удосужилась распаковать вещи. Коробки, заклеенные скотчем, там и сям громоздились в пустых комнатах.

«Теперь-то зачем?»

В одном из настенных шкафов она нашла начатую пачку печенья. Забрала ее с собой, уселась на табурет перед мини-баром на кухне и попыталась разжевать квадратик.

«Как убить время в ожидании, когда оно убьет тебя?»

Кто это сказал? Сартр? Де Бовуар? Арагон? Память стала ее подводить. Собственно, память была не последней причиной, почему она обратилась к врачу. Были, конечно, и другие симптомы — тошнота, рвота, головная боль. Но у кого этого не бывает? Образ жизни у нее был нездоровый, и она по таким поводам не волновалась. Но со временем с ней стали случаться выпадения памяти, память время от времени подводила ее, в конце концов это стало сказываться на работе. Вдобавок она сделалась раздражительной, потеряла контроль над эмоциями. А когда начала кружиться голова, решила наконец обратиться к специалисту.

Диагноз поставили быстро и жестко.

На деревянной стойке торжественно возлежала пухлая медицинская карта. Бесстрастный отчет о ее болезни. Констанс в сотый раз достала из конверта рентгеновский снимок и с ужасом посмотрела на свой собственный мозг. На снимке была отчетливо видна опухоль и метастазы, которые завладели левой лобной долей. По какой причине возникает эта страшная болезнь, так пока никто не выяснил. Никто не мог ей сказать, почему клетки ее мозга стали вдруг активно делиться, создав у нее в черепе опухоль.

Побледнев, она сунула снимок обратно в конверт, накинула куртку и вышла в сад.

Погода стояла хорошая. Легкий ветерок шелестел листвой. Констанс застегнула молнию на куртке, уселась на стул и скрестила ноги, положив их на старый садовый столик. Размяла сигарету, разглядывая свой дом. Оштукатуренный, покрашенный, с кованой решетчатой маркизой над крыльцом, он казался просто кукольным.

Слезы выступили на глазах Констанс. Она так любила этот садик со смоковницей, абрикосом, кустами сирени вдоль ограды, с гроздьями глициний и пышными кустами форзиции.

Когда она пришла сюда с агентом по недвижимости, то с первой секунды, даже не входя в дом, поняла, что именно здесь хочет жить и, возможно, когда-нибудь растить детей. Этот сад будет ее убежищем, островком, защищенным от загрязнения, бетона и людского безумия.

В отчаянии от несправедливости судьбы Констанс разрыдалась. Напрасно она твердила себе, что смерть неминуема, что это естественная составляющая жизни и избежать ее невозможно.

«Но не так же скоро, черт побери!»

«Не прямо сейчас!»

Констанс задыхалась от рыданий и жадно глотала сигаретный дым.

Она умрет одна как перст. Как бродячая собака. Никто не протянет ей руку помощи.

Ее положение представлялось ей ненормальным, из ряда вон. Ее даже не пожелали положить в больницу. Сказали только: «Все кончено. Сделать ничего нельзя. Ни химия, ни облучение не помогут». Только болеутоляющие, а потом хоспис. Она ответила, что готова бороться, но ей дали понять, что борьба уже проиграна. «Счет идет на недели, мадемуазель».

Приговор, не подлежащий обжалованию.

Никаких надежд на ремиссию.

Утром две недели назад она проснулась частично парализованная. Едва видела сквозь смутную пелену, едва могла глотать. И поняла, что больше не сможет работать, тогда-то и подала рапорт об отставке.

В этот день она узнала всерьез, что такое страх. С тех пор она чувствовала себя по-разному. Иногда не могла подняться, не могла скоординировать движения, в другие дни ей давали поблажку, она чувствовала себя лучше, но улучшение было временным, и она это знала.

Завибрировал мобильник под напором полученных сообщений. Сорбье решил не оставлять ее в покое. Он настаивал на необходимости послать ей досье на двух американцев. И послал. Почти машинально Констанс открыла посланные документы и стала читать. Сбежавшего звали Себастьян Лараби. Его бывшую жену — Никки Никовски. С четверть часа она сидела, погрузившись в отчет об их побеге, и вдруг резко подняла голову, оторвавшись от телефона. Ее словно схватили за руку. Чем она занимается? У нее что, нет более важных дел? За то короткое время, что у нее осталось, она должна привести в порядок все свои дела, повидать близких, подумать о смысле жизни. Разве нет?

«Bullshit!»[1]

Как большинство следователей, она была фанатом своей работы. По правде говоря, болезнь тут мало что изменила. Ей нужна последняя доза адреналина. И еще лекарство от страха, который преследовал ее день и ночь.

Констанс раздавила в пепельнице окурок и решительным шагом направилась в дом. Взяла в ящике служебное оружие, которое еще не успела сдать,

---

[1] Дерьмо! (англ.)

«ЗИГ-зауэр», пистолет, которым вооружена вся национальная полиция. Поглаживая пластиковую рукоятку своего двенадцатизарядного друга, она ощутила привычное успокоительное чувство надежности. Вложила пистолет в кобуру, взяла запасную обойму и вышла на улицу.

Служебную машину она сдала, но при ней, как всегда, оставался ее RCZ. Маленький реактивный снаряд, спорт-купе с плавными контурами и выгнутой крышей, который поглотил немалую толику наследства, доставшегося от бабушки. Констанс села за руль. В голове промелькнуло сомнение: хватит ли у нее сил довести это дело до конца? Что, если через сотню метров болезнь скует ее по рукам и ногам? Она закрыла глаза и просидела несколько секунд с закрытыми глазами, потом глубоко вздохнула и открыла глаза. Когда двести лошадиных сил радостно взревели, сомнения ее рассеялись.

30

На дороге свободно.

Спорт-купе Констанс Лагранж мчалось по направлению к Монмартру.

Она только что переговорила по телефону с Босари. Лейтенант не стал ее дожидаться и начал расследование. По его сведениям, банковская карта Себастьяна Лараби была использована во второй половине дня в банкомате на площади Пекер.

Констанс знала это место: тенистый сквер между улицей Жюно и кафе «Лапен Ажиль». В двух шагах от туристического Монмартра.

«Неожиданное место для беглецов», — отметила про себя Констанс, обгоняя скутер.

Где спрятался американец со своей бывшей женой? В потайном убежище? Брошенном доме? Нет, все-таки, скорее всего, в гостинице...

Она еще раз набрала Босари, чтобы удостовериться, что он отправил запросы в компании такси и найма автомобилей. Да, конечно, он разослал запросы, но сведения поступают очень медленно.

— Я еще жду видеозаписи камеры наблюдения на Руасси.

Констанс отключилась, вышла в айфоне на навигатор GPS и ввела в поиск: «площадь Пекер, близлежащие гостиницы». Их было слишком много, чтобы проверять одну за другой. Но кое-куда она все же решила заглянуть. В «Реле Монмартр», например, на улице Констанс.

«Моя улица, как-никак...»

Она верила в переклички, совпадения, синхронность и симметрию обстоятельств.

«Впрочем, для такого рода истории это было бы слишком красиво», — решила она про себя, остановившись во втором ряду машин возле гостиницы.

Да, нечего было и мечтать о каких-то красотах. Спустя десять минут она вышла из гостиницы с полным нулем. Вместе с потоком машин добралась до «Тимотель» на площади Гудо. Ей показалось, что эта гостиница вполне могла приглянуться американцам. И снова неудача. Впрочем, вполне ожидаемая.

Она уже трогалась с места, когда ей позвонил Босари.

— Ты только послушай! Шофер из «Лакшери кэб» сообщил, что сегодня утром встретил супругов Лараби в аэропорту и отвез их в гостиницу «Гранд-отель де ла Бютт». Неподалеку от площади Пекер. Чувствуешь? Все клеится!

— Без лишних восторгов, Босари.

— Я посылаю наряд в гостиницу, капитан?

— Нет. Я все сделаю сама. Еду туда. Буду держать тебя в курсе.

Констанс развернулась на улице Дюрантен, выехала на улицу Лепик, потом снова на улицу Жюно. Свернула на мощеный проезд, ведущий к отелю. Кованые решетки ворот были открыты: выходили садовники. Констанс воспользовалась этим и въехала на территорию отеля, не обнаруживая себя. Спорт-купе покатило по дорожке, ведущей через сад, и остановилось перед импозантным белым зданием.

Поднимаясь по лестнице, Констанс нащупала в кармане куртки полицейское удостоверение и зажала в руке свой «сезам откройся».

— Капитан Лагранж, национальная бригада по розыску беглецов, — представилась она на ресепшн.

Администраторша оказалась неразговорчивой. Пришлось ее припугнуть, чтобы вытянуть хоть какие-то сведения. Да, Себастьян Лараби с женой провели этот день у них в гостинице, но час тому назад покинули отель.

— Вы утверждаете, что они зарезервировали этот номер неделю назад?

— Да, неделю назад. Через наш сайт в Интернете.

Констанс попросила проводить ее в номер. Шла следом за провожатой и про себя думала, что все это как-то не вяжется с тем, что она прочитала в досье. Заказ номера свидетельствовал о запланированных действиях, тогда как, по сведениям американской полиции, супруги Лараби покинули Нью-Йорк в крайней спешке.

Войдя в просторное помещение, оформленное в виде мансарды, молодая инспектриса не могла не восхититься его изысканной роскошью. Ни один мужчина не предлагал ей провести уик-энд в таких чудесных условиях...

Но не прошло и минуты, как следователь в Констанс вновь взял верх над женщиной. В ванной она обнаружила рубашку и пиджак со следами крови, в гостиной спортивную сумку с одеждой и упаковочные коробки с брендами самых прославленных фирм.

Чем дальше, тем удивительнее...

«Куда больше похоже, что эти Лараби приехали в Париж провести медовый месяц, а не прячутся, натворив черт знает что...»

— Как они были одеты, когда уходили?

— Я не обратила внимания.

— Вы что, издеваться надо мной вздумали?

— Они были в вечерних туалетах.

— И куда они отправились? Думаю, у вас есть какие-то предположения.

— Не имею ни малейшего понятия.

Констанс потерла себе виски. Администраторша ей лжет, в этом она не сомневалась. Чтобы развязать ей язык, нужно время. Но как раз времени-то у отставного капитана полиции и не было.

Оставался метод Dirty Harry[1]... Разве втайне не мечтала она применить когда-нибудь этот метод? Теперь или никогда!

Она выхватила «ЗИГ-зауэр» из кобуры, схватила рукой женщину за шею и приставила ей дуло к виску.

— Куда они пошли? — заорала она.

Администраторша в ужасе закрыла глаза. Губы у нее задрожали.

— Они... Они попросили у меня карту...

— Чтобы ехать куда?!

— На Северный вокзал. А потом, кажется, к мосту Альма...

— С чего это вдруг мост Альма?

— Не могу сказать наверняка. Кажется, речь шла об ужине на прогулочном катере. Они на этот вечер сделали заказ.

Констанс отпустила администраторшу и вышла из номера. Спускаясь по лестнице, позвонила Босари. История с ужином на катере во время прогулки по Сене сразу показалась ей полным идиотизмом. Но проверять нужно все! А вот что нужно сделать совершенно точно — это помешать Лараби сесть на поезд. С Северного вокзала можно уехать куда угодно: в Англию, Бельгию, Голландию...

Ей ответил автоответчик, и она оставила сообщение:

«Позвони нашим на Северном вокзале, сообщи о розыске супругов Лараби, распорядись усилить контроль за заграничными поездами. Узнай, у ка-

---

[1] «Грязный Гарри» — знаменитый боевик 70-х годов, на долгие годы определивший этот жанр.

кой пароходной компании пристань возле моста Альма и нет ли у них заказа на ужин от двух американцев. Шевелись!»

Констанс уже уселась за руль своего спорт-купе, когда заметила, что из окна на нее смотрит администраторша. Та уже успела опомниться от пережитого страха и яростно прокричала:

— Вам это даром не пройдет! Не надейтесь! Я все сообщу вашему начальству! Я буду жаловаться! Не сомневайтесь, это ваше последнее расследование, мадемуазель капитан!

«Уж в этом-то можно не сомневаться», — усмехнулась про себя Констанс, устраиваясь за рулем поудобнее.

31

Вперед, только вперед.

Не застывать на месте, не колебаться, не останавливаться.

На высоких каблуках, в вечернем платье Никки окунулась в электрический свет Северного вокзала.

Уже у входа их с Себастьяном со всех сторон сдавила толпа. Им показалось, что человеческая волна подхватила их и уносит куда-то. Они почувствовали биение вокзального пульса. Стали частичкой потока. Их заглотил и стал переваривать огромный бурчащий, грохочущий живот.

Себастьян держал квитанцию в руке, но никак не мог сообразить, где здесь камера хранения.

SNCF, RATP, «Eurostar», «Thalys»...[1] Вокзал походил на многощупальцевого спрута, который держит в своих объятиях самую разнообразную фауну: работяг, возвращавшихся в свои предместья, зевак-туристов, спешащих деловых людей, стайки юнцов, залипающих у витрин, бомжей, патрулирующих полицейских...

Никки с Себастьяном потратили немало времени, отыскивая камеру хранения. Наконец нашли. На первом подземном уровне, вход в торце у начала платформы возле вывески о прокате автомобилей. Помещение темноватое, без окон, с желтоватым искусственным освещением. Из-за стоек с ячейками напоминает лабиринт, и пахнет в нем старой, непроветренной кладовкой. Никки и Себастьян бродили между серых стоек, не сводя глаз с трех номеров на талоне. Первый указывал местоположение стойки, второй номер ячейки, третий комбинацию цифр, чтобы ячейку открыть.

— Вот она! — закричала Никки.

Себастьян набрал комбинацию из пяти цифр, нажимая кнопки. Потянул дверцу камеры и заглянул внутрь, надеясь на чудо.

В камере лежал холщовый голубой рюкзак с логотипом «Chuck Taylor».

— Рюкзак Джереми! — воскликнула Никки. — Я точно знаю!

---

[1] SNCF — национальная компания французских железных дорог, RATP — государственная компания смешанных транспортных сетей, «Евростар» — сеть скоростных железных дорог между Лондоном, Парижем и Брюсселем, «Талис» — оператор скоростных поездов по линии Париж–Брюссель–Кельн–Амстердам.

Она открыла рюкзак. Пустой. Обшарила все карманы и карманчики. Пусто.

— Может, есть внутренний карман?

Она кивнула: да, конечно. Поспешно шаря по карманам, она не заглянула в нейлоновый карман, пришитый изнутри на спине. Последний шанс. Дрожащими руками потянула молнию.

— Неужели ключ?

Она внимательно осмотрела блестящий металлический ключ, прежде чем передать его Себастьяну. Да, это был ключ непростого рисунка.

Но что он открывает?

На секунду оба застыли в отчаянии. Кого порадует чувство, что над тобой издеваются? Дразнят. Опять и опять. Всякий раз, когда им казалось, что они напали на след, их ждала неудача. Каждый раз, когда казалось, что они близки к цели, она исчезала...

Но отчаивались они недолго.

Никки опомнилась первая.

— Не будем терять времени! — воскликнула она, взглянув на настенные часы. — Если мы опоздаем к мосту Альма, катер не станет нас дожидаться!

32

Вот уже почти час Констанс Лагранж патрулировала платформы Северного вокзала вместе с группой из полицейского подразделения железных дорог.

Наблюдение за перронами было усилено, но Лараби они не нашли. Скорее всего, те отказались от задуманного путешествия, заметив на вокзале множество полицейских.

«А может, и думать не думали никуда ехать».

Мобильник Констанс завибрировал. Звонил Босари.

— А я знаю, куда Лараби сейчас направляются, — сообщил помощник. — Они заказали в компании парижского речного пароходства столик на прогулочном катере «Адмирал» на 20 часов 30 минут.

— У тебя дурацкие шутки, Босари!

— Я не посмел бы шутить с вами, капитан.

— Но это же ни в какие ворота, сам подумай! Если два убийцы сбежали, то у них, ясное дело, нет других забот, как поиграть в молоденьких и поужинать на катере! Так, что ли?

— Я сам в шоке.

— Не вешай трубку.

Констанс извинилась перед полицейскими железнодорожной службы, попросила не терять бдительности и направилась к парковке.

— Босари? — возобновила она прерванный разговор.

— Да, капитан.

— Встретимся на набережной у моста Альма.

— Я приезжаю с бригадой?

— Нет, возьмем их по-тихому. Ты и я. — Констанс подтянула пояс и глянула на часы на панели. — Интересно, успеем мы прихватить их до отплытия?

— Я могу попросить компанию немного задержать катер.

— Не надо. Если беглецы заметят, что отплытие задерживается, они могут испугаться и опять утекут у нас между пальцев.

— Я на всякий случай предупрежу бригаду, отвечающую за речные пароходства.

— Ты не будешь никого предупреждать и будешь ждать меня на набережной. Понял?

33

Такси спустилось по улице Монтень и высадило Никки и Себастьяна у моста Альма. Уже наступила ночь, но холодно не было. После квартала Барбес и Северного вокзала Себастьян испытывал настоящее наслаждение, очутившись в узнаваемом, куда более спокойном Париже с набережными Сены и светящейся Эйфелевой башней.

Пешком они добрались до пристани на правом берегу Сены, любуясь мостом Инвалидов впереди. Затененный раскидистыми каштанами, порт де ля Конферанс служил прибежищем для речных судов всех видов, принадлежащих компании парижского речного пароходства.

Небольшие пароходики у первых причалов на их пути выгружали толпы туристов, которых собирали гиды и вели к автобусам. Они быстро миновали эти причалы и направились к тем, где стояли пароходы-рестораны.

— Думаю, этот наш, — предположила Никки, указывая на большой, сияющий стеклами пароход с двумя палубами.

Они подошли к причалу, где стоял «Адмирал», назвали свои имена администраторше, та сказала им «добро пожаловать» и пожелала приятного вечера, снабдив глянцевым буклетом.

— Катер отплывает, — сообщила она, провожая их к столику.

На закрытой палубе, защищенной с обеих сторон сияющими стеклами, разместилось около сотни маленьких столиков. Атмосфера была создана самая что ни на есть романтичная. Приглушенный свет, мерцающий потолок, темный пол, на столиках между приборами трепещущие огоньки свечей, прикрытых стеклянными колпачками. Все рассчитано на интимность, сближение, даже стулья стоят рядом, принуждая пару сидеть как можно ближе. Усевшись у огромного окна и оказавшись так близко друг от друга, Никки и Себастьян невольно смутились. Себастьян опустил глаза и принялся изучать меню, которое обещало «оригинальные блюда с тонким вкусом, замечательно приготовленные нашим поваром из свежайших продуктов».

«Как же, как же!»

— Добро пожаловать, мадам, месье, — поприветствовала их официантка со сногшибательной африканской прической, прикрытой легким фуляром.

Она достала из ведерка со льдом бутылку Кларета де Ди и налила им по бокалу игристого вина, а затем приготовилась принять заказ.

Себастьян небрежно отодвинул меню. Он находил их положение дурацким и смехотворным. Никки из вежливости взяла на себя труд отнестись к меню более внимательно и сделала заказ за двоих. Официантка занесла их заказ в свою электронную записную книжку и пожелала им хорошего вечера.

Катер был полон. Много было американцев, азиатов и французов, приехавших из провинции. Одни совершенно очевидно проводили в Париже медовый месяц, другие праздновали юбилеи свадеб, и все были рады оказаться здесь. Перед столиком Никки и Себастьяна сидели бостонцы: супружеская пара с двумя детьми, они вчетвером смеялись и шутили, им было хорошо и весело. Позади сидели японцы, шепча друг другу какие-то нежности на ушко.

— Умираю, хочу пить, — проговорила Никки и залпом выпила вино, кипящее пузырьками. И сразу же налила себе еще один бокал. — Не шампанское, но очень приятное!

Мотор зарокотал громче, завибрировали гребные винты. С реки поплыл легкий запах мазута, и пароход покинул мост Альма, сопровождаемый облаком чаек.

Никки приблизила лицо к стеклу. В это вечернее время на Сене чего только не увидишь! Большие плоские баржи плавно скользили по глади воды, мчались в облаках пены катера-«зодиаки» — то ли речная полиция, то ли пожарные. Перед парком Трокадеро пароход миновал небольшую пристань, прятавшуюся в тени платанов и тополей. Кое-кто из пассажиров, ужинавших на палубе их парохода, поднимал бокалы, приветствуя туристов на речных трамвайчиках, и те отвечали им дружескими кивками.

— Мадам, месье, вам принесли заказанные закуски: салат, гусиную печенку по-ландски с инжирным вареньем по-провансальски.

Себастьян, который поначалу отнесся к еде с полным пренебрежением, в один миг проглотил гусиный паштет. У него маковой росинки во рту не было после той отвратительной сырой рыбы в маринаде, которую он съел в кафе напротив лицея Джереми. Никки от него не отставала. Ничего, что тосты остыли, а порция салата оказалась крошечной, она расправилась с ними в один миг, стараясь утихомирить злобных фурий, которые проснулись у нее в желудке. И так же быстро расправилась с бокалом бордо.

— Не пей слишком много, — забеспокоился Себастьян, заметив, что Никки пьет уже четвертый бокал.

— Не будь прежним скучным занудой.

— Осмелюсь напомнить, что мы с тобой ищем сына и нам желательно разгадать заданную нам загадку.

Никки, вздохнув, возвела глаза к небу, но тут же полезла в сумку и достала ключ, который они нашли в камере хранения. Они вертели его так и сяк, рассматривая со всех сторон. Но не нашли ничего выдающегося. Разве что на головке выгравирована надпись «ABUS Security». Вот и все. Единственная, крайне скудная зацепка, которой они располагали.

Себастьян тяжело вздохнул. Его до крайности утомили эти дурацкие игры. Они держали его в постоянном напряжении, не давали опомниться, прийти в себя и что-то сообразить. За последние несколько часов он стал параноиком: смотрит на каждого официанта, каждого пассажира как на возможного преступника, все ему кажутся подозрительными.

— Сейчас проведем расследование, — решила Никки, доставая телефон.

У Себастьяна-то телефона больше не было, его у него отняли, но у Никки мобильник был в целости и сохранности. Она включила в Интернете поиск и набрала в Гугле «ABUS Security». Все первые ссылки отправили ее на один и тот же сайт. Выяснилось, что ABUS — это немецкая фирма, специализирующаяся на изготовлении предметов, обеспечивающих безопасность: особо надежных замков, систем видеонаблюдения и тому подобного.

Но какое отношение имел ключ к ужину на пароходе?

— Улыбайтесь! Вас фотографируют! Smile for the camera! Lachen fur die Kamera! [1] — И еще по-японски.

Фотограф той же пароходной компании обходил столы с фотоаппаратом, сохраняя для вечности счастливые пары.

Себастьян наотрез отказался фотографироваться, но полиглот папарацци настаивал:

— You make such a beautiful couple![2]

Себастьян вздохнул и, чтобы избежать дальнейших препирательств, сдался: с вымученной улыбкой приготовился фотографироваться рядом с бывшей женой.

— Cheese![3] — скомандовал фотограф.

«Пошел ты куда подальше!» — в сердцах подумал Себастьян.

— Thank you! Be back soon[4], — пообещал фотограф, в то время как официантка убирала тарелки.

---

[1] Улыбнитесь перед камерой! (*англ.*) Улыбнитесь перед камерой! (*нем.*)

[2] Вы такая красивая пара! (*англ.*).

[3] Улыбайтесь! (*англ.*)

[4] Спасибо! Скоро вернусь! (*англ.*)

На ночном небе высветилась металлическая колоннада воздушного метро «Бир-Хакейм».

Атмосфера потихонечку раскрепощалась. Рядом с массивной деревянной стойкой, занимавшей центр нижней палубы, на небольшом возвышении сидели скрипач с пианистом, а клон Майкла Бубле исполнял неизменные «Опавшие листья», «Fly Me to the Moon»[1], «The Good Life»[2], «Мой любимый из Сен-Жана».

Туристы потихоньку подпевали, а «Адмирал» огибал тем временем Лебединый остров. Небольшой экран на каждом столике исполнял обязанности видеогида, сообщая исторические сведения и анекдоты о каждом памятнике, мимо которого проплывал катер. Никки поколдовала с клавишами, и текст пошел на английском.

«На Лебедином острове находится копия знаменитой нью-йоркской статуи Свободы. Она в четыре раза меньше своей кузины. Статуя смотрит в сторону Соединенных Штатов и символизирует франкоамериканскую дружбу».

Доплыв до конца искусственного острова, катер на несколько минут остановился, позволяя пассажирам сфотографировать открывшийся вид, а потом развернулся и поплыл обратно уже вдоль левого берега.

Себастьян налил себе бокал вина.

— Это, конечно, не «Грюо-Лароз», но все-таки очень неплохое, — сообщил он Никки.

---

[1] «Заставь меня долететь до Луны» — шлягер 50-х в исполнении Фрэнка Синатры и Каунта Бейси.

[2] «Хорошая жизнь» — хит Тони Беннета 1963 г.

Замечание ее позабавило, и она улыбнулась. Вопреки собственному желанию Себастьян мало-помалу поддался по-детски радостной атмосфере и красоте проплывающих мимо пейзажей.

Катер тихо скользил мимо причалов Сюффрен и Бурдоне. Их две арки, скрещиваясь, образовали отражающиеся в воде два круга. Эспланада для прогулок тянулась до самой Эйфелевой башни. Даже самые пресыщенные пассажиры вроде Себастьяна не могли не восхититься этой феерией. Еда была так себе, эстрадный певец невыносим, но магия Парижа завораживала, оказываясь сильнее всех помех.

Себастьян отхлебнул бордо, глядя на семью бостонцев, чей столик был как раз перед ними. Пара была примерно одних с ними лет, где-то между сорока и сорока пятью. Дети лет четырнадцати-пятнадцати напомнили ему Камиллу и Джереми. Прислушавшись к разговору, Себастьян понял, что отец врач, а мать преподаватель музыки в консерватории. Семья выглядела сплоченной и дружной: они шутили, похлопывали друг друга по плечу, смеялись, вместе восхищались проплывающими красотами.

«Мы могли бы быть такой же семьей», — горько подумалось Себастьяну.

Почему кому-то удается обрести взаимопонимание, а другие непрестанно ссорятся? Только ли поведение и характер Никки повинны в крахе их совместной жизни? Или он тоже внес свою лепту?

Никки, встретив подернутый печалью взгляд бывшего мужа, догадалась, о чем он думает.

— Надеюсь, ты не о нас задумался?

— Об одном из вариантов нашей жизни, который бы не развел нас в разные стороны...

Никки уточнила, словно размышляя вслух:

— Проблема не в том, что мы разные, а в том, как мы относились к тому, что мы разные. Мы не старались найти общий язык, не могли договориться, как воспитывать наших детей. Ты не хотел, чтобы мы вместе принимали решения относительно их будущего. Твоя ненависть ко мне...

— Погоди! Не переворачивай все с ног на голову. Хочешь, я напомню тебе, что привело нашу семью к неминуемому разрыву?

Никки потрясло, что Себастьян вновь вернулся к той давней болезненной истории, а он с загоревшимися гневом глазами продолжал:

— Ты «забыла» зайти за детьми в школу, потому что кувыркалась в постели с любовником на другом конце Бруклина.

— Давай не будем, — попробовала она остановить его.

— Нет, будем! — повысил он голос. — Потому что такова правда! Ты не приехала, и дети решили вернуться домой пешком. Помнишь, чем это кончилось?

— Зачем именно сейчас напоминать мне об этом?

— Камиллу сбило такси, и два дня она пробыла в коме! — Охваченный гневом Себастьян уже не мог остановиться. — А когда ты приехала в больницу, от тебя несло виски. Чудо, что Камилла вышла из больницы без костылей. По твоей вине она оказалась на волосок от смерти, и я тебе этого никогда не прощу!

Никки резко встала.

Разговору нужно было положить конец. Хватит с нее.

Себастьян, по-прежнему во власти гнева, и пальцем не шевельнул, чтобы ее удержать. Только смотрел, как она встала из-за стола и направилась к лестнице, ведущей на верхнюю палубу.

34

Спорт-купе RCZ спустилось к дорожке, ведущей к причалу де ля Конферанс.

Констанс припарковалась рядом с полицейской машиной Босари.

Опершись на капот, молоденький лейтенант курил сигарету.

— Ничего позаметнее не нашел? — упрекнула его Констанс. — Может, включим мигалку и сирену?

— Не волнутесь, шеф, я подождал, пока пароход отчалит, и только потом припарковался.

Констанс посмотрела на часы: 20 часов 55 минут.

— Ты уверен, что они на пароходе?

— Абсолютно. Администраторша подтвердила, что Лараби воспользовались своим заказом.

— Они могли отправить на катер сообщников. Откуда известно, что на пароходе именно они?

Босари уже привык к придирчивости Лагранж. И вытащил из кителя две фотографии. Два кадра из видеофильма, который снимает камера наблюдения на пароходе.

Констанс прищурилась. Да, это Лараби. Она в вечернем платье, он в вечернем костюме. Картинка из модного журнала.

— Красивая женщина, согласны, капитан? — спросил Босари, указывая на Никки.

Погруженная в свои мысли, Констанс не ответила. В этой истории были какие-то нестыковки, она не могла понять, какие же именно, и хотела разобраться.

— Я узнал расписание, — снова заговорил лейтенант. — Прогулка продолжается около двух часов, примерно на середине рейса пароход делает остановку. Если все пойдет, как наметили, через полчаса мы снимем их с катера.

Констанс закрыла глаза и помассировала себе веки. До сих пор она хорошо держалась, но сейчас внезапно ощутила приступ мучительной головной боли.

— Как вы себя чувствуете, капитан?

Она открыла глаза и кивнула, давая понять, что все в порядке.

— Честно говоря, на работе за вас волнуются, — признался паренек.

— Я сказала, что все в порядке, — оборвала его Констанс и взяла сигарету.

Оба знали, что Констанс говорит неправду.

35

На открытой палубе, где пассажирам предоставлялся обзор в триста шестьдесят градусов, дул ветерок.

Облокотившись на поручень, Никки курила. Лицо у нее было суровое и замкнутое, а глаза неотрывно смотрели на сиявший вдали золотом мост Александра III, висевший над Сеной без единой опоры.

Себастьян подошел к ней. Она спиной почувствовала, что он подошел, и догадалась, что подошел он не с извинениями.

— Несчастный случай с Камиллой — моя вина, — признала она, не оборачиваясь. — Но и ты не забывай, что творилось у нас в доме. Все разваливалось, мы постоянно ссорились, ты на меня даже не смотрел...

— Твой поступок не имеет оправданий, — оборвал он ее.

— А ты сам? Твое поведение имеет оправдания? — взорвалась Никки.

Громкие голоса привлекли внимание пассажиров на палубе. Ссорящиеся супруги зачастую привлекают любопытные взгляды.

Никки продолжала с тем же напором:

— После развода ты вообще вычеркнул меня из жизни, хотя мы могли бы оставаться парой, разумеется, не любовниками, нет, но хотя бы парой родителей.

— Оставь свои психологические штучки, пара или есть, или нет!

— Да брось ты. Мы могли бы сохранить нормальные человеческие отношения. Многим это удается.

— Нормальные человеческие отношения? Ты что, смеешься?

Никки обернулась к Себастьяну. В ее глазах, кроме обиды, гнева, усталости, светилась еще и любовь.

— У нас было немало хорошего, — продолжала она настаивать.

— А еще больше плохого, — возразил он.

— Однако признай, что после развода ты повел себя отнюдь не так, как следует ответственному взрослому человеку.

— Благотворительная организация отказалась от благотворительности, — снова сухо оборвал ее Себастьян.

Но Никки опять пошла в атаку:

— Мне кажется, ты не понимаешь, что натворил своим правильным решением! Ты разлучил сестру и брата. Отнял у меня дочь и отстранился от сына. Это ужасно!

— Но ты же согласилась с этим решением!

— Согласилась, потому что была вынуждена, принуждена согласиться! С армадой адвокатов, со всеми своими миллионами ты отнял бы у меня обоих детей! — Она помолчала несколько секунд и все-таки решилась высказать Себастьяну то, о чем столько лет молчала: — Ты ведь никогда не хотел взять к себе Джереми, так ведь? — спросила она тихо. Себастьян продолжал молчать. — Почему ты отказываешься от своего сына? — настойчиво спрашивала она со слезами на глазах. — Он хороший мальчик, чувствительный, уязвимый. Он ждал от тебя похвалы, ждал хоть какой-то заинтересованности, но так и не дождался...

Себастьян молча слушал эти упреки, признавая их справедливость. Но Никки хотела добиться правды.

— Почему тебе никогда не хотелось познакомиться с сыном поближе?

Несколько секунд Себастьян колебался и наконец решился:

— Потому что мне это тяжело.

— Что значит — тяжело?

— Он слишком похож на тебя. Мимика, смех, взгляд, манера говорить — все твое. Когда я вижу его, я вижу тебя. Для меня это просто невыносимо, — признался он, отводя глаза.

Никки не ожидала такого признания. В растерянности она все же задала еще один вопрос:

— Неужели самолюбие оказалось сильнее любви к сыну?

— Я не щажу себя, занимаясь Камиллой, — не уступал он своих позиций. — Она разумная, развитая, хорошо воспитана.

— Хочешь знать правду, Себастьян? — проговорила Никки со слезами на глазах. — Камилла — бомба замедленного действия. Ты пока еще держишь ее под контролем, но долго это не продлится. Она восстанет против тебя, и ты будешь кусать себе локти.

Себастьян вспомнил упаковку таблеток, которую обнаружил в комнате дочери. Почувствовал раскаяние, подошел и обнял Никки.

— Ты права, и прошу тебя, не будем ссориться. Вынесем вместе выпавшее нам на долю тяжкое испытание. А потом... Я изменю свое отношение к Джереми, а ты будешь видеться с Камиллой, сколько захочешь. Обещаю, мы все уладим.

— Поздно, Себастьян. Посеянное зло принесло свои плоды. Ничего уже не поправить.

— Ты не права, поправить можно все, — твердо, с нажимом произнес он.

Катер проплыл под аркой моста Искусств, потом под Новым мостом, а они все стояли обнявшись.

Потом вдруг опомнились и отстранились друг от друга.

Катер плыл вдоль набережной Сен-Мишель, загроможденной лотками букинистов. В центре острова Ситэ высилась крепость Консьержери, а на мысу — готический силуэт Нотр-Дам. Чуть дальше, на острове Сен-Луи, можно было рассмотреть слегка подсвеченные роскошные частные особняки.

— Попытаемся все же разгадать загадку ключа, — предложила Никки, гася третью сигарету. — Безусловно, это какой-то знак, который нам нужно понять. Шоу, в котором мы принимаем участие, имеет смысл. Нам нужно найти замок, который он открывает.

Вместе они вдоль и поперек исходили всю верхнюю палубу, ища, где может быть замочная скважина. И ничего не нашли. На палубе сильно дуло, из-за ветра ночь казалась холодной. Заметив, что Никки дрожит, Себастьян накинул ей на плечи свой пиджак. Она стала отказываться, но он продолжал настаивать, и она согласилась.

— Смотри-ка! — закричал он, вдруг заметив металлические коробки со спасательными жилетами.

Вдоль палубы выстроилось полдюжины небольших сундучков, каждый со своим висячим замочком. Торопливо, дрожащими руками они попытались один за другим открыть замки, но ключ не подошел ни к одному.

«Черт подери!»

Подавленная неудачей, Никки закурила новую сигарету, встав у бортика, они выкурили ее на двоих, не произнося ни слова. А народ по обоим берегам веселился, там яблоку негде было упасть, бесконечная череда жанровых сценок «жизнь на Сене» бежала перед глазами — что-то празднуя, закусывали семейства, ворковали влюбленные, а вот, словно в фильме Вуди Аллена, у воды танцует немолодая пара. Развалившись, отдыхают бродяги, стайка подростков, хохоча, тычет пальцами в пассажиров пароходика, панк с собакой курит длинный-предлинный косяк... И куда ни посмотришь, алкоголь — литровые бутылки вина, банки с пивом, водка.

— Пойдем вниз, — шепотом попросила Никки. — Я замерзла.

Они вновь спустились на нижнюю палубу.

В салоне царило безудержное веселье. Застенчивая в начале ужина публика теперь во весь голос распевала песни. Турист-американец встал на колени, прося руки своей девушки.

Никки и Себастьян уселись за свой столик. За это время им успели принести горячее. На тарелке Себастьяна солидный кусок говяжьего филе застыл под соусом беарнез. На тарелке Никки две королевские креветки сражались на дуэли на горстке риса. Едва они принялись за горячее, уже ставшее холодным, к ним подошел скрипач и заиграл «Гимн любви». Себастьян не стал с ним церемониться и мигом отправил куда подальше.

— Налей мне вина, — попросила Никки.

— Тебе хватит, а то опьянеешь. Да и в бутылке уже ничего нет.

— И пусть опьянею! Я хочу напиться. Это мое дело! Это помогает мне справиться с ужасом, который на нас свалился!

Никки поднялась и оглядела столы, ища взглядом, где стоят бутылки с вином. Увидела одну, едва начатую, на столике с десертами возле бара и принесла ее.

И налила себе полный бокал под укоряющим взглядом мужа.

Себастьян отвернулся и стал смотреть в огромное окно. Вот и еще одна достопримечательность их речной прогулки. Пароход проплывал под металлическим полотном моста Шарля де Голля. В отличие от предыдущих, этот мост был современный и напоминал крыло самолета, готовое рассечь небо. А сразу за ним мощные прожектора парохода осветили и вовсе неожиданную картину: неподалеку от моста расположились лагерем бомжи — рвань, вонь, костры. Зрелище не для слабонервных, пассажиры приуныли, праздничное настроение улетучилось. Невольно, пусть на самую малость, все оказались жертвами знаменитого «парижского синдрома». Каждый год посольства отправляют на родину десятки психически травмированных туристов, которые не выдержали контраста между идеальным Парижем, которым они любовались в фильмах, и куда более грубой реальностью столицы. Но на катере все очень скоро позабыли о неприятном инциденте.

Катер продолжал плыть и подплывал уже к башням национальной библиотеки, собираясь развернуться где-то возле Берси и вернуться вдоль правого берега в исторический Париж почтовых открыток и туристических альбомов. Музыка заиграла громче, и неприятное впечатление стерлось из памяти.

Еще один глоток вина.

Алкоголь мутил сознание Никки, зато обострял чувствительность. Ее преследовало ощущение, что она упустила что-то очень важное, какую-то существенную, лежащую на поверхности деталь. Но не пыталась во что бы то ни стало напрячь мозги. Не рассчитывала, что найти сына ей поможет разум, логика, анализ. Она полагалась на материнский инстинкт. В беде чувство помогает больше логики и рассудка.

Никки не старалась сдерживать чувства, напротив, дала им волю. Слезы подступали к глазам, в голове теснились воспоминания. Настоящее и прошлое смешались в один поток. Вот теперь все же нужно определиться, направить курсор в правильную точку. Не плыть по течению, а выудить послание.

Никки тоже смотрела в окно, но ее кружил вихрь. Все мешалось у нее в голове, подступала тошнота. Воспоминания проносились как смерч, сплетались, путались, накладывались одно на другое.

Музыка играла все громче. Люди вокруг отбивали ритм, хлопая в ладоши. На танцевальной площадке работали аниматоры. Официантки и официанты отплясывали под русскую песню.

«Калинка, калинка, калинка моя...»

Никки отхлебнула еще вина. В зале было жарко, но ее била дрожь. Свет озарял зал яркими вспышками в ритме «Калинки», припев точно молотком бил по голове.

«Калинка, калинка, калинка моя...»

Катер возвращался к пристани, от которой они отплывали. Через стекло она различала выступы и маски Нового моста, а за ним на фоне неба — силуэт моста Искусств. Никки смотрела на решетчатую ограду моста. Она мерцала тысячью огоньков. Никки прищурилась и различила на ней десятки, нет, сотни, нет, тысячи замочков, прицепленных по всей длине моста.

— Я знаю, что открывает этот ключ! — воскликнула она.

И указала пальцем на видеогид, вмотированный в стол. Наклонившись к экрану, они прочитали историю, относящуюся к этому мосту:

«По примеру моста Пьетра в Вероне и Лужкова моста в Москве мост Искусств несколько лет тому назад стал излюбленным местом влюбленных, которые приходят сюда и вешают «замок любви», символ нерасторжимой связи.

По сложившейся традиции, влюбленная пара запирает замок на решетке, бросает ключ через плечо в Сену и скрепляет свой союз поцелуем».

— Нам нужно сойти!

Они спросили у метрдотеля, тот ответил, что катер причалит через пять минут у моста Альма.

Охваченные нетерпением, Никки и Себастьян стояли первыми в очереди у сходней, торопясь как можно скорее очутиться на берегу.

«Адмирал» проплыл мимо Лувра, потом мимо Елисейских Полей и, наконец, остановился у причала у моста Альма.

Гийом Мюссо

Себастьян и Никки уже были готовы сойти на берег, и вдруг Никки потянула мужа за рукав.

— Ни шагу! Сюда идут копы!

Себастьян взглянул на набережную. Женщина в кожаной куртке и молодой парень уверенным шагом направлялись к сходням, собираясь подняться на катер.

— Ты уверена?

— Говорю тебе, это копы! Сам посмотри!

Приглядевшись, Себастьян заметил номер 307 на нашивке в цветах Национальной полиции.

Себастьян встретился взглядом с бывшей женой. Полицейские поняли, что их заметили, и ринулись вперед.

Никки с Себастьяном бросились обратно в салон. Побежали к лестнице, которая вела на верхнюю палубу. На бегу Себастьян схватил со стола нож, которым, как видно, кто-то резал пережаренное мясо.

36

Встретившись взглядом с Себастьяном, Констанс Лагранж поняла, что американец их вычислил. Выхватила из кобуры пистолет и, держа его в руке, ринулась вперед.

— Никакой несанкционированной пальбы! — предостерегла она Босари, вбегая в ресторан.

При виде огнестрельного оружия среди пассажиров раздались испуганные крики. Полицейские смерчем пронеслись по залу, опрокидывая на бегу

208

столы. С разрешения Констанс Босари первым устремился по лестнице, ведущей на верхнюю палубу, но металлический люк оказался закрыт.

— Они забаррикадировали выход! — воскликнул лейтенант.

Констанс подалась назад. Она заметила еще один путь, который вел на верхнюю палубу, — боковую лесенку. Три секунды спустя она была уже наверху. Вдалеке она заметила Лараби, который в тот же миг вломился через двустворчатую дверь в рубку. С ножом в руках Лараби принуждал рулевого отплывать. Констанс сделала несколько шагов к рубке, дождалась, пока Босари встанет у нее за спиной, и приступила к операции.

— Ни с места! — заорала она, но в этот самый миг пароход рванулся вперед.

Констанс едва не упала, но уцепилась за плечо лейтенанта и удержалась на ногах. Сощурилась, ища взглядом беглеца. Лараби вскарабкался на крышу рубки и убеждал бывшую жену последовать его примеру.

— Цепляйся за меня, Никки!

— У меня не получится!

— У тебя нет выбора, дорогая!

Констанс видела, как он схватил жену за руку и силой втащил на крышу маленькой кабинки.

Она повторила приказ. Никакого результата. Она взяла Лараби на прицел, но с выстрелом медлила.

Что они задумали? До Иенского моста еще далеко. Катер подплывал к Дебийи, небольшому пешеходному мостику, выгнутому в виде арки, который

209

соединяет набережную Нью-Йорк с набережной Бранли.

«Не собираются же они до него допрыгнуть?!»

Высота моста была не так велика, но вполне достаточна, чтобы задуманный маневр был крайне опасным, тем более при такой скорости. Констанс вспомнила фильмы своего детства, в которых Бельмондо совершал чудеса, бегая и прыгая по Парижу. Однако Себастьян Лараби уж точно не Бельмондо. Это скрипичных дел мастер из Верхнего Ист-Сайда, который разве что играет в гольф по воскресеньям.

— Я могу выстрелить ему в ногу, капитан, — предложил Босари.

— Не стоит. Им ни за что на свете не уцепиться за мост. Он слишком высок, скорость слишком велика. Оба свалятся в воду. Позвони в речную полицию на набережной Сен-Бернар. Попроси прислать подмогу, чтобы мы их выловили.

Катер приближался к иллюминированной дуге моста. Мост представлял собой ажурную металлическую арку с деревянным настилом и двумя каменными опорами у берегов. Как и Эйфелева башня, он был предвестником будущего на заре двадцатого века. Строили его как временный, но он держится вот уже более двух веков.

Себастьян внутренне приготовился, прыгнул — и уцепился за балку. Никки сбросила туфли на каблуках, подпрыгнула вслед за мужем и схватилась за его ремень.

Оба показали отличное время.

«Беспримерное везенье новичков!»

Одним прыжком Констанс очутилась на крыше рубки, но партия была проиграна: катер уже миновал мост и направлялся к садам Трокадеро.

Констанс злобно выругалась, глядя издалека на две фигуры, которые, подтягиваясь, карабкались на деревянный настил моста.

37

Крепко держась за руки, Никки и Себастьян перебежали через автомобильную магистраль на левом берегу Сены. Удачно преодолев поток машин, они пробежали по галерее вдоль музея на набережной Бранли, где собрана коллекция примитивного искусства, и оказались на улице Университе.

— Выброси телефон! По нему могут определить, где мы находимся!

Не останавливаясь ни на секунду, Никки избавилась от телефона. Они продолжали бежать, хотя у Никки болела нога. Головокружительное бегство с парохода не обошлось без последствий — платье снизу разорвалось, и она очень больно ушибла правую ногу, когда карабкалась на мост.

«Что делать? Куда бежать?»

Под портиком на улице Рапп они немного передохнули. Раз за ними по пятам гонится полиция, значит, они попали в разряд беглых преступников. Благодаря чудесному стечению обстоятельств на этот раз им удалось избежать ареста. Но долго ли это продлится? Сколько еще времени им суждено оставаться на свободе?

Впрочем, как бы то ни было, им нужно добраться до моста Искусств и найти загадочный замок. Значит, нельзя удаляться от Сены, но двигаться они должны очень и очень осторожно.

Оставив в стороне метро и большие улицы 7-го округа, Никки с Себастьяном затерялись в мелких улочках, меняя направление всякий раз, как замечали человека в форме, переходя на другую сторону при малейшем подозрении, так что до моста Искусств они добирались не меньше часа.

В разгар осени на мосту Искусств веяло летом. С моста, отданного в полное распоряжение пешеходов, открывался сказочный вид. Одним взглядом можно было объять арку Нового моста, сквер Вер-Галан и светлые башни Нотр-Дама.

Никки и Себастьян ступили на мост, приняв все меры предосторожности. Погода стояла теплая. Неправдоподобно теплая для середины октября. В коротких платьицах, легких свитерках и курточках, молодежь распевала песни под гитару, подкреплялась, усевшись в кружок прямо на земле. Лица из всех стран мира, еда, любимая во всех странах: чипсы, сэндвичи, куриные наггетсы, шоколадки.

И невозможное в Штатах зрелище: алькогольные напитки распиваются на глазах у всех — в огромном количестве и самые разные: светлое и темное пиво, красное, белое, розовое вино... Юнцы, явно еще не достигшие совершеннолетия, с головокружительной быстротой расправлялись с банками пива и стаканами вина — и наливали по новой. И по-детски веселились.

Прикрепленные к поручням по обеим сторонам моста, поблескивали «замочки любви». Сколько их тут? Две тысячи? Три?

— Нам его не найти... — безнадежно вздохнула Никки, но все-таки достала из сумки ключ.

Себастьян опустился на колени у парапета. На большинстве замочков красовалась несмываемая наклейка или гравировка с инициалами или именами и датами.

Т+Л — 14 окт. 2011

Эллиот&Элена — 21 октября

Себастьян невольно улыбнулся про себя. Эти залоги вечной любви показались ему ужасно трогательными. И вызывали у него уважение. Запертые на замок сердца влюбленных казались соединенными навек. Но сколько из этих искренних клятв и в самом деле выдержат испытание временем?

Никки тоже опустилась на колени и стала рассматривать love locks[1]. Каких здесь только не было — всех размеров, раскрашенные, в форме сердечка, с надписями: «Я тебя люблю», «Ti amo», «Te quiero»... Замки скрепляли и менее традиционные союзы : «Б+Ф+А», а иногда и нарочито вызывающие: «Джон+Ким+Диана+Кристина». Встречались и ностальгические надписи: «Время проходит, воспоминания остаются». И даже обиженно-оскорбительные: «Соланж Скорделло шлюха».

— Не будем терять времени, — подстегнул Никки Себастьян.

Они распределили обязанности. Себастьян отыскивал замки с надписью «ABUS», Никки пы-

---

[1] Залоги любви (*англ.*).

талась их открыть. Никки заметила, что все даты были недавними. Очевидно, чтобы не перегружать мост, мэрия или префектура убирала старые замочки.

Их странное занятие казалось подозрительным, привлекало взгляды. Но на самом деле оно было не только странным, но и занудным.

ABUS — ABUS — ABUS — ABUS... Немецкая фирма, о которой они раньше слыхом не слыхивали, похоже, царила на рынке замков и замочков: каждый второй был помечен ее логотипом.

— Да хоть всю ночь бейся, все без толку, — вынужден был признать Себастьян. И тут вдруг заметил двух полицейских, появившихся на мосту. — Видишь?

Никки и Себастьян уже готовы были потихонечку смыться, но сообразили, что эти два молодца в форме явились сюда только для того, чтобы напомнить любителям праздников о декрете префектуры, запрещающем распивать алкогольные напитки на мосту. Изображая послушание, молодежь убрала бутылки и банки в рюкзаки, чтобы тут же достать их, едва полицейские уйдут.

Полицейские и сами это понимали, но у них не было ни желания, ни приказа во что бы то ни стало добиться исполнения декрета. Их больше обеспокоило настроение одного сильно подвыпившего молодого человека, который надумал прыгнуть в воду. Они принялись его вразумлять, но пьяный полез в драку. Один из полицейских принял решение вызвать по телефону поддержку.

— Через две минуты тут будет пруд пруди полицейских, — забеспокоился Себастьян. — Пошли поскорей отсюда!

— Не раньше, чем найдем!

— Не будь валаамовым ослом! В тюрьме мы мало куда продвинемся!

— Подожди! У меня идея! Выбирай только замки с какой-нибудь отметкой, с рисунком, бантиком, с чем-то таким.

— Почему?

— Я уверена, что для нас оставлен особый знак.

Они вдвоем принялись за поиски. Попадались замки с цветами любимых футбольных команд: «Ура, Барселона!», «Ура, Месси!», с политическими лозунгами: «Yes We Can»,[1] с разноцветными флажками и надписью: «Gay friendly»[2], что говорило об особых сексуальных пристрастиях.

— Ну-ка, взгляни!

Почти у самого конца моста висел большой замок с двумя наклейками: на одной скрипка, на другой надпись: «I love New York»[3], которая красуется на стольких майках. Трудно быть более красноречивым.

Никки повернула ключ. Замок открылся.

Она хотела рассмотреть замок при свет фонаря, но полицейские уже появились на мосту. Себастьян потянул Никки за руку.

— Пошли отсюда! Быстро!

---

[1] «Да, мы можем!» (англ.). Песня в поддержку Барака Обамы в избирательной кампании 2008 года.
[2] «Дружественный к геям» (англ.).
[3] «Я люблю Нью-Йорк» (англ.).

38

«Завораживающий мир татуировок маори».

Большую часть второй половины дня Лоренцо Сантос провел в своем полутемном кабинете, погрузившись в чтение этой книги, и наконец отложил ее в сторону.

Он узнал много интересного, но ничего из того, что продвинуло бы его в расследовании.

Огорченный, он протер глаза и отправился в коридор, чтобы выпить стаканчик содовой.

Автомат порадовал надписью: «OUT OF ORDER»[1].

«Только этого не хватало».

Сантос гневно треснул по автомату кулаком, раздосадованный очередной неудачей.

«Есть в этой стране хоть что-нибудь, что работало бы нормально?!»

Чтобы хоть как-то разрядиться, Сантос отправился на спортивную площадку на заднем дворе. Пробросает мяч в корзину, и станет легче.

На Бруклин мягко опускались сумерки. Сквозь ограду Лоренцо видел закатное солнце и покрасневшие облака.

Он взял баскетбольный мяч, примерился и издалека запустил первый пробный. Мяч коснулся металлического круга, замер на миг и упал мимо сетки.

«Не мой день, точно...»

Расследование топталось на месте. Несмотря на помощь криминалистов, все застопорилось. Ближе

---

[1] «Не работает» (англ.).

к полудню Сантос получил подробный отчет от эксперта по следам крови. Специалист очень убедительно воссоздал сцену преступления, шаг за шагом с большой точностью восстановив действие участников. Дрейк Декер был убит первым. Изуродовал его и зверски убил маори, чьи отпечатки были обнаружены на боевом ноже. Маори погиб вторым. Его убил Себастьян Лараби осколком зеркала. Что касается отпечатков пальцев Никки, они остались во многих местах, в том числе и на обломке кия, которым был выколот глаз гиганта незадолго до его смерти.

Но цепочка событий ничего не говорила о мотивах участников, не давала никаких сведений о маори. Этот человек не фигурировал ни в одной из полицейских баз данных. Мало-помалу у Сантоса сложилось убеждение, что гигант, несмотря на татуировку, не был полинезийцем. Через Керена Уайта он связался с антропологом отдела криминалистики, работавшей в Третьем участке, но та ему еще не перезвонила. Сантос очень надеялся, что что-то подскажет именно татуировка, и поэтому сам взялся за розыски. Пока безрезультатно.

Мячи Сантоса один за другим попадали в корзину, и к нему потихоньку стала возвращаться уверенность в себе, напряжение, в котором держало его это дело, спадало.

В расследованиях ему не раз помогала интуиция, решения приходили именно когда он играл в баскетбол или занимался еще каким-нибудь видом спорта. Он бегал и прыгал — и вдруг детали возникали перед ним совсем в другом освещении, факты, не имеющие на первый взгляд отношения друг к другу, связывались в цепочку. Может, получится и на этот раз?

Коп попробовал посмотреть на убийства совсем с другой стороны.

Что, если разгадка вовсе не в том, кем был маори, а в том, что представлял собой Дрейк Декер?

Что он, собственно, знает о владельце бара «Бумеранг»? Дрейк был порядочный мошенник, да и вся его семья так или иначе была прочно связана с криминалом. Отец, которого звали Сириус, отбывал срок в тюрьме «Рикерз-Айленд», младший брат Мемфис вот уже пять лет находится в бегах, поскольку ему грозит немалый срок за торговлю наркотиками. Декер тоже тянул на срок, его бар был, по существу, подпольным притоном, но местные копы закрывали глаза на его делишки, поскольку Декер сливал им информацию.

Но какая может быть связь между этим прохвостом и Никки с Себастьяном Лараби?

«Может быть, Джереми?»

Сантос знал сына Никки. Парень никогда ему не симпатизировал. Враждебность была взаимной.

Лоренцо запустил последний мяч в корзину и вернулся в кабинет, решив провести перекрестное расследование. Он ввел в компьютер имена Джереми и Декера и запустил программу. Через несколько секунд получил результат.

Да! Они пересекались!

Встреча произошла месяц тому назад, в субботу на первой неделе октября. В этот вечер Дрейк попал в участок из-за жалобы одного клиента, который утверждал, что в «Бумеранге» его ограбили, угрожая оружием. Но Дрейка быстренько отпустили, даже не заведя дела.

А Джереми привели в участок из-за того, что он украл в магазине компьютерную игру.

Сравнив два полицейских отчета, Сантос установил, что Дрейк и подросток минут пятнадцать провели в одной камере.

«Они встретились там впервые? — задался вопросом коп. — Или?..»

Сантос внезапно понял, что эти четверть часа — ключ ко всей истории. Что произошло в тот вечер между Джереми и Декером? Разговор? Договор? Стычка?

В любом случае что-то очень серьезное, если несколько недель спустя два трупа плавали в море крови.

39

— Не могу идти! Боль адская! — пожаловалась Никки и уселась прямо на тротуар посреди улицы Морни. Себастьян опустился возле нее на корточки. — Похоже, растяжение, — прибавила она, растирая щиколотку.

Себастьян осмотрел ногу, она опухла, и на ней обозначился большой кровоподтек. До поры до времени боль была терпимой, но теперь стала настолько острой, что Никки не могла ступить на ногу.

— Постарайся! Мы почти пришли! Нам же нужно где-то переночевать!

— Можно подумать, ты знаешь, куда меня ведешь!

Себастьян с оскорбленным видом осведомился, что может предложить она.

— Ничего, — честно призналась Никки.

— Тогда доверься мне.

Он протянул ей руку, помогая подняться, и они кое-как доковыляли до бульвара Бурдон.

— Мы что, опять на берегу Сены? — удивилась она.

— Почти, — ответил он.

Они перешли на другую сторону и оказались на набережной, облицованной белым камнем. Никки глянула вниз. Вдоль берега тянулся променад, длинный, не меньше пяти сотен метров.

— Можешь сказать, где мы находимся? — спросила она.

— В порту Арсенал. Между каналом Сен-Мартен и Сеной.

— Откуда ты это взял? Щелкнул пальцами — и вот тебе порт?

— Прочитал в рекламном буклете для туристов в самолете. А запомнил название, потому что оно такое же, как у английской футбольной команды, за которую болеет Камилла.

— У тебя там яхта на причале? — не удержалась, чтобы не поддеть бывшего мужа, Никки.

— Нет. Но мы там непременно подберем себе какую-нибудь, если только ты возьмешь последний барьер!

Никки посмотрела на Себастьяна и не могла ему не улыбнуться. Да, хуже их положения трудно было себе представить, но если бы у них всегда был такой настрой, она, Никки, никогда бы и ничего не боялась.

Барьер, который предстояло взять, был оградой метра в полтора высотой. Объявление на деревянной доске напоминало, что порт закрыт для посещений с 23 часов вечера до 6 утра и охраняет его сторож с собакой.

— Как ты думаешь, какой породы у него собака? Пудель или питбуль? — посмеялась Никки, карабкаясь на решетку.

Одолела она ее с трудом, но все-таки одолела и заковыляла по набережной. Себастьян шел рядом. В порту было удивительно спокойно, вдоль набережной размещалось не меньше сотни причалов, и каких только там не стояло судов! Всех видов, всех величин и размеров, от роскошных boat house[1] до старых калош, которым предстоял ремонт. Порт, забитый самыми разными суденышками, напомнил Никки Амстердам, где она побывала, когда еще работала манекенщицей.

Они шли по набережной и внимательно присматривались к спящим корабликам.

Себастьян потерял терпение.

— Позволю напомнить тебе, Никки, что мы сейчас не будем покупать яхту! Нам просто нужно поспать хотя бы несколько часов!

— Вот эта недурна! Как считаешь?

— На мой взгляд, слишком роскошна. Могу поспорить, что на ней сигнализация.

— Ну, тогда вот этот.

___

[1] Дом на воде (*англ.*).

Никки показала на маленький тьялк, голландский грузовой парусник, длиной метров в двенадцать, с узким корпусом и полукруглой кормой. На стекле рубки прилеплена бумажка: «Продается». Похоже, и в самом деле то, что нужно. Себастьян вспрыгнул на палубу и с непринужденностью, которой Никки от него никак не ожидала, ударом ноги в дверь открыл рубку.

— Можно подумать, что ты всю жизнь только и жил на чужих яхтах, — заметила Никки, входя в каюту вслед за Себастьяном. — Поверить не могу, что всего два дня назад ты корпел над скрипками у себя в мастерской...

— Выяснилось, что скрипки не мое призвание. Мое призвание быть убийцей на двух континентах, беглым преступником, иметь дело с наркобаронами, угрожать ножом капитанам на речных пароходах...

— Вот-вот! Мы с тобой просто Бонни и Клайд, — улыбнулась Никки и прикрыла за собой дверь.

Из рулевой рубки они перешли в каюту, где стояли две скамьи и стол. Тьялк в прошлом перевозил грузы, но потом из него сделали прогулочную яхту. Внутреннее убранство было незатейливым, но симпатичным, в стиле, так сказать, «мы старые морские волки»: пиратский флаг на стене, макет кораблика в бутылке, керосиновые лампы, канаты.

Из большой каюты они попали в маленькую — вот здесь наконец можно было выспаться. Удостоверившись в чистоте простыней, Никки рухнула на койку. Не было сомнений, нога у нее здорово болела. Себастьян подложил ей под ногу две подушки и помог устроиться поудобнее.

— Подожди, я сейчас вернусь.

На носу яхты он обнаружил маленькую кухоньку со всем необходимым оборудованием и решетчатой дверью. По счастью, холодильник работал. Себастьян выложил весь лед, какой нашел, в целлофановый пакет и вернулся в спальню.

— Ой, холодно! — вскрикнула Никки, когда он приложил пакет со льдом к больной ноге.

— Не строй из себя недотрогу! От холода опухоль спадет.

В самом деле, прошло несколько минут, и Никки стало легче. Никки сразу же полезла в сумку и достала «залог любви».

— Ну что ж, рассмотрим его повнимательнее.

Самый обыкновенный металлический замок с двумя наклейками и еще цифрами, расположенными в два ряда, один под другим.

48 54 06

2 20 12

— Как же меня достали эти загадки из «Кода да Винчи»! — взорвался Себастьян.

— Кто знает, может, Джереми как раз и похитил Дэн Браун, — пошутила Никки, чтобы разрядить атмосферу.

Такова была Никки. Ее излюбленным оружием был юмор, с его помощью она справлялась с самыми тяжкими испытаниями. Юмор был ее второй натурой. Но Себастьяну было не до смеха. Он испепелил ее гневным взглядом и предположил:

— Может, это номер телефона?

— С начальным кодом «сорок восемь»? Меня бы это удивило. Во всяком случае, ни во Франции, ни в Штатах нет таких номеров!

— Похоже, дорогая, до тебя не дошла весть, что в мире есть и другие страны.

Увлеченный своим предположением, Себастьян отправился в большую каюту и в куче наваленных в углу вещей отыскал пыльный телефонный справочник. Взял его и принес в спальню.

— «Сорок восемь» — это международный код Польши, — сообщил он.

Никки сразу страшно заволновалась и забеспокоилась. Как-никак Польша ее историческая родина...

— Нужно попробовать набрать номер!

Но как это сделать? У Себастьяна телефон украли. Никки только что сама избавилась от своего, чтобы их не засекли.

— У меня есть кредитная карточка, — обрадовалась Никки, помахивая ламинированной картонкой.

Глаза у нее лихорадочно блестели, лицо было осунувшимся и усталым. Себастьян положил ей на лоб руку. Лоб горел, у Никки явно была температура.

— Попробуем позвонить завтра из телефона-автомата, — решил он.

Он обследовал ванную, нашел пачку ибупрофена, дал Никки таблетку и посидел возле нее, пока она, бормоча что-то, засыпала. Потом включил обогреватель, который стоял в ногах постели, погасил свет и вышел.

В холодильнике еды не оказалось. Просроченный йогурт не в счет. Зато стояла дюжина бутылок «Мор Субит»[1]. Себастьян открыл бутылку пива и отправился пить ее на палубу.

---

[1] Бельгийское вишневое пиво, название переводится как «Внезапная смерть».

Вокруг было тихо-тихо. Порт казался сновидением. Призраком вне времени. Оазисом, который затаился всего в нескольких сотнях метров от площади Бастилии. Себастьян уселся прямо на доски, опершись спиной на деревянную стенку рубки. Вытянул ноги, отхлебнул пива и положил замок обратно в сумку Никки. Увидел в сумке пачку сигарет. Вытащил одну, закурил и воспользовался случаем — заглянул в бумажник бывшей жены. Как он и ожидал, там лежала недавняя фотография детей. Камилла и Джереми были разнояйцовыми близнецами. Они родились в один день, но трудно было найти более точные слепки двух разных семей — Камилла была Лараби, Джереми — Никовски. Честное слово, это было что-то неправдоподобное! Камилла ничуть не походила на свою мать. Она тоже была небыкновенно привлекательной, но лицо у нее было круглое, на щеках ямочки, черты мягкие, носик чуть вздернутый. Джереми унаследовал черты польских предков матери. Холодную недоступную красоту, прямые волосы, тонкий нос, очень светлые глаза, стройное гибкое тело. С годами сходство только увеличивалось, лишая Себастьяна душевного равновесия.

Себастьян сделал долгую затяжку, вспомнив упреки Никки два часа тому назад. Неужели он и в самом деле принес в жертву своему самолюбию любовь к детям? Конечно, это не совсем так, но была в ее словах и доля истины...

Все эти годы он зализывал свои раны, бессознательно пытаясь отомстить Никки. Не в силах избыть горечь, он хотел наказать ее, заставить заплатить за неудачную семейную жизнь и развод. Но навредил в первую очередь детям. Желание воспитать близнецов совершенно по-разному было абсурдным и безответственным. Нельзя сказать, что он не понимал этого раньше, но у него всегда находились убедительные доводы, чтобы оправдать свое решение.

При свете луны Себастьян рассматривал фотографию сына. Отношения у них были прохладные, они плохо понимали друг друга. Конечно, он любил его, но какой-то отвлеченной любовью, лишенной тепла и понимания.

И это была его вина. Он никогда не смотрел на сына доброжелательно, постоянно сравнивал его с Камиллой, и сравнение никогда не было в пользу сына. Он сразу стал относиться к нему с недоверием. Так относятся к делу, заранее обреченному на провал. Конечно, это было неправильно, но он ничего не мог поделать с твердой уверенностью, что от Джереми будут только неприятности, потому что его мать, на которую он так похож, горько его обидела.

Последние годы они хоть и виделись каждые две недели, но общего между ними ничего не было. Себастьян водил сына на выставки и на скрипичные концерты, потому что так было проще, удобнее. Потому что он ничего не хотел знать об интересах сына. Он как бы отметал их, считая недостойными. И это было несправедливо, потому что на самом деле он, Себастьян, не пожелал тратить свое драгоценное время, чтобы заинтересовать сына искусством или классической музыкой.

Когда они с Никки обыскивали комнату Джереми, Себастьян очень удивился, увидев на полке книги, посвященные киноискусству. Конечно, из-за боязни саркатических насмешек Джереми никогда не говорил ему о желании поступить в киношколу, о мечте стать режиссером. Да, он не старался завоевать доверие сына, поддержать его в выборе профессии...

Себастьян допил пиво, поглядывая на видневшуюся вдалеке ярко освещенную колонну на площади Бастилии.

Сумеет ли он загладить свою вину, исправить оплошности? Наладить с сыном контакт? Может, и сумеет. Но для этого сына нужно сперва найти.

Он зажег от окурка новую сигарету и решил не ждать завтрашнего дня, а испробовать польский номер немедленно. Убедившись, что Никки крепко спит, он взял замок и положил в карман.

А потом спрыгнул с парусника на пристань.

40

«Есть ли в Париже телефоны-автоматы?» — задавал себе вопрос Себастьян, поднимаясь по бульвару, который тянулся от набережной.

И поверил в свою счастливую звезду, когда увидел кабинку из стекла и алюминия. Но радость была недолгой. Кабинка подверглась нашествию вандалов, и телефон был вырван.

Себастьян вышел на площадь Бастилии, но долго там не задержался: перед Оперой стояли две полицейские машины.

Еще одну кабинку он заметил в начале улицы Фобур-Сен-Антуан, но и из этой позвонить оказалось невозможно. Ее оккупировал бомж и мирно спал там, укрывшись каким-то тряпьем и куском картона.

Себастьян, продолжая поиски, направился в сторону метро. У станции «Ледрю-Роллен» он наконец нашел работающий автомат.

Вставил банковскую карточку Никки и набрал номер, выгравированный на замке:

48 54 06 2 20 12

«Здравствуйте. Оранж сообщает, что набранного номера не существует».

Себастьян задумался и стал читать инструкции, развешанные в кабинке. Чтобы позвонить за границу, нужно было сначала набрать 00, а потом код страны. Он сделал еще одну попытку:

00 48 54 06 2 20 12

«Здравствуйте. Оранж сообщает, что набранного номера не существует».

Так. Они снова пошли по ложному пути. Забрезжил код Польши, вспыхнула надежда, но цифры вовсе не были телефоном. Что же это тогда?

«Что?!»

Себастьян стал вытаскивать карточку, но тут у него возникло искушение позвонить Камилле. В Париже час ночи, значит, в Штатах семь вечера.

На секунду он заколебался.

После убийства Дрейка и маори он объявлен в розыск. Не исключено, что телефон дочери прослушивается. А вот телефон матери, вполне возможно, и нет. Себастьян вздохнул. В любом случае копам уже известно, что он во Франции. Могут ли они засечь телефон-автомат? Вполне возможно, раз он воспользовался банковской картой. Даже наверняка. Но на это потребуется время. А за это время они с Никки уже исчезнут из порта Арсенал.

Себастьян решился и набрал номер матери в Хэмптоне. Она подняла трубку на втором гудке.

— Ты где, Себастьян? Сегодня после обеда ко мне приходила полиция и...

— Не беспокойся, мама.

— А я беспокоюсь! Почему они утверждают, что ты убил двух человек?

— Все не так просто, я потом тебе объясню.

— Это все Никки, так ведь? Мне никогда не нравилась эта женщина, ты это знаешь! Она снова тебя во что-то втянула! Во что?

— Мы еще поговорим об этом, будет время.

— А Камилла? Где она? Полиция ее тоже ищет.

Сердце у Себастьяна забилось где-то в горле, он с трудом сумел проговорить:

— А разве Камилла не у тебя? Вчера во второй половине дня она села на поезд и поехала к тебе!

Сердце колотилось как сумасшедшее. Прежде чем мать открыла рот, он знал ответ.

— Нет, Себастьян, Камиллы у меня нет. Она сюда не приезжала.

Часть третья
ПАРИЖСКИЕ ТАЙНЫ

Время – теперь он это знал точно – ничего не лечит.

Время – окно, через которое мы смотрим на свои ошибки, потому что только они, похоже, остаются у нас в памяти.

Р. Дж. Эллори. «Вендетта»

41

Семь часов утра.

Зябко.

В маленьком баре на углу улиц Лила и Музаи только-только подняли металлические жалюзи. Стулья еще на столах, автомат для кофе никак не проснется, обогреватель потихоньку наполняет комнату теплом. Тони, хозяин, старался подавить зевок, подавая завтрак самой ранней посетительнице.

— Вот, пожалуйста, кушайте, капитан.

Устроившись на диванчике с ноутбуком, Констанс поблагодарила кивком головы.

Стараясь согреться, молодая женщина обеими руками обхватила чашку с кофе.

Расстроенная неудачей, она всю ночь просидела за досье супружеской четы Лараби, время от времени принимая сообщения от коллег. Долгие часы она изучала документы, которые были у нее в распоряжении, ища какую-нибудь зацепку, которая могла бы навести на след американцев. И ничего не нашла. Ее коллеги тоже. Хотя всюду было объявлено о розыске, американцы словно сквозь землю провалились.

Сорбье, ее шеф, позвонил ей с утра пораньше и устроил дикий разнос. Она приняла это как должное. Болезнь не может служить извинением. Ее промахи непростительны. Она, безупречный опытный профессионал, виновата в преступном самомнении, сочтя противников простаками-дилетантами. Не лучший способ отметить капитанские звездочки. Лараби с бывшей женой, безусловно, повезло, но они доказали свою изобретательность и самообладание. Именно этих качеств не хватало сейчас Констанс.

Констанс Лагранж была единственной женщиной-следователем в группе Национальной бригады по розыску преступников. Бригаду часто сравнивали с американской Службой маршалов, она была элитным подразделением, специализирующимся на поимке преступников, находящихся в бегах. Уникальным в Европе.

Констанс взяли туда из парижской полиции, она была заслуженным копом с большим опытом. Право быть элитой она заработала потом и кровью. Работа была для нее смыслом жизни. Ей сопутствовал успех. Благодаря ей были арестованы многие «знаменитые» беглецы: преступники, получившие большие сроки или совершившие какой-нибудь знаменательный побег. По большой части это были французы, реже иностранцы по заявкам Интерпола.

Констанс отпила большой глоток кофе, откусила кусочек от круассана и вновь принялась за работу.

Она проиграла первый раунд, но твердо рассчитывала выиграть второй.

Подключившись к вай-фаю Тони, Констанс разжилась кое-какой дополнительной информацией в Интернете. Имя Себастьяна Лараби часто попадалось в Сети. В своей области он был звездой. Она кликнула на ссылку и открыла интервью с Лараби, опубликованное в прошлом году в «Нью-Йорк таймс». Интервью называлось «Мастер золотые руки». Обладая абсолютным слухом и удивительным мастерством, этот скрипичных дел мастер, по утверждению журналиста, делал уникальные скрипки, которые на анонимных конкурсах побеждали скрипки Страдивари. Высказывания самого Лараби были яркими, с интересными подробностями из истории создания скрипок, говорил он и о трогательных отношениях, какие существуют между скрипачом и его инструментом. Интервью сопровождалось множеством фотографий. Элегантно одетый Лараби позировал в своей мастерской. Глядя на снимки, трудно было представить, как этот изысканный человек в захудалом баре Бруклина убивает торговца наркотиками...

Констанс подавила зевок и потянулась. Пока ей удавалось справляться с усталостью и дистанцироваться от болезни. Погрузившись в расследование, она почувствовала себя защищенной, но необходимо было не отключаться, продвигаться вперед, быть занятой.

Она закрыла глаза, чтобы лучше сосредоточиться. Где Лараби с бывшей женой провели эту ночь? Полиция шла за ними по пятам, так что прощай роскошные отели и ужины на прогулочных пароходах. Рано или поздно они попадутся. Рано или поздно им понадобятся деньги, помощь, какое-то общение. Быть в бегах — это быть в аду, особенно для тех, кто не стал еще закоренелым преступником. В другое время Констанс и не волновалась бы. Ей достаточно было бы плести паутину, как пауку, и дожидаться их ошибки, промаха. Без чутья и удачи в их деле не обойтись, но главными остаются терпение и самоотверженность. А значит, время. Оно главный союзник тех, кто вылавливает беглецов. Но вот времени у нее как раз и не было. Она должна была арестовать их *сегодня*.

Едва молодая женщина успела попросить хозяина принести ей еще одну чашечку кофе, как мелодичные звоночки предупредили ее, что по электронной почте пришло новое сообщение.

Сантос не терял времени даром.

— У тебя есть принтер, Тони? — спросила она, перебрасывая полученные данные.

42

— Никки! Просыпайся!

— М-м-м....

— Я дал тебе поспать, сколько мог. Теперь нам пора! — Себастьян слегка приподнял жалюзи, защищающие каюту от дневного света. — На набережной и так много народу, — торопил он ее. — Переодевайся, я нашел для тебя одежду.

Никки с трудом расставалась со сном. Опухоль на шиколотке опала. Боль хоть и чувствовалась, но была вполне терпимой.

— Где ты это нашел? — удивилась она, увидев сложенную на стуле одежду.

— Стащил на палубе одной из яхт. И не говори, пожалуйста, что она не твоего размера или не нравится!

Никки натянула узкие джинсы, пуловер с круглым вырезом и кроссовки. Честно говоря, все было ей маловато, но она придержала язык. Хотя потом все же не удержалась:

— Ты действительно думаешь, что я ношу сорок второй размер?

— У меня, знаешь, был очень маленький выбор. Извини, не заглянул на улицу Монтень[1].

Себастьян взял Никки за руку, и они соскочили на пристань.

Воздух был сухим и чистым. Безоблачное небо сияло синевой, которая напомнила им Манхэттен.

— Да хватит меня тянуть!

— Нужно бежать отсюда как можно быстрее. Сегодня ночью я воспользовался твоей банковской картой, и мой звонок, вполне возможно, засекли.

Пока они переходили улицу Сен-Антуан, он рассказал ей свои ночные приключения: про неудачу с номером, а главное — про исчезновение Камиллы, которая так и не доехала до бабушки.

Услышав об исчезновении дочери, Никки почувствовала панический ужас. Горло у нее перехватило, и она остановилась посреди тротуара. У нее

---

[1] На улице Монтень находится магазин «Диор».

свело руки и ноги, на лбу и на висках выступили капли пота, потекли по лицу, по шее. Ком в горле не давал дышать, провоцируя сердцебиение, грозя задушить.

— Умоляю тебя, Никки! Справься, пожалуйста! — молил Себастьян. — Успокойся и вдохни, прошу тебя!

Но слова не помогали. Она задыхалась, приступ с каждой секундой усиливался, Никки могла потерять сознание сейчас, прямо здесь. Себастьян швырнул последний козырь. Взяв ее крепко за плечи, он твердо сказал:

— Смотри на меня, Никки! Успокойся. Я знаю, что означают цифры на замке. Ты меня слышишь? Я понял, что означают эти цифры!

43

Никки нужно было прийти в себя. Пришлось сделать небольшую передышку, и они совершили неосторожность — присели за столик в кафе на улице Вьей-дю-Тампль. Кафе в самом центре квартала Марэ не пустовало даже в этот ранний час.

Себастьян одну за другой пересчитал монетки в кошельке Никки. Вчера вечером она разменяла на Северном вокзале пятьдесят долларов, но потом они расплатились за такси, которое довезло их до моста Альма. Шесть евро — вот и все их богатство. Как раз на одну чашку кофе с молоком и тартинку с маслом, которые придется поделить пополам.

— У тебя есть чем писать?

Никки порылась в сумке и вытащила красивую ручку с перламутровой инкрустацией. Себастьян узнал свой давний подарок, но от замечаний воздержался.

На бумажной скатерти он написал два ряда цифр так, как они были выгравированы на замке:

48 54 06

2 20 12

— Я должен был сразу сообразить! Это же элементарно! — огорченно сказал он.

— Что элементарно?

— Градусы, минуты, секунды, — объяснил он.

— Слушай! Хватит ходить вокруг да около, объясни по-человечески!

— Это координаты, географические координаты в системе...

— Тебе нравится изображать профессора?

— Иными словами, долгота и широта, — закончил он и дописал на скатерти:

Широта: С 48 54 06

Долгота: В 2 20 12

Никки переварила информацию и задала вопрос, который напрашивался сам собой:

— А к какому месту относятся эти координаты?

— Вот этого я не знаю, — признался Себастьян уже более уныло. — Надо бы их ввести в поисковую систему.

Никки какое-то время помолчала, потом спросила:

— Как ты думаешь, ты сможешь украсть машину?

Он пожал плечами.

— Я думаю, что у нас нет выбора.

Они допили кофе до последней капли и встали из-за стола.

Проходя по залу к выходу, Себастьян заметил на пустом столике оставленную кем-то из посетителей газету. Фото на первой полосе привлекло его внимание. У него мурашки бежали по спине, когда он разворачивал газету. Удостоился! На первой странице «Паризьен»! Какой-то кинолюбитель, оказывается, заснял сцену «угона» пароходика.

Но на снимок злоумышленника Себастьян посмотрел, словно на совершенно чужого человека. Хотя это был точно он, Себастьян Лараби, — с ножом в руках он грозил капитану. А если оставались какие-то сомнения, их развеивал заголовок:

Кошмар на Сене

«Романтический вечер превратился в кошмар после того, как супружеская пара, беглые американские преступники, взяла в заложники капитана прогулочного катера, на котором ужинало двести человек (фотографии и комментарии свидетелей на стр. 3)».

— Знаешь, — сказала Никки, — когда-нибудь мы над этим посмеемся.

— Думаю, не очень скоро. Сначала надо найти наших детей.

Они шли по улице Риволи к площади Отель-де-Виль.

— Решено! Принимаю на себя руководство операцией! — внезапно объявила Никки.

— С чего бы? Ты что, специалист по угону машин?

— Нет, но я тоже хочу покрасоваться на первой полосе «Паризьен».

Они остановились у пешеходного перехода, который вел к мэрии 4-го округа. Зеленый свет раз за разом загорался и гас, а Никки все высматривала добычу. И вот, наконец, лысыватый щеголь лет пятидесяти за рулем немецкого седана последней марки.

— Я пошла, а ты будь наготове.

Красный свет для автомобилистов. Никки с независимым видом двинулась по переходу, прошла несколько шагов, повернула голову к водителю. И вдруг ее красивое лицо осветилась сияющей улыбкой, внезапной и неожиданной.

— Хэлло! — обратилась она к мужчине за рулем, приветственно помахав рукой.

Тот слегка нахмурился и посмотрел по сторонам, чтобы удостовериться, что приветствие относится именно к нему, и выключил радио. Никки подошла к машине и встала у окошка.

— I didn't expect to run into you here,[1] — сказала она, глядя ему в глаза.

Мужчина опустил стекло, совершенно уверенный, что его приняли за другого.

— I think you have mistaken me for someone else...[2]

— Oh, don't be silly! You mean you don't remember me![3]

Загорелся зеленый свет.

---

[1] Не ожидала тебя здесь встретить! (англ.)
[2] Мне кажется, вы приняли меня за кого-то другого... (англ.)
[3] Ну не тупи! Только не говори, что ты меня не помнишь! (англ.)

Мужчина колебался. Позади кто-то засигналил. Но ему было трудно оторвать глаза от молодой женщины, которая смотрела на него, как на олимпийское божество. Давным-давно на него не смотрели так восторженно.

Себастьян наблюдал за происходящим со стороны. Он знал, что Никки владеет особым даром. Стоило ей появиться, как все головы поворачивались в ее сторону. Она возбуждала ревность в женщинах и волнение в мужчинах. Просто так, не сказав ни слова, ничего не сделав. Хватало едва заметного поворота головы и искорки в глазах, которая обещала стать сиянием и позволяла «охотникам» надеяться на скорый успех.

— Подождите, я припаркуюсь чуть подальше, — решил наконец водитель.

Никки одарила его чарующей улыбкой, как только машина двинулась вперед, сделала знак Себастьяну, как бы говоря: «Теперь дело за тобой. Твой выход!»

«Легче сказать, чем сделать...» — подумал он, приближаясь к машине, которая остановилась в маленькой замощенной выемке у площади Бодуайе. Мужчина вышел из машины и запер ее. Себастьян подскочил к нему, сильно толкнул, тот покачнулся и выронил ключи.

— Извините, месье, — проговорил Себастьян, наклонился и схватил ключи.

Открыл дверцу, Никки тут же проскользнула в нее и села за руль.

— Садись быстрее! — крикнула она Себастьяну.

Себастьян застыл на месте, ему было нехорошо, он сочувствовал незнакомцу, которому они наносили чувствительный удар только потому, что в плохой час он оказался в плохом месте.

— Мне правда очень неловко, — извинился он, убедившись, что толкнул несчастного не слишком сильно. — Поверьте, если бы не крайняя необходимость... Мы позаботимся о вашей...

— Да шевелись же ты! — сердито крикнула Никки.

Себастьян открыл дверцу, уселся рядом с ней, а она, поворачивая на улицу Аршив, прибавила газу.

Они ехали по 4-му округу, и Себастьян включил навигатор. Как только прибор заработал, он ввел в него указанные на замке координаты:

Широта: С 48 54 06

Долгота: В 2 20 12

А потом перевел шестидесятиричную систему в систему GPS.

«Лишь бы только я не ошибся!» — молил он в ожидании, пока прибор переварит загруженные данные.

Никки не сводила глаз с дороги, но не могла не поглядывать искоса на экран. Вскоре на карте замерцал кружочек, а затем появился адрес: 34-бис, улица Лекюйе в Сен-Уэне.

У обоих от волнения дрожали руки. До Сен-Уэн рукой подать. Навигатор показывал всего шесть-семь километров!

Покидая площадь Республики, Никки снова прибавила газу.

Навстречу какой новой опасности они мчались?

44

— Тони! Еще двойной эспрессо! — попросила Констанс.

— Вы уже три чашки выпили, капитан!

— И что? Тебе кофе жалко? В доходах твоего заведения моя доля равна половине, что, неправда?

— Вынужден согласиться, — признал хозяин.

— Принеси мне еще бриошь в сахаре.

— Сожалею, но у меня только круассаны.

— Они черствые, твои круассаны, поэтому ты немедленно поднимешь свою...

— Понял, понял, капитан! Вульгарность вам не к лицу. Пойду и куплю вам бриошь в булочной.

— Купи мне еще хлебец с изюмом, раз все равно туда идешь. И заодно газету.

Тони со вздохом натянул куртку и надел фуражку.

— Больше ничего, госпожа маркиза?

— Поверни вентиль обогревателя, пусть будет потеплее. У тебя тут сдохнуть можно от холода!

Тони послушно исполнил просьбу, а Констанс перекочевала со своим ноутбуком за стойку.

— Иди, я покараулю твою лавочку!

— А вы справитесь одна, если вдруг наплыв?

Констанс оторвала взгляд от экрана и обвела глазами помещение.

— Кроме меня, ты кого-нибудь здесь видишь?

Тони оскорбленно поджал губы и вышел, не дожидаясь следующей реплики.

Оставшись одна, Констанс переключила радио на другую волну, собираясь послушать новости. В конце передачи журналистка коротко рассказала о попытке взять заложников накануне вечером на катере, принадлежащем парижскому речному пароходству.

«Полиция активно разыскивает двоих беглых преступников как крайне опасных».

Констанс и в самом деле не сидела сложа руки. Во-первых, она распечатала материалы, которые прислал Лоренцо Сантос, ее коллега из нью-йоркской полиции. Во-вторых, вооружившись маркером и ручкой, проработала телефонные звонки Лараби и нанесла маршруты тех перемещений, которые ей показались подозрительными.

Она получила подтверждение сведений, полученных от администраторши «Гранд-отель де ла Бютт». Судя по всему, Себастьян Лараби действительно зарезервировал апартаменты неделю тому назад. Но сам ли он это сделал? Нет ничего легче, как воспользоваться номером банковской карты. Любой человек из его окружения мог это сделать. Но с какой целью? Констанс очень бы хотелось получить доступ к банковским расходам Никки Никовски и к ее телефонным разговорам. Однако Сантос прислал ей только сведения о Себастьяне Лараби. И формально был прав, потому что ордер на арест был выдан на его имя.

Констанс поднесла чашку к губам, собираясь выпить кофе, пока он не остыл. И тут же поставила ее обратно. Внимание привлекла одна строка в распечатке операций по банковскому счету Лараби. Pay Pal неделю назад перевел на его счет 2500 евро. Она стала лихорадочно листать страницы распечатки. Сантос добросовестно сделал свою работу: благодаря номеру транзакции Констанс удалось установить, откуда была отправлена эта сумма.

Из французского банка: отделение Национального банка в Сен-Уэн перевело деньги со счета своего клиента, владельца книжного магазин «Призраки и ангелы», на счет Лараби.

Констанс набрала название магазина, попросив показать его местонахождение на карте. Он находился на улице Лекюйе, дом номер 34-бис в Сен-Уэне, магазин был букинистическим, специализировался на перепродаже редких книг.

Сухим хлопком Констанс закрыла ноутбук, собрала бумаги, запихнула их в сумку и пулей вылетела из кафе.

Тем хуже для бриоши в сахаре!

45

Седан подал первые признаки своенравия возле Пор-Клинанкур. Когда Никки и Себастьян свернули на бульвар Марешо, фары машины внезапно загорелись. Никки пыталась их погасить, но безуспешно.

— Немецкое качество, только его нам не хватало, — иронически заметил Себастьян, пытаясь разрядить атмосферу.

Торопясь доехать поскорее, Никки прибавила газу, нырнув под мост на окружном бульваре, и оказалась на улицах Сен-Уэна.

Теперь они ехали по южной части знаменитого блошиного рынка, однако рай старьевщиков оживал только по субботам и воскресеньям, а в этот утренний час ни одна лавчонка — ни с тряпьем, ни с мебелью — не была открыта. Сверяясь с навигатором, Никки поехала по улице Фабр, которая шла вдоль внешней окружной дороги. Машина миновала ряд задраенных металлическими жалюзи магазинчиков и вдруг самостоятельно включила сирену, которая завыла благим матом.

— Что еще стряслось? — заволновалась Никки.

— Машина, скорее всего, снабжена трекером, — предположил Себастьян. — У меня на «Ягуаре» примерно такая же система охраны. В случае кражи радиопульт на расстоянии включает сирену и фары.

— Только этого не хватало! Все прохожие оборачиваются!

— А главное, сирена сообщает о перемещении машины органам правопорядка. Сейчас неподходящий момент, чтобы нас сцапали!

Никки резко затормозила и выскочила на тротуар. Они бросили истошно орущий автомобиль и, проделав последний километр пешком, оказались на улице Лекюйе.

К их величайшему удивлению, дом номер 34-бис оказался... книжным магазином! Он назывался «Призраки и ангелы» и был парижским филиалом американского букиниста. Себастьян с Никки толкнули деревянную дверь со смешанным чувством любопытства и недоверия.

Как только они переступили порог, на них повеяло запахом старых книг, и они перенеслись в иные времена. Во времена потерянного поколения, времена Beat Generation[1]. На улице магазину было от-

---

[1] Битники (*англ.*).

ведено немного места, зато открывавшийся глазам лабиринт стеллажей с книгами уходил в глубину не на один десяток метров.

Книги заполоняли все. Занимая два этажа, тысячи томов всевозможных размеров закрывали стены, будто ковер, сверху донизу. Теснясь на темных деревянных полках, сложенные в стопы до потолка, выложенные на застекленных витринах, книги заняли каждое свободное местечко. Тихо. Откуда-то издалека доносится негромкая джазовая мелодия. Себастьян подошел к стеллажу и пробежался взглядом по корешкам: Эрнест Хэмингуэй, Скотт Фицджеральд, Джек Керуак, Ален Гинзберг, Уильям Берроуз, а рядом Диккенс, Достоевский, Варгас Льоса... Был ли какой-то порядок в расстановке книг? Или тут правит хаос? Неважно. Здесь царила особая атмосфера, и она напомнила Себастьяну мастерскую, где он делает свои скрипки. Атмосфера сосредоточенности, вневременности, защищенности.

— Есть кто-нибудь? — подала голос Никки, сделав несколько шагов в глубь магазина.

В центре лабиринта стеллажей располагалось что-то вроде кунсткамеры, таинственностью и странностью предметов напоминая рассказы Лавкрафта, Эдгара По, Конан Дойля. Всего несколько квадратных метров, а каких диковин только нет! Засушенные растения, вырезанные из камня шахматы, чучела животных, мумия и посмертная маска, эротические эстампы и серпы друидов ухитрились отыскать себе местечко среди пестроты переплетов. Никки почесала за ухом сиамскую кошку, уютно дремавшую в старом кресле. Завороженная необычным магазином, она провела рукой по клавишам старинного пианино — черные были эбеновыми, белые — из пожелтевшей слоновой кости. Времена, в которых они очутились, еще не знали Интернета, цифровых матриц и дешевых электронных книг. Они оказались в музее, который, к несчастью, не имел никакого отношения к исчезновению Джереми. Не было сомнений, что они опять на ложном пути.

На галерее второго этажа заскрипели половицы. Никки и Себастьян подняли головы и посмотрели туда, откуда слышался скрип. По лесенке, ведущей в торговый зал магазина, спускался хозяин, держа в руке нож для бумаги.

— Чем могу быть полезен? — осведомился он глухим хрипловатым голосом.

От этого человека — высокого, тучного, с огненно-рыжими волосами и бледным лицом — веяло силой и властностью, он был похож и на сказочного людоеда, и на актера из старинного шекспировского театра.

— Мы, должно быть, не по адресу, — извинился Себастьян на плохом французском.

— Вы американцы? — уточнил хозяин своим хриплым голосом. Он надел очки и внимательно пригляделся к посетителям. — А ведь я вас узнал! — воскликнул он.

Себастьян тут же вспомнил свой портрет в «Паризьен» и сделал шаг к двери, дав Никки знак следовать за ним.

Хозяин же с кошачьей грацией, неожиданной для его фигуры и роста, забежал за прилавок, наклонился, порылся в ящике и вытащил фотографию.

— Это ведь вы, не так ли? — спросил он, протягивая снимок Себастьяну.

Нет, это слегка пожелтевшее фото не имело ничего общего с газетным, на нем Себастьян и Никки весело улыбались, стоя в саду Тюильри на фоне музея д'Орсэ. Он перевернул его и увидел сделанную им собственноручно надпись: «Париж, набережная Тюильри, весна 1996». Они сфотографировались, впервые оказавшись в Париже, были молодые, влюбленные, счастливые и не сомневались, что жизнь им тоже улыбается.

— Где вы нашли эту фотографию? — спросила хозяина Никки.

— В книге.

— В какой книге?

— В книге, которую я купил по Интернету несколько дней назад, — сообщил тот, направляясь к витрине с особо ценными фолиантами.

Не сводя с него глаз, Никки и Себастьян двинулись за ним.

— Очень выгодная покупка, — продолжал он. — Мне предложили ее за полцены. — Хозяин осторожно приподнял стекло и бережно достал книгу в элегантной, черной с розовым обложке. — Нумерованное издание «Любовь во время чумы» Габриэля Гарсиа Маркеса. С подписью автора. Всего триста пятьдесят экземпляров в мире.

Себастьян, не веря собственным глазам, взял книгу в руки. Это был его подарок Никки после их ночи в маленькой гостиничке на Бютт-о-Кай. После развода он не был склонен к великодушию. Желая растоптать свою любовь, он забрал обратно книгу, которая теперь, судя по сайтам в Интернете, стоила много тысяч долларов. Но как она могла оказаться здесь, во Франции, если он хранил ее у себя дома на Манхэттене в личном сейфе?

— Кто вам продал эту книгу?

— Некий Себастьян Лараби, — уточнил хозяин, сверившись с записной книжкой, которую вытащил из кармана вязаного жилета. — Во всяком случае, так назвался тот, кто мне ее продал, в своем письме, посланном по электронной почте.

— Быть того не может! Себастьян Лараби — это я, и я ничего вам не продавал.

— Если это так, значит, кто-то воспользовался вашим именем, но я тут ничем не могу помочь.

Никки и Себастьян обменялись печальными взглядами. Новая загадка. Какой в ней смысл? Куда их направляют на этот раз? Никки взяла с прилавка лупу и принялась изучать фотографию. Солнце садилось в пурпурные облака. На фасаде музея д'Орсэ виднелись два больших циферблата, стрелки показывали шесть часов тридцать минут. Время, место: сад Тюильри, 18 часов 30 минут. Может быть, им назначено новое свидание?..

Она открыла рот, чтобы поделиться догадкой с Себастьяном, но кто-то толкнул дверь и вошел в книжный магазин. Все трое повернули головы, глядя на нового посетителя. Вошла молодая женщина в джинсах и кожаной куртке.

Женщина-коп, которая пыталась арестовать их вчера на пароходе.

46

«Призраки и ангелы».

«Необычное название для книжного магазина», — подумала Констанс, толкнув тяжелую деревянную дверь с коваными накладками. Едва сделав шаг внутрь, она остановилась, пораженная стенами из книг, завораживающим лабиринтом знаний. Подняла голову, рассматривая стеллажи, и заметила троих стоящих неподалеку. Грузный высокий человек в больших черепаховых очках разговаривал возле прилавка с двумя покупателями. Они тоже посмотрели на нее. В одну секунду она сообразила: «Да это же Лараби!»

Но те уже ударились в бегство.

Констанс выхватила из кобуры револьвер и пустилась следом. Книжный магазин уходил в глубину метров на двадцать. Американцы кинулись туда и, заваливая за собой проход, опрокидывали на своем пути все: полки с книгами, витрины с безделушками, лампы, раскладную лестницу, шкафчики. Констанс перескочила через диван, но не сумела увернуться от книги, которую запустила в ее сторону Никки. Инстинктивно она заслонилась от летящего снаряда локтем, но не избежала удара, вскрикнула от боли и выпустила револьвер.

— Сволочь поганая! — рявкнула она, подбирая «ЗИГ-Зауэр».

Задняя дверь магазина выходила в небольшой дворик, за которым виднелся сад-пустырь. Преследуя Лараби, Констанс перепрыгнула через низенькую стенку и оказалась на улице Жюль Валлес. Тут все встало по местам: преступники были у нее на мушке.

— Стоять! — заорала она.

Американцы не обратили ни малейшего внимания на ее приказ, и Констанс в первый раз выстрелила в воздух, чтобы их вразумить. Результат нулевой. Солнце поднялось уже высоко и било в глаза. Констанс приставила руку к глазам козырьком и рассмотрела две бегущие фигуры, которые уже заворачивали за угол. Она кинулась следом, решив арестовать Лараби во что бы то ни стало.

Едва дыша, с револьвером в руке она ворвалась в гараж, находившийся на углу улиц Пелисье и Поль Бер. Ворота гаража выходили прямо на тротуар и были широко открыты, в гараже стояло с десяток тук-туков. Вот уже несколько месяцев, как эти трициклы с моторами, которые так распространены в Индии и Таиланде, появились на улицах французской столицы, забавляя туристов и парижан. Стоя одна возле другой, экзотические моторные коляски ждали одна бензина, другая — починки.

— А ну, выходите немедленно! — закричала Констанс и, держа палец на спусковом крючке, стала медленно продвигаться вдоль колясок.

По мере того как она углублялась внутрь гаража, свет мерк и становилось все темнее и темнее. Споткнувшись о разложенные на полу инструменты, она едва не упала. Урчанье мотора заставило ее повернуть голову. Она направила на звук револьвер, но тук-тук ехал прямо на нее. Констанс бросилась на землю и тут же одним прыжком вскочила. За рулем сидела женщина, она прибавила скорость. На этот раз Констанс не сплоховала. Она выстрелила в ветровое стекло, и оно брызнуло в стороны, однако преступников это не остановило. Констанс рванулась за ними, пробежала метров двадцать, но пешком их было не догнать.

«Дерьмо собачье!»

Свою машину она припарковала возле книжного магазина.

Констанс помчалась к своему спорт-купе, плюхнулась на кожаное сиденье и рванула с места. Чтобы попасть на улицу Поль Бер, нужно было проехать несколько метров по встречной полосе, что Констанс и сделала.

Лараби как ветром сдуло.

«Так, спокойно, сиди не дергайся».

Одна рука на руле, другая на ручке переключения скоростей. Констанс въехала в туннель, перпендикулярный окружной. Выехала на полной скорости и помчалась в сторону 18-го округа.

На прямой и длинной улице Бине Констанс снова прибавила скорость и с облегчением увидела впереди тук-тук. Свернув на бульвар Орнано, она знала точно: самое трудное уже позади. Она мчалась со скоростью снаряда, мотоколяска Лараби — со скоростью моллюска. У них не было ни малейшего шанса!

Констанс, уверенно держа в руках руль, сконцентрировалась на дороге. Движение было интенсивным, бульвар широким, как все городские бульвары, проложенные Османом. Констанс прибавляла скорость и лавировала, чтобы оказаться рядом с тук-туком. Тук-тук был похож на скутер, только над задним сиденьем у него был навес. Никки сидела на переднем сиденье, Себастьян держался обеими руками за навес.

«Спокойствие, только спокойствие».

Констанс обогнала мотоколяску, собираясь резко преградить ей путь, но Никки ушла от этого маневра, вильнув и пристроившись в хвост к автобусу.

Констанс выругалась, пришлось сделать петлю по переулкам, чтобы вновь пристроиться за Лараби. Она быстро нагнала мотоколяску, но у площади Альбер Кан Лараби ринулись на красный свет. Констанс, прибавив газу, метнулась за ними, вынуждая водителей резко тормозить и слыша за собой возмущенный концерт гудков.

Она догнала тук-тук в начале улицы Эмель. Эта улица была поуже и с односторонним движением, но, как оказалось, в нескольких местах на ней шли дорожные работы. Барьеры, загородки, предупреждающие фонарики, указатели объезда — все словно нарочно тормозило болид Констанс.

Увязая в этом болоте, как же она жалела, что у нее нет мигалки и сирены! Она сигналила изо всех сил и выезжала на тротуар, стараясь объехать очередную пробку. Рабочие одного из участков обложили ее не по-детски, но Констанс продолжала свой слалом, мобилизуя все возможности своего болида, лишь бы добраться до конца улицы. Она хотела было достать телефон и позвонить Босари, чтобы тот прислал подкрепление, но передумала. Сумасшедшая гонка требовала предельного внимания.

Тук-тук ловко лавировал между машинами, но у него не хватало мощности. Из-за низкой скорости он никак не мог оторваться от спорт-купе. Наконец Констанс снова удалось оказаться с тук-туком вровень. Она уже считала, что беглецы у нее в кармане, но тут заметила, что Себастьян что-то делает с навесом.

«Не собирается же он...»

Едва Констанс сообразила, какая ей грозит опасность, как эта опасность обрушилась на нее. Лараби загородил полотном навеса ее ветровое стекло.

«Ах ты...»

Женщина, сидевшая за рулем тук-тука, помчалась поперек улицы по пешеходному переходу. Констанс успела заметить ее в боковое стекло в последнюю секунду. Дала по тормозам и резко вырулила из потока, чудом избежав серьезного столкновения. Машина замерла, ударившись о край тротуара. Бампер с одной строны оторвался. Констанс пришлось вылези, чтобы привести машину в порядок. Убрать зацепившийся за дворники навес тук-тука. Потом выбить бампер ногой с другой стороны, получив таким образом возможность ехать дальше.

Лараби, однако, оказались ребята не промах...

Их упорство держало Констанс в тонусе. Она чувствовала себя кошкой, которая играет с мышками. Из этой погони она непременно выйдет победительницей: максимальная скорость их колымаги тридцать километров в час, они не смогут ускользать от нее вечно!

Констанс вновь пустилась по следам мотоколяски. Когда тук-тук и купе выехали на улицу Кюстин, Констанс наконец преградила путь мотоколяске как раз в тот миг, когда справа от нее затормозил предназначенный для туристов «маленький поезд Монмартр». Никки потеряла контроль над тук-туком, и он врезался в один из вагонов поезда. Констанс остановилась посреди улицы и выскочила из машины.

Выхватила из кармана куртки револьвер и, взяв его обеими руками, наставила ствол на мотоколяску.

— Руки за голову и марш из тук-тука!

На этот раз им от нее не уйти!

47

— Быстро! Быстро! — командовала Констанс.

Она крепко держала «ЗИГ-Зауэр» в вытянутых руках. Себастьян Лараби и его бывшая жена были у нее на мушке.

Констанс оглядела вагончик поезда, чтобы оценить последствия столкновения.

Малых детей, похоже, в вагончике не было. Зрелище было впечатляющим, но, по счастью, никто из пассажиров не остался лежать, обливаясь кровью. Японец держался за плечо, женщина терла коленку, подросток растирал себе шею.

Повреждения были несерьезными, куда серьезнее потрясение.

«Больше напугались, чем пострадали».

Констанс следила и за Лараби, и за жертвами дорожного происшествия.

Первый шок прошел, и люди постепенно приходили в себя. Цифровая цивилизация требует, чтобы, опомнившись, люди хватались за мобильные телефоны, призывая на помощь, предупреждая близких или торопясь заснять происходящее.

Поведение окружающих устраивало Констанс: еще минута, и здесь будет подкрепление, которое она все-таки вызвала.

Подходя шаг за шагом к своим пленникам, молодая женщина вытащила из кармана джинсов пару наручников. На этот раз она не позволит этим Лараби смыться. Она дала себе слово, что стоит им шевельнуться, и она начнет стрелять им по ногам.

Констанс открыла рот, чтобы дать новую команду, но челюсть у нее свело. По вытянутым рукам прошла судорога, ноги подкосились.

«Нет...»

Ее отчаянное стремление во что бы то ни стало догнать беглецов спровоцировало приступ.

Констанс попыталась взять себя в руки. Прислонилась спиной к машине, чтобы не упасть, но у нее перехватило дыхание, тяжелая плита навалилась на грудь, на лбу выступили крупные капли пота. Не выпуская из рук револьвера, она вытерла пот рукавом куртки, стараясь изо всех сил удержаться на ногах. Но тошнота уже начала выворачивать ей желудок, в ушах бухало, в глазах темнело.

И все же она из последних сил старалась держать под прицелом преступников, однако земля поплыла, все вокруг закрутилось.

Темнота. Констанс потеряла сознание.

48

Южный Бруклин
Квартал Ред Хук
6 часов утра

Лоренцо Сантос припарковался у тротуара перед домом из красного кирпича, где жила Никки. Выключил мотор и достал из кармана куртки сигарету. Сунул в рот, поднес огонек и, делая первую затяжку, прикрыл глаза. Горький вкус горящего табака обжег горло, принеся успокоение. Но ненадолго. Он вдохнул новую порцию никотина, не сводя глаз с зажигалки из белого золота, которую подарила ему Никки. Взвесил на руке элегантный прямоугольник, украшенный его инициалами и отделанный крокодиловой кожей. А потом принялся открывать и закрывать зажигалку, всякий раз нервно ожидая металлического щелчка, с каким откидывалась крышечка.

Что с ним творится?

Эту ночь он опять просидел у себя в кабинете, не сомкнув глаз. Его неотступно преследовало видение: любимая женщина в объятиях другого. Вот уже целые сутки у него не было от Никки никаких вестей, он изводился от тоски и беспокойства. Любовная лихорадка доводила его до безумия, его словно поджаривали на медленном огне. Лоренцо прекрасно сознавал, что эта женщина была для него ядом, что ее влияние на его жизнь и карьеру может стать роковым, но он был ее пленником, околдованным, завороженным, и выхода для себя он не видел.

Сантос докурил сигарету до фильтра, выбросил окурок в окно, вышел из своего «Форда Крауна» и вошел в подъезд бывшей фабрики, ставшей жилым домом.

Поднялся по лестнице на последний этаж и открыл железную дверь в тамбур ключом из связки, которую прихватил с собой во время последнего визита в квартиру Никки.

В эту ночь его посетило озарение. Он понял: если он хочет вернуть Никки, он должен найти ее сына. Должен добиться успеха там, где Себастьян Лараби потерпит неудачу. Если ему удастся спасти Джереми, Никки будет благодарна ему до конца дней.

Солнце еще не встало, поэтому, войдя в гостиную, он включил свет. В квартире стоял ледяной холод. Чтобы согреться, Лоренцо сварил себе чашку кофе, выкурил еще одну сигарету и поднялся на второй этаж. Четверть часа он самым внимательным образом осматривал комнату паренька в поисках того, что может навести его на след, но не нашел ничего всерьез интересного, разве что мобильный телефон, который Джереми оставил на письменном столе. В первый раз он его не заметил, но теперь сам факт показался ему знаменательным. Сантос прекрасно знал болезненную привязанность подростков к своим смартфонам и не мог не удивиться подобной забывчивости. Он включил смартфон, пароля не потребовалось, и он довольно долго странствовал по разным играм, пока вдруг не обнаружил программу поинтереснее. Программу, которая исполняла функции диктофона. Заинтересовавшись, он включил ее и стал просматривать, чтобы понять, как и когда ее использовал Джереми. На экране появились пронумерованные обозначения записей, которые все начинались с имени:

Д-р Мэрион Крейн 1.

Д-р Мэрион Крейн 2.

(....)

Д-р Мэрион Крейн 10.

Сантос сдвинул брови. Имя Мэрион Крейн было ему откуда-то знакомо. Он включил первую запись и сообразил, в чем дело. Когда Джереми был под судом, судья обязал его заниматься с психологом. Мэрион Крейн была психологом, с которым занимался Джереми. И паренек записал их занятия.

Но зачем ему это понадобилось? Записывал он их сеансы тайком или запись была элементом терапии?

«В конце концов, какая разница!» — решил про себя коп, пожав плечами. В любом случае он сейчас в положении соглядатая! И Сантос без малейшей щепетильности стал слушать записи, в которых подросток раскрывал все семейные тайны.

Доктор Крейн: Расскажи, пожалуйста, о своих родителях, Джереми.

Джереми: Мать у меня что надо. Всегда в хорошем настроении, оптимистка, готова поддержать, ободрить. Даже если у нее неприятности, она меня ими не грузит. Любит пошутить, посмеяться. Относится ко всему с юмором. Когда мы с сестрой были маленькими, она наряжала нас сказочными персонажами, устраивала спектакли, чтобы нас повеселить.

Доктор Крейн: Значит, она тебя понимает? И ты можешь поделиться с ней своими проблемами?

Джереми: Ну-у, она очень... обаятельная, вот что. Она — художник. Из тех людей, кто уважает чужую свободу. Позволяет мне ходить, куда я хочу. Доверяет мне. Я познакомил ее с моими лучшими друзьями. Даю послушать свои композиции на гитаре. Она одобряет мой интерес к кино...

Доктор Крейн: В настоящий момент у нее есть мужчина?

Джереми: Вау... Есть. Один коп. Парень моложе ее. По фамилии Сантос. Горилла этакая...

Доктор Крейн: Ты, похоже, его не любишь?

Джереми: Вы очень наблюдательны.

Доктор Крейн: Почему?

Джереми: Потому что по сравнению с моим отцом он пустое место. Но волноваться нечего, долго он не продержится.

Доктор Крейн: Почему ты так считаешь?

Джереми: Потому что она меняет парней каждые полгода. Вы должны кое-что понять, док, мать у меня — красавица. Настоящая. Всерьез. Она обладает магнетизмом, сводит парней с ума. Для нее это не проблема, вокруг нее всегда полно мужиков. Они ходят возле нее кругами с горящими глазами. Не знаю уж почему, но они просто с ума сходят.

Вроде волка Текса Эйвери[1]: язык на плечо, глаза вылезают из орбит, понимаете, да?

Доктор Крейн: Тебя это смущает?

Джереми: Это ее смущает. Так, по крайней мере, она сама говорит. Мне-то кажется, что все не так просто. Не надо быть психологом, чтобы понять: ей это нужно, чтобы набраться уверенности. Думаю, отец расстался с ней как раз из-за этого...

Доктор Крейн: Давай поговорим о твоем отце.

Джереми: Пожалуйста. Он полная противоположность матери — серьезный, твердый, рациональный. Любит порядок, все предусматривает. С ним особо не повеселишься, это уж точно...

Доктор Крейн: Ты с ним ладишь?

Джереми: Не сказать, чтобы очень. Во-первых, мы редко видимся после их развода. Во-вторых, я думаю, он надеялся, что я буду лучше учиться в школе. Что буду, как Камилла. Сам он очень образованный. Знает все обо всем — разбирается в политике, в истории, в экономике. Сестра зовет его Википедия...

Доктор Крейн: Тебе неприятно его огорчать?

---

[1] Текс Эйвери (1908—1980) — знаменитый американский мультипликатор.

Джереми: Вообще-то не слишком. Ну, немного да...

Доктор Крейн: А ты его работой интересуешься?

Джереми: Его считают одним из лучших в мире скрипичных мастеров. Он делает скрипки, которые звучат как Страдивари, это же как-никак класс. Зарабатывает много бабок. Но мне кажется, ни бабки, ни скрипки его особо не греют.

Доктор Крейн: Не поняла.

Джереми: Я думаю, моего отца вообще мало что греет по жизни. Думаю, только их любовь с матерью заставила его по-настоящему кайфовать. Мать внесла в его жизнь фантазию, которой ему не хватало. А с тех пор как они расстались, он опять оказался в мире, где все только черное и белое.

Доктор Крейн: Но ведь у твоего отца тоже есть женщина, с которой он делит свою жизнь?

Джереми: Наталья? Она балерина. Мешок костей, если честно. Время от времени они видятся, но вместе не живут, и я не думаю, что она всерьез входит в его планы.

Доктор Крейн: Когла в последний раз ты чувствовал, что вы с отцом близки?

Джереми: Даже не знаю...

Доктор Крейн: Постарайся вспомнить. Пожалуйста.

Джереми: Ну, может, летом, когда мне было семь лет. Мы тогда всей семьей ездили по национальным паркам — Йосемити, Йеллоустонский заповедник, Большой Каньон... По всей Америке прокатились. Большое путешествие, ничего не скажешь. Последние каникулы перед их разводом.

Доктор Крейн: Ты вспоминаешь какой-то конкретный случай?

Джереми: Ну-у... Как-то утром мы вдвоем пошли на рыбалку, только я и отец, и он стал мне рассказывать, как они встретились с матерью. Почему он в нее влюбился, как разыскал ее в Париже и как сумел влюбить в себя. Помню, он мне тогда сказал: «Если ты по-настоящему кого-то любишь, никакая крепость не устоит». Звучит здорово, но я не уверен, что так оно и есть на самом деле.

Доктор Крейн: Мы можем поговорить о разводе твоих родителей? Тебе было трудно пережить его, не так ли? Я видела по твоему школьному досье, что тебе трудно было научиться читать, что ты страдал дислексией...

Джереми: Вау! Их развод вышиб меня из колеи. Я не верил, что разлука затянется. Считал, что через какое-то время каждый из них сделает шаг навстречу другому и они снова будут вместе. Но все вышло иначе. Чем больше проходит времени, тем больше люди отдаляются друг от друга, и соединиться им становится очень трудно.

Доктор Крейн: Твои родители развелись, потому что перестали быть счастливы с друг с другом.

Джереми: А вот это уже чепуха! Вы думаете, они стали после развода счастливее? Мать глотает горстями таблетки, отец мрачнее тюремной двери! Единственный человек, который умел развеселить отца, была моя мать. У нас полно их фоток до развода, где оба смеются во весь рот. Когда я смотрю на эти фотки, у меня слезы выступают на глазах. Раньше мы были настоящей семьей. Сплоченной, дружной. С нами не могло произойти ничего плохого...

Доктор Крейн: Как идеализируют дети разведенных семейную жизнь родителей!

Джереми:...

Доктор Крейн: Ты не бог, Джереми. Не стоит тешить себя надеждой, что твои родители снова будут когда-нибудь вместе. Тебе нужно поставить крест на прошлом и принять реальность такой, какая она есть.

Джереми:...

Доктор Крейн: Ты понимаешь, что я тебе говорю? Ты не должен вмешиваться в личную жизнь родителей. Ты не можешь снова их соединить.

Джереми: Но если я этого не сделаю, то кто тогда?!

Вопрос подростка повис в воздухе. Зазвонил телефон Сантоса, развеяв доверительную атмосферу сеанса психоанализа и вернув его к действительности. Он взглянул на экран. Звонили с поста департамента полиции.

— Сантос, — произнес он, нажав на клавишу.

— Карен Уайт, — последовал ответ. — Надеюсь, не разбудила вас, лейтенант?

«Антрополог из Третьего отделения. Наконец-то...»

— У меня для вас хорошие новости, — продолжала антрополог.

Сантос почувствовал приток адреналина. Он уже вышел из комнаты подростка и спускался по лестнице в гостиную.

— Неужели?

— Кажется, мне удалось установить происхождение татуировки на вашем убитом.

— Вы в комиссариате? Сейчас я к вам подъеду, — пообещал он, закрывая за собой дверь квартиры.

49

Придя в сознание, Констанс крайне удивилась, что находится... в собственной постели.

На ней не было туфель, куртки, портупеи. Шторы были задернуты, но дверь оставлена приоткрытой. Прислушавшись, она различила голоса, которые шептались в гостиной. Кто привез ее домой? Босари? «Скорая помощь»? Пожарные?

Констанс с трудом проглотила слюну. Язык как будто распух, во рту вкус промокашки, руки и ноги скованы, дыхание затруднено. Острая режущая боль в правом виске. Она взглянула на электронный будильник: почти полдень. Значит, она пробыла без сознания почти два часа.

Констанс попыталась приподняться, но налитая тяжестью, онемевшая правая сторона тела пошла болезненными мурашками. И тут она внезапно осознала, что прикована наручниками к собственной кровати.

В ярости Констанс попыталась освободиться, но своими попытками привлекла внимание «похитителей».

— Calm down![1] — сказала Никки, входя в спальню со стаканом воды.

— What the fuck are you doing in my house![2] — завопила Констанс.

— Нам больше некуда было пойти.

Констан приподнялась на подушке и постаралась дышать ровнее.

— Откуда вы узнали, где я живу?

— Нашли в вашем бумажнике заявку на грузчиков. Судя по всему, вы совсем недавно переехали. Славный домик, ничего не скажешь...

Констанс смерила американку взглядом. Разница в возрасте была, но небольшая. А лица похожие — тонкие, острые, с одинаковыми светлыми глазами

---

[1] Успокойтесь! (англ.)
[2] Какого черта вы ошиваетесь в моем доме? (англ.)

и одинаковыми темными кругами — признаком стресса и усталости.

— Послушайте! Мне кажется, вы не понимаете, что вам грозит! Если я не подам о себе вестей буквально через минуту, мои коллеги приедут сюда в следующие пять минут, окружат дом и...

— Вряд ли они приедут, — перебил ее Себастьян, входя в комнату.

Констанс с горечью вынуждена была констатировать, что у него под мышкой ее медицинская карта.

— Вы не имели права рыться в моих бумагах! — возмутилась она.

— Меня очень огорчает ваша болезнь, но уверен, что данное задание вы выполняете неофициально, — спокойно продолжал американец.

— Напрасно вы так думаете!

— Неужели? А с каких это пор полицейские ведут преследование на собственных машинах? — Констанс ничего не ответила, а Себастьян продолжал: — С каких пор капитан полиции отправляется на задание в одиночестве, без поддержки еще нескольких человек?

— Сейчас в полицейском управлении проблемы с персоналом, — неуклюже соврала Констанс.

— Вот оно что! А я — чуть не забыл вам сказать — нашел в вашем компьютере копию вашего заявления об отставке.

Последний удар добил Констанс. Чувствуя, что в горле у нее пересохло, она вынуждена была принять из рук Никки стакан с водой. Другой рукой она массировала себе веки в отчаянии, что ситуация целиком и полностью вышла из-под ее контроля.

— Нам нужна ваша помощь, — обратилась к Констанс Никки.

— Моя помощь? Какую я могу оказать вам помощь? Хотите, чтобы я помогла вам сбежать из Франции?

— Нет, — возразил Себастьян. — Помогите нам найти наших детей.

Больше часа понадобилось Себастьяну и Никки, чтобы изложить Констанс все подробности событий, которые перевернули за несколько часов их жизнь. Они втроем сидели за круглым столом на кухне, выпили два чайника гекуро и съели пачку галет «Сен-Мишель».

Констанс внимательно слушала рассказ отца и матери и по ходу рассказа кое-что записывала, записи заняли не меньше десяти страниц ученической тетради.

И хотя Себастьян пристегнул наручниками ее ногу к стулу, Констанс чувствовала, что теперь сила окончательно на ее стороне. Американцы не только влипли в историю, из-за которой могут провести остаток дней в тюрьме, но и полностью деморализованы потерей своих близнецов.

Когда Никки окончила рассказ, бывший капитан полиции Констанс Лагранж почувствовала прилив сил. От истории Лараби веяло безумием и абсурдом, но их горе было неподдельным. Констанс помассировала себе затылок и обнаружила, что головная боль исчезла, что ее больше не тошнит и у нее появились силы. Волшебное воздействие необходимости расследовать преступление.

— Если вы и в самом деле хотите, чтобы я что-то для вас сделала, освободите меня, — властно распорядилась она. — А затем я хочу посмотреть видео с похищением вашего сына.

Себастьян признал это справедливым и освободил молодую женщину, расстегнув наручники. Никки тем временем включила ноутбук Констанс, вышла через Интернет на свою почту и перекинула к ней на диск полученный ими фильм.

— Вот что мы получили, — сказала она, запуская видео.

Констанс просмотрела сорокасекундную съемку один раз, потом начала смотреть второй, останавливая и приближая кадры на важных моментах.

Никки и Себастьян не смотрели на экран, они не сводили глаз с лица той, что стала их последней надеждой.

Констанс сосредоточенно смотрела фильм в третий раз в замедленном режиме, потом уверенно бросила:

— Фальшивка!

— То есть? — не понял Себастьян.

Констанс уточнила:

— Фильм смонтирован. В любом случае это не станция «Барбес».

— Но там же... — запротестовала Никки.

Констанс подняла руку, не давая ей договорить.

— Когда я только приехала в Париж, я четыре года снимала комнату для прислуги на улице Амбруаз Паре напротив больницы Ларибуазьер. И по меньшей мере два раза в день бывала на станции «Барбес».

— И что же?

Коп выдержала паузу, чтобы придать своим словам больше веса.

— Через «Барбес» проходят две линии, — объяснила она. — Линия 2, станция этой линии расположена на открытом воздухе, и линия 4 — с подземной станцией. — Она ткнула ручкой в экран, чтобы сделать свои доводы нагляднее. — В фильме совершенно ясно видно, что станция подземная. Значит, речь может идти только о линии 4.

— Да, конечно, — согласился Себастьян.

— А станция линии 4, во-первых, расположена наклонно, а во-вторых, заметно изогнута, что очень необычно.

— Да, здесь такого нет, — признала Никки.

Себастьян приблизил лицо к экрану. Посещение станции «Барбес» оставило у него настолько неприятные воспоминания из-за несчастной встречи с грабителями, что он старался выбросить их из головы, но теперь он и в самом деле не узнавал станции.

Констанс открыла свою электронную почту.

— У меня есть потрясающая возможность узнать, где был снят этот фильм, — сообщила она, начиная писать письмо.

И прибавила, что собирается отправить видео своему коллеге, комиссару Марешалю, который заведует региональным отделом транспортной полиции, иными словами, всеми полицейскими бригадами, которые охраняют метро и железнодорожные поезда.

— Франк Марешаль знает парижское метро как
свои пять пальцев. Я уверена, он сразу определит,
какая это станция.

— Стоп! Погодите отправлять! — приказал Себастьян, наклоняясь к Констанс. — Имейте в виду, нам
терять нечего! Не пытайтесь нас подставить, иначе... И вообще, вот уже вторые сутки вы пытаетесь
нас арестовать. С чего вдруг вы так легко согласи-
лись стать нашим союзником?

Констанс пожала плечами и нажала на иконку
«Отправить».

— Потому что поверила вашему рассказу. И потом, посмотрим правде в глаза: у вас в самом деле
нет другого выхода, как только положиться на
меня.

50

Констанс курила сигарету за сигаретой, перечи-
тывая сделанные заметки. Как добросовестный сту-
дент в своем конспекте, она подчеркивала, обводи-
ла, выделяла, рисовала схемы и стрелочки.
Вынуждала мозг выдать искру, озарение.

Постепенно перед ней начала вырисовываться
картина. Проясняясь, уточняясь, она превратилась
для Констанс почти в реальность. Телефонный звонок прервал ее размышления. Она взглянула на
экран: звонок был от комиссара Марешаля.

Констанс нажала клавишу и включила громкую
связь, чтобы Никки и Себастьян тоже могли слушать разговор. Теплый уверенный голос Марешаля
заполнил комнату:

— Привет, Констанс!

— Привет Франк!

— Ты наконец решила принять мое приглашение пообедать?

— Да, и буду очень рада наконец познакомиться с твоей женой и детишками.

— Ну, знаешь... Честно говоря, я имел в виду... В общем, ты сама понимаешь...

Констанс насмешливо кивнула. Марешаль был ее инструктором в Кан-Эклюз[1]. Роман вспыхнул незадолго до выпуска. Бурная всепоглощающая страсть. Всякий раз, когда Констанс собиралась порвать с Марешалем, он клялся, что готов развестись с женой. Два года она ему верила, потом устала ждать и рассталась с ним.

Но Франк не смирился. По меньшей мере раз в полгода он звонил ей, пытаясь вернуться к прежнему. Хотя до сих пор его попытки ни к чему не приводили.

— Послушай, Франк, у меня сейчас нет времени на болтовню.

— Констанс, прошу тебя, оставь мне хотя бы...

Она сухо оборвала его:

— Пожалуйста, займемся делом! Фильм, который я тебе прислала, снят вовсе не видеокамерой на станции «Барбес», так?

Марешаль огорченно вздохнул, но все же перешел на более профессиональный тон:

— Ты права. Как только я увидел эти кадры, сразу догадался, что их сняли на станции-призраке.

— Станции-призраке?

---

[1] Город в департаменте Сен-э-Марн, где находится Высшая национальная школа офицеров полиции.

— Мало кто знает, что в парижском метро существуют станции, которые не обозначены ни на каких схемах, — объяснил Марешаль. — В основном это те, которые были закрыты во время Второй мировой, а потом их так и не открыли. Например, ты знаешь, что существовала станция точно под Марсовым полем?

— Нет, — призналась Констанс.

— Я много раз просмотрел твое видео и пришел к выводу, что оно снято на «мертвой платформе» на «Порт де Лила».

— Что ты называешь «мертвой платформой»?

— На одиннадцатом маршруте, на станции «Порт де Лила» существует платформа, которая была закрыта в тридцать девятом году. Ею иногда пользуются, когда формируют поезд или испытывают новый, но чаще всего там снимают фильмы или рекламные ролики, если действие происходит в парижском метро.

— Ты это всерьез?

— Естественно. Со временем она стала настоящим кинопавильоном. Декораторы меняют название, оформление — и перед нами любая станция любой эпохи. Здесь же Жене снимал сцены для своей «Амели», а братья Коэны — короткометражку о Париже.

Сердце у Констанс учащенно забилось.

— Ты уверен, что фильм, который я тебе послала, снят именно там?

— На сто процентов. Я отправил твой фильм специалисту, который в «Автономном операторе парижского траспорта» отвечает за киносъемки, и он это подтвердил.

Умный, быстрый, результативный Франк, свин, конечно, порядочный, но профессионал отменный.

— Парень прекрасно помнит эту съемку. Она была сделана во время последнего уик-энда, — уточнил Марешаль. — В эти дни платформа была в распоряжении учеников одной кинематографической школы: Свободной консерватории французского кино.

— А туда ты звонил?

— Само собой. Мне даже удалось установить автора этого видео, но, если хочешь узнать имя перца, ты должна со мной пообедать.

— С каких пор ты занялся шантажом? — возмутилась Констанс.

— Сию секунду, — засмеялся он. — Но когда чего-то очень хочешь, все средства хороши, разве нет?

— В таком случае иди-ка ты! Я сама все разузнаю!

— Как пожелаешь, моя красавица!

Констанс готова была нажать на клавишу, но тут Себастьян схватил ее за плечо и попросил едва слышно: «Соглашайтесь!» Никки присоединилась к просьбе мужа, тыча пальцем в свои часы перед носом Констанс.

— О'кей, Франк, — вздохнула она. — Я согласна с тобой пообедать.

— Обещаешь?

— Зуб даю.

Довольный Марешаль сообщил все, что сумел разузнать.

— Директриса консерватории сообщила, что сейчас они принимают группу американских школьников в рамках школьного обмена. Учеников одной нью-йоркской школы, с которой они побратимы.

— Так это видео снял американский школьник?

— Да. Короткометражка снята в рамках проекта «В память Альфреда Хичкока» и называется «39 секунд», аллюзия на «39 ступенек».

— Спасибо, господин учитель, с классикой я знакома. Как зовут этого школьника?

— Саймон Тернер. Ребят разместили в интернациональном университетском городке, так что, если хочешь с ним поговорить, поторопись, вечером он улетает в Штаты.

Услышав имя и фамилию мальчика, Никки закусила губу, чтобы не закричать.

Констанс нажала на клавишу и повернулась к ней.

— Вы его знаете?

— Конечно! Саймон Тернер лучший друг Джереми.

Подперев кулаком щеку, Констанс погрузилась в размышления. Спустя несколько секунд подвела итог:

— Полагаю, вам надо смириться с очевидностью. Ваш сын симулировал похищение.

51

— Глупости! — возмутился Себастьян.

Констанс повернула голову и посмотрела на американца.

— Рассудите сами. Кому легче всего получить доступ к вашему сейфу и вашей кредитной карте? Кому лучше всех известен размер вашего костюма?

Скрипичных дел мастер понурился, не в силах отрицать очевидное. А Констанс продолжала держать американцев под огнем вопросов, переводя взгляд с одного на другого:

— Кто мог знать о вашем первом романтическом путешествии в Париж? Кто мог быть настолько уверен в вашем упорстве и целеустремленности, чтобы не сомневаться: вы без колебаний сядете на самолет и полетите во Францию и сумеете разгадать загадку моста Искусств и тайну замка?

Лицо Никки разгладилось.

— Конечно, Камилла и Джереми... — согласилась она. — Но зачем им это понадобилось?

Констанс отвернулась и стала смотреть в окно. Она смотрела куда-то вдаль, и голос у нее стал куда менее твердым.

— Мои родители развелись, когда мне было четырнадцать, — вздохнула она. — Наверно, это было самое тяжелое время в моей жизни, рухнуло все, во что я верила, на что полагалась... — Она медленно закурила, сделала глубокую затяжку, прежде чем заговорила вновь: — Думаю, большинство детей разведенных родителей втайне надеются, что в один прекрасный день их отец и мать снова будут вместе...

Отметая это предположение, Себастьян грубо оборвал ее:

— Бред сумасшедшего! Вы что, забыли о кокаине?! О разгромленной квартире? Убийстве Дрейка Декера? Не говоря уже о полусумасшедшем великане, который пытался нас убить?

— Согласна, моя гипотеза не объясняет всего, что с вами произошло.

52

— Входите же, лейтенант, — пригласила Карен Уайт, поднимая глаза от папки.

Войдя в кабинет полицейского антрополога, Сантос прикрыл за собой дверь. Молодая женщина встала из-за стола и включила кофеварку, стоящую на этажерке.

— Эспрессо?

— Почему бы и нет, — отозвался он, разглядывая развешанные по стенам снимки всевозможных ужасов.

Изуродованные, изрезанные лица, расчлененные тела, рты, искаженные воплем...

Сантос отвернулся от леденящих душу кошмаров и стал смотреть на молодую женщину, которая варила для него кофе. Узкая юбка, круглые очочки, узел волос на макушке — Карен Уайт больше всего была похожа на училку былых времен. Прозвали ее мисс Скелетик. Своими невероятными способностями она поражала всех коллег. Сутью ее работы была идентификация останков — костей, зубов, обожженных лоскутов кожи, обрубков рук и ног, найденных на месте преступления. Задача непростая: убийцы, осведомленные о прогрессе в области научной криминалистики, все с большей изощренностью калечили свои жертвы.

Взглянув на часы, Карен предупредила:

— Через десять минут у меня вскрытие.

— Тогда к делу, — кивнул коп, усаживаясь возле стола.

Карен Уйат погасила свет. Уже рассвело, но день был облачный, серый, и в комнате сразу стало темно. Антрополог нажала на клавишу, и плоский экран на стене засветился. Карен продолжала нажимать клавиши, и на экране поплыли снимки, сделанные при вскрытии великана маори, убитого Себастьяном Лараби осколком зеркала в баре Дрейка Декера.

Медно-красная груда мяса, лежащая на цинковом столе в белом свете ярких ламп, выглядела отталкивающе, но Сантос видал и не такое. Он прищурился, всматриваясь в труп, и удивился количеству татуировок, покрывавших тело жертвы. Не только лицо, но и все тело было покрыто рисунками: спирали на ляжках, картинки на спине, лучи и арабески на животе и груди.

Карен, показывая фотографии, попутно давала объяснения:

— По типу рисунков и надрезов на лице я, так же как и вы, поначалу решила, что жертва по происхождению полинезиец.

— А это не так?

— Нет. Тип татуировок похож, но не соответствует канону, который полинезийцы соблюдают очень строго. Я думаю, эти татуировки, скорее всего, означают принадлежность к определенной преступной группировке.

Сантос знал о существовании такого явления: в Центральной Америке татуировка часто означает принадлежность к какой-нибудь банде. Мало того, принадлежность к этой банде на всю жизнь.

Карен Уайт вывела на экран новую серию фотографий.

— Эти снимки сделаны в разных тюрьмах Калифорнии. Заключенные, сидящие там, принадлежат к разным бандам, но правила всюду одинаковы: совершив очередное полезное для банды преступление, преступник получает право на дополнительную татуировку. Звезда на руке означает, что убит один человек, звезда на лбу — что убитых по меньшей мере двое.

— Тело становится своеобразным досье совершенных преступлений, — подвел итог Сантос.

Антрополог кивнула, а потом увеличила одну из татуировок жертвы.

— Мы видим у нашего «друга» красную звезду с пятью лучами. Татуировка настолько глубока, что кажется рельефной.

— Вы изучили эту татуировку?

— Очень тщательно. Чтобы сделать такого рода наколку, был использован обыкновенный нож с коротким лезвием. Гораздо интереснее пигмент, который был введен под кожу. Я полагаю, что это очень редкий вид сажи, полученный из камеди дерева, которое растет в основном на юге Бразилии: сосны Парана. — Карен подождала несколько секунд и перешла к следующей фотографии: — Это фотографии заключенных бразильской тюрьмы в Риу-Бранку.

Сантос встал и подошел к экрану. На телах заключенных он увидел точно такие же рисунки, как на «маори»: те же ломаные арабески, те же выпуклые валики, сливающиеся в спирали.

Карен продолжала:

— Всех этих заключенных объединяет то, что они принадлежат к наркокартелю «Серингуэрос»[1],

---

[1] Сборщики (порт.).

который обосновался в Акри, бразильском штате, граничащем с Перу и Боливией.

— «Серингуэрос»?

— Да, так называли когда-то работников, которые собирали латекс. Акри был одним из самых крупных поставщиков латекса. Полагаю, название осталось с тех давних пор. — Антрополог выключила экран и зажгла свет. Сотни вопросов вертелись на языке у Сантоса, но мисс Скелетик отправила его без всяких разговоров. — Теперь дело за вами, лейтенант, — сказала она и вышла вместе с ним в коридор.

Сантос стоял на пороге здания комиссариата на Эриксон-плейс. Небо расчистилось, и солнце уже сияло вовсю, рассыпая зайчики на тротуарах Кэнел-стрит. Информация, полученная от Карен Уайт, его оглушила, копу нужно было ее осмыслить, и он решил зайти в кафе «Старбакс» рядом с комиссариатом. Заказал чашку кофе, уселся за столик и задумался.

Наркокартель «Серингуэрос»...

Он работает в полиции уже десять лет, но о таком и слыхом не слыхивал. Впрочем, что тут удивительного? Он изо дня в день ловит мелких жуликов и местных дилеров, а не охотится за наркобаронами международного значения. Сантос открыл ноутбук, подсоединился к местому вай-фаю. Поиск в Интернете привел его на сайт «Лос-Анджелес таймс». Картель упоминался в статье, опубликованной в прошлом месяце.

Крах наркокартеля «Серингуэрос»

«После двухлетних поисков бразильским властям удалось уничтожить картель наркоторговцев, обосновавшийся в Акри, самом западном штате страны, расположенном в бассейне Амазонки.

Организованный по колумбийской модели, картель «Серингуэрос» имел ответвления более чем в двадцати штатах федерации. Кокаин поступал на самолетах из Боливии, а затем наземным путем распространялся по крупным городам страны.

Пабло Кардоса по прозвищу Император, который в настоящее время находится в тюрьме, руководил этой мафиозной империей при помощи армии наемников, подозреваемых в том, что они с исключительной жестокостью уничтожили более пятидесяти конкурентов.

Банда «Серингуэрос», издавна пустившая корни в штате Акри, ежегодно ввозила туда более пятидесяти тонн кокаина благодаря множеству подпольных посадочных площадок, скрытых в амазонских джунглях.

Двухмоторные самолеты наркоторговцев неустанно сновали туда и обратно, перевозя тысячи килограммов чистого кокаина, который затем фасовали и направляли в метрополию, снабжая им армию дилеров, действовавших в основном в Рио и Сан-Паулу.

Укрепляя свою власть при помощи коррупции и отмывания денег, картель Пабло Кардосы создал со временем мощную сеть, куда входили члены парламента, главы предприятий, мэры, судьи и комиссары полиции, закрывавшие дела по убийствам, совершенным членами мафиозного клана.

В настоящее время по стране прокатилась волна арестов. За ней последуют новые волны арестов».

Сантос не пожалел времени и собрал еще информацию, дополнившую ту, которой снабдила его статья.

«Что же предпринять дальше?»

Охваченный лихорадкой расследования, Сантос изо всех сил старался сосредоточиться. Было совершенно очевидно, что он ни за что не получит разрешения от начальства на продолжение расследования в Бразилии. Слишком много препятствий — как административных, так и дипломатических. В теории он мог бы наладить связь с бразильскими коллегами, послав им рапорт, но он прекрасно знал, что никаких конкретных действий за его рапортом не последует.

Сантос огорчился и все же вышел на сайт, где различные авиакомпании информировали о своих рейсах и билетах. О Риу-Бранку, главном городе Акри, не скажешь, что он под боком. К тому же, как оказалось, и перелет крайне неудобный: если лететь из Нью-Йорка — по меньшей мере три пересадки. Билет, конечно, дорогой, но не беспредельно, где-то около 1800 долларов, если покупать со скидкой. Именно такая сумма лежала на счете Сантоса.

Образ Никки снова замаячил перед Лоренцо. Он будто подчинился какой-то неведомой силе, которая его повела, — сел в машину, доехал до дома, собрал вещи и отправился в аэропорт.

281

53

Констанс опустила стекло машины и показала трехцветное удостоверение охраннику территории американского общежития в студенческом городке.

— Капитан Лагранж, Национальная полиция, прошу открыть ворота.

Студенческий городок расположился в Четырнадцатом округе напротив парка Монсури и новой трамвайной остановки «Марешо». Констанс остановила спорт-купе перед импозантным зданием из красного и белого кирпича, поднялась по ступенькам и вошла в холл. Никки и Себастьян шли следом. Констанс попросила дежурного назвать номер комнаты Саймона Тернера.

Получив необходимые сведения, троица добралась до пятого этажа, где располагались художественные мастерские и студии со звукоизоляцией для занятий музыкантов и танцоров.

Констанс толкнула дверь комнаты, не потрудившись даже постучать. Экзотическая прическа, майка-тренд, брюки-трубочки, винтажные сникеры — молодой человек лет двадцати пытался закрыть чемодан, водруженный на незастеленную постель. Тощий, как стручок, юнец был еще украшен пирсингом на левой брови. Долговязый, с тонкими чертами лица, он казался бесполым и жеманным.

— Не помочь ли тебе, паренек? — осведомилась Констанс, предъявив удостоверение.

Лицеист в один миг растерял всю свою уверенность. Побледнел как мел, лицо напряглось.

— Я... я... американский гражданин, — промямлил он в то время, как молодая женщина уже крепко взяла его за руку.

— Так разговаривают в кино, голубчик, а на самом деле на этот счет есть четкие правила, — сообщила она, заставив его сесть на стул.

Разглядев за спиной Констанс чету Лараби, Саймон немного успокоился.

— Клянусь вам, мэм, я отговаривал Джереми! — сказал он, обращаясь к Никки.

Себастьян подошел к пареньку с другой стороны и тоже жестко взял его за плечо.

— Хорошо, сынок, мы тебе верим. Успокойся и расскажи нам все с самого начала. Идет?

Заикаясь, лицеист приступил к исповеди. Как совершенно правильно догадалась Констанс, Джереми задумал воссоединить родителей вопреки их воле.

— Он был уверен, что чувства в вас снова вспыхнут, если вы несколько дней проведете вместе, — объяснил Саймон. — Он мечтал об этом все эти семь лет. В последнее время это стало у него просто навязчивой идеей. Когда он заразил своей идеей сестру, он приступил к выработке плана, который заставил бы вас обоих вместе отправиться в Париж.

Ошеломленный, Себастьян внимательно слушал юношу, но ему не верилось, что тот говорит серьезно.

— Единственной возможностью достучаться до вас была опасность для кого-то из ваших детей, — продолжал Саймон. — И вот ему пришло в голову изобразить похищение.

Он замолчал и перевел дыхание.

— Дальше! Что дальше? — торопила его Никки.

— Джереми решил воспользоваться средствами кино, которое обожает, чтобы объединить вас в команду по его спасению. Разработал целый сценарий со значимыми подсказками, ложными путями и возвратами.

Констанс подхватила:

— А ты? Какую роль ты играл в этой истории?

— О моей поездке в Париж было известно заранее. Джереми ею воспользовался, попросив снять короткометражку, в которой будет видно, как его похитили в метро.

— Это ты послал нам фильм? — спросил Себастьян.

Юноша кивнул и прибавил:

— Но на видео не Джереми. Это Джулиан, мой приятель. Он немного похож на вашего сына, а главное, он в его одежде: бейсболке, куртке, майке с «Шутерз». Вы ведь поверили, правда же?

— А тебе смешно, мерзавец ты этакий! — возмутился Себастьян, хорошенько встряхнув Саймона. Он был вне себя и старался ничего не упустить, развернув последовательно всю цепочку событий. — Так, значит, это ты нам звонил из бара «La langue au chat»?

— Да, это Камилла придумала, забавно, правда?

— Так. Что дальше? — поторопила его Констанс.

— Я точно исполнил все инструкции Джереми: положил его рюкзак в камеру хранения на Северном вокзале, прицепил замок на мосту Искусств и отправил в ваш отель одежду, которую Камилла попросила меня купить.

Себастьян окончательно вышел из себя:

— Камилла не могла участвовать в этом балагане!

Саймон пожал плечами:

— И тем не менее участвовала... Когда вы были еще в Нью-Йорке, Камилла воспользовалась вашей банковской картой и заказала гостиницу на Монмартре и обед на пароходе.

— Ложь!

— Чистая правда! — возразил паренек. — А книга у букиниста? Кто, по-вашему, утащил ее из вашего сейфа и перепродал через сайт в Интернете?

Как опровергнешь такие доказательства? Себастьян мрачно молчал. Он был в шоке. Никки, напротив, сохраняя полное спокойствие, положила руку на рукав Саймона.

— И как же должна была закончиться ваша игра в догонялки?

— Вы ведь нашли фото, да?

Она кивнула.

— Эта был паследний пазл, не так ли?

— Да, свидание в саду Тюильри. Камилла и Джереми собирались там встретиться с вами в 18 часов 30 минут, чтобы все вам объяснить, но...

Саймон в замешательстве замолчал.

— Но что? — опять нетерпеливо поторопила его Констанс.

— Они не приехали в Париж, как предполагалось, — испуганно признался паренек. — Вот уже неделю, как у меня нет никаких вестей от Джереми. И вот уже два дня, как не отвечает мобильник Камиллы.

Себастьян гневно ткнул в него пальцем.

— Предупреждаю, если это твоя очередная выдумка...

— Это чистая правда! Клянусь вам!

— А наркотики и убийства тоже входили в ваш идиотский план?

Саймон перепуганно смотрел на взрослых.

— Какие наркотики? Какие убийства? — спросил он, охваченный неподдельной паникой.

54

Вне себя от бешенства, Себастьян схватил Саймона за воротник и приподнял со стула.

— Я обнаружил в комнате у своего сына килограмм кокаина! Не говори мне, что ты понятия о нем не имеешь!

— Не имею! Ни я, ни Джереми никогда не баловались наркотиками!

— А покер? Это ты научил его играть в покер?!

— И что? Играть в покер такое преступление?

— Моему сыну пятнадцать лет, бесстыжие твои глаза! — проревел Себастьян, прижимая паренька к стенке. Саймон дрожал. Лицо исказилось от страха. Ожидая удара, он закрыл глаза и скрестил над головой руки. — Тебе бы учить его уму-разуму, а не таскать к Дрейку Декеру! — орал Себастьян.

Саймон широко открыл глаза и, запинаясь, проговорил:

— Де... Декеру? Хозяину «Бумеранга»? Я не понадобился Джереми, чтобы с ним познакомиться! Он встретился с ним в камере, когда попал в участок на Бушвике. Копы сцапали его за кражу игры в магазине!

Сообщение разом остудило Себастьяна, оно потрясло его, и он отпустил Саймона.

Эстафету подхватила Ники:

— Ты хочешь сказать, что Дейкер предложил Джереми прийти поиграть в покер к нему в бар?

— Именно. И эта жирная свинья потом кусала себе за это локти. Мы с Джереми выставили его больше чем на пять тысяч долларов. Причем совершенно законно! — После этих слов у Саймона прибавилось уверенности. Он одернул майку и продолжал: — Дейкер не смирился с проигрышем. И отказался нам платить. И тогда мы решили заглянуть к нему в квартиру и забрать чемоданчик, куда он складывает выручку.

«Металлический чемоданчик с фишками для покера!»

Ошеломленные, Никки и Себастьян переглянулись. Оба мгновенно поняли, что причиной катастрофы стала кража чемоданчика.

— В этом чемоданчике лежало почти кило кокаина, — тихо сказал Себастьян.

— Не может быть, — не поверил Саймон, глаза у него округлились.

— В фишках для покера, — уточнила Никки.

— Мы и понятия об этом не имели, — продолжал твердить паренек. — Мы только хотели вернуть деньги, которые Дрейк нам должен.

На протяжении всего разговора Констанс хранила молчание, восстанавливая про себя ход событий. Мало-помалу пазлы занимали свои места, складываясь в достоверную картину, но кое-каких все-таки еще не хватало.

— Скажи, Саймон, когда был украден чемодан? — спросила она.

Паренек задумался.

— Незадолго до того, как я уехал во Францию, недели примерно за две.

— А вы с Джереми не боялись, что Декер будет вам мстить, когда поймет, что чемодан украден?

Саймон пожал плечами.

— Да нет. С чего бы? Он ничего не знал о нас, только имена. Ни фамилий, ни адреса. А в Бруклине, если вы не в курсе, живет два с половиной миллиона человек! — сообщил он снисходительно.

Иронию Констанс пропустила мимо ушей.

— Ты сказал, Декер был должен вам пять тысяч долларов, а сколько денег было в чемоданчике?

— Чуть побольше, — вынужден был признать Саймон. — Но ненамного. Где-то около семи тысяч, и мы поделили их в соответствии с нашими нуждами. Скажу честно, мы были рады этому бонусу: Джереми нужны были деньги, чтобы осуществить свой план и чтобы...

Саймон запнулся.

— Для чего еще? — настойчиво спросила Констанс.

Саймон смущенно опустил глаза.

— До того, как он приедет к вам в Париж, он хотел провести несколько дней в Бразилии...

«Бразилия!»

Никки и Себастьян вновь обменялись тревожными взглядами. Два дня назад, когда они расспрашивали возле лицея Томаса, была упомянута бразильянка, с которой Джереми познакомился по Интернету.

— Джереми и мне говорил о красавице-бразильянке. Он ночи напролет чатился с красавицей из Рио. Она сама с ним познакомилась через Фейсбук на странице «Шутерз».

— Рок-группы? Погоди, тут ты что-то путаешь, — заявила Никки. — «Шутерз» — это тебе не «Колдплэй», они играют в полупустых зальчиках малоизвестных клубов. Как девушка из Рио-де-Жанейро могла стать фанаткой такой малоизвестной группы?

Саймон развел руками.

— Откуда я знаю? Теперь через Интернет...

Себастьян тяжело вздохнул и, несмотря на растущую тревогу, продолжал расспросы:

— А ты? Ты видел эту девушку?

— Ее зовут Флавия. Судя по фоткам, горячая, как уголек.

— Ты видел фотографии?

— Видел. Джереми их много выложил на фейсбуке, — сообщил он и полез в рюкзак за ноутбуком.

Вышел через вай-фай на сайт социальных сетей, ввел пароль, а потом несколькими кликами вывел на экран дюжину снимков чудо-красавицы. Блондинка со светлыми глазами, фигуристая, с загорелой кожей.

Констанс, Никки и Себастьян склонились к экрану, рассматривая молоденькую бразильянку прямо-таки неправдоподобной красоты: личико Барби, тонкая талия, высокая грудь, длинные вьющиеся волосы. На фотографиях красотка позировала в разных местах: Флавия на пляже, Флавия занимается серфингом, Флавия пьет коктейль, Флавия играет с подружками в волейбол на пляже, Флавия в бикини на горячем песке...

— Что еще ты знаешь об этой девушке?

— Кажется, она работает в коктейль-баре на пляже. Джереми говорил, что она на него запала и зовет провести несколько дней у нее.

Себастьян покачал головой. Сколько может быть лет этой блондинке-красотульке? Двадцать? Двадцать два? Смешно думать, что она могла влюбиться в его пятнадцатилетнего сына.

— А где этот пляж находится? — поинтересовалась Никки.

Констанс пригляделась к изображению.

— Ипанема, — убежденно проговорила она. Увеличила картинку и вывела на середину экрана два высоких холма позади моря и длинную полосу песка. — Эти горы называют «Два брата». За ними в конце дня прячется солнце, — объяснила Констанс. — Несколько лет тому назад я ездила туда в отпуск.

Поработав мышкой, она выделила название бара, где работала Флавия, оно было написано на зонтиках. Бар назывался «Кашаса», и Констанс занесла название в свою книжечку.

— А Камилла? — спросила Никки.

Саймон покачал головой.

— Видя, что от Джереми нет вестей, она заволновалась и решила поехать к нему в Рио. Но я вам уже сказал: с тех пор как она в Бразилии, я не могу до нее дозвониться.

Гнев и жалость боролись в Себастьяне. Он представил своих детей — голодные, без денег, они блуждали по опасному и жестокому городу-спруту.

И тут почувствовал на своем плече руку Никки.

— Едем в Рио! — предложила она.

Констанс тут же возразила:

— Боюсь, это невозможно. Напоминаю, Интерпол разыскивает вас как скрывающихся убийц. Повсюду есть ваши данные. Не пройдет и пяти минут, как...

— Может быть, вы сможете нам помочь? — умоляюще обратилась к ней Никки со слезами на глазах. — Речь идет о спасении детей...

Констанс вздохнула, отвернулась и стала смотреть в окно. Вспомнила, как сутки тому назад вникала в дело Лараби, читая его на своем мобильнике. Прочитав досье страницу за страницей, она и представить себе не могла, что такое банальное на первый взгляд дело окажется из ряда вон выходящим. И должна была признать, что ей не понадобилось много времени, чтобы проникнуться сочувствием к этой удивительной паре и их ребятишкам. Она поверила в их историю и готова была помогать им до конца. Однако препятствие, вставшее у них на пути, непреодолимо.

— Я в отчаянии, но возможности покинуть Францию я для вас не вижу, — сказала она, стараясь не смотреть на Никки.

55

— Добро пожаловать на борт, мадам Лагранж! Добро пожаловать на борт, месье Босари!

Никки и Себастьян получили обратно свои посадочные талоны и проследовали за очаровательной стюардессой латиноамериканской авиакомпании. Стюардесса проводила их в салон бизнес-класса и усадила на места. Себастьян передал стюардессе пиджак, но сохранил у себя драгоценные паспорта, которые одолжили им Констанс и ее помощник.

— Невероятно, но сработало, — шепнул он, взглянув еще раз на фотографию Николя Босари. — Парень лет на пятнадцать моложе меня, не меньше.

— Никто не даст тебе твоих лет, — улыбнулась Никки. — Но не могу не признать, что ребята на паспортном контроле посмотрели на нас сквозь пальцы.

Она боязливо покосилась через иллюминатор на горящие в ночи фонари. Дождь поливал Париж, намочил взлетные полосы, и огни расчертили мокрые плиты светящимися серебряными полосами. Собачья погода. В такую еще страшнее лететь. Никки никогда не любила самолетов. Она порылась в сумочке, предоставляемой самолетной компанией каждому пассажиру, и нашла в ней маску для сна, закрыла ею глаза, включила айпод, который забрала из комнаты сына, и сунула в уши наушники, надеясь, что под музыку заснет быстрее.

Преодолеть страх.

Сберечь силы.

Она знала, что в Бразилии их ждет множество нелегких задач. Много времени они потеряли в Париже. И если хотят отыскать своих детей, должны действовать быстро и энергично.

Убаюканная музыкой, Никки погрузилась в дрему, полусон, смешавший видения и воспоминания. Вновь и вновь возвращалось к ней давнее воспоминание. Почти реальное ощущение родов. Тогда она впервые рассталась с детьми. После долгих месяцев, когда они были с ней единым целым, разорвалась пуповинная связь...

«Боинг 777» находился в воздухе уже два часа и летел над Южной Португалией. Себастьян, поужинав, вернул стюардессе поднос, и она убрала его в свой агрегат.

Себастьян и рад был бы уснуть, но не получалось — слишком нервничал, глаза открывались сами. Чтобы отвлечься, он открыл «Путеводитель по Бразилии для туристов», который вручила ему Констанс, и принялся читать:

«Рио-де-Жанейро, мегаполис с населением в двенадцать миллионов человек, славится во всем мире своим карнавалом, пляжами с мелким песком и любовью к праздникам. Однако второй по величине город Бразилии еще и опасен: там много криминальных элементов и часто происходят преступления, связанные с насилием. В прошлом году в городе было зарегистрировано пять тысяч убийств. Штат Рио остается самым опасным в мире. Число убийств там в тридцать раз превышает число убийств во Франции и...»

Невольная дрожь пробежала по спине Себастьяна. Сведения так впечатлили его, что он прервал чтение на середине фразы, захлопнул путеводитель и сунул в карман на спинке находящегося впереди сиденья.

«Не время паниковать!» — приказал он себе.

Мысли его вернулись к Констанс Лагранж. Им с Никки выпала редкостная удача повстречать ее, когда на них нагрянула беда. Без нее сидеть бы им в тюрьме. Она оплатила им билеты на самолет, достала паспорта, деньги и телефон.

Несправедливость судьбы по отношению к этой женщине глубоко потрясла Себастьяна. Она молода, в ней кипит жизнь, которую вот-вот оборвет страшная болезнь. Судя по тому, что он успел узнать из ее медицинской карты и разговоров с ней, приговор вынесен. Ее дни сочтены. И все-таки! Неужели его нельзя обжаловать? На своем жизненном пути он не раз встречал людей, которые вступали в ожесточенную схватку со смертью, и им удавалось опровергнуть прогнозы врачей. В Нью-Йорке, например, знаменитый онколог доктор Гаретт Гудри вылечил свою мать от злокачественной опухоли. Может быть, в случае с Констанс он тоже окажется бессилен, но Себастьян дал себе клятву, что непременно поможет мадемуазель Лагранж встретиться с этим врачом.

Думая о сыне, Себастьян испытывал смешанные чувства: гнев и восхищение. Его возмущала безответственность подростка, который вверг в пучину бед и самого себя, и сестру! А восхищали искренность, самоотверженность, любовь! Желание Джереми соединить их с Никки с помощью имитации своего похищения пробудило в Себастьяне глухую боль, которую он таил в душе, расставшись с женой. Сам того не желая, он испытывал гордость, что у него такой упорный, любящий, изобретательный сын. Джереми удивил его, поразил. Он не ждал такого от сына.

Себастьян прикрыл глаза. Представил себе, что он пережил за эти несколько дней, и у него закружилась голова. Каких-то несколько суток, и налаженная жизнь сбилась с наезженной колеи, вышла из-под контроля. Семьдесят два часа кошмарных переживаний и страха, но одновременно и напряжения всех сил, уверенности, полноты.

Удивительно, что Джереми так глубоко его понял: он и в самом деле только с Никки чувствовал себя живым. Полуангел, получертенок, она лучилась жизненной энергией, в ней сочетались готовность к подростковым проказам и могучая стихия женской соблазнительности, на которую откликалось все его существо. Опасность, нависшая над их детьми, объединила их, смела все противоречия, научила действовать заодно. Они вновь оказались вместе вопреки прошлому, вопреки разнице в характерах, вопреки готовности спорить и ссориться. Да, они пока еще не научились говорить друг с другом не споря; да, каждый из них еще не распрощался с горькими обидами, но точно так же, как в день их первой встречи, между ними существовала алхимия любви, волшебный коктейль, смесь общности и чувственности.

Рядом с Никки жизнь превращалась в бурлеск, он становился Кэри Грантом, она — Кэтрин Хепберн. И как бы Себастьяну ни хотелось другого, он вынужден был признать очевидное: больше всего на свете ему нравилось хохотать вместе с ней, ругаться с ней, спорить с ней. Обыденность становилась разноцветной и насыщенной, в ней зажигались веселые искорки, мерцала соль бытия.

Себастьян тяжело вздохнул и уселся в кресле поудобнее. В мозгу замигала лампочка, предупреждающая об опасности, возвращая в царство ясности и порядка. Если он хотел снова быть со своими детьми, он ни за что на свете не должен влюбляться в свою бывшую жену.

Да, Никки сейчас его главный союзник, но она же и главный враг.

Часть четвертая
THE GIRL FROM IPANEMA[1]

*Между людьми, как бы ни были
они тесно связаны, существует про-
пасть, и любовь (...) это только хрупкий мосток через нее.*

Герман Гессе

56

— Taxi! Taxi! Um taxi para leva-lo ao seu hotel![2]

Вокруг все наэлектризовано, в зале глухой шум голосов, длинные очереди за багажом и на таможенный контроль: в огромном аэропорту душно, влажно и жарко, как в парилке.

— Taxi! Taxi! Um taxi para leva-lo ao seu hotel!

Никки и Себастьян, усталые, с помятыми лицами, миновали длинную череду таксистов, зазывающих туристов, едва те появились в холле, и направились к стойке проката автомобилей. Короткая остановка в Сан-Паулу затянулась. По какой причине взлетные полосы были заняты, так и осталось неясным, но их задержали на два с половиной часа, так что в аэропорт Рио-Галеан они прилетели только в половине двенадцатого.

— Пока ты будешь договариваться о машине, пойду поменяю немного денег, — предложила Никки.

---

[1] «Д е в у ш к а с И п а н е м ы» — хит 60-х годов, благодаря которому прославился пляж Ипанема.

[2] Такси! Такси! Отвезем в гостиницу! (*порт.*)

Себастьян кивнул, соглашаясь на такое разделение обязанностей, и встал в очередь, достав из кармана права Босари. Подойдя к стойке, он задумался, какой лучше взять автомобиль. Куда заведут их поиски? Ограничатся ли они улицами большого города? Или им предстоит мчаться по разбитым загородным шоссе? В конце концов он выбрал аккуратный «Лендровер» и получил его на раскаленной от солнца стоянке.

Обливаясь потом, снял пиджак и уселся за руль, дожидаясь Никки, которая выслушивала на «своем» телефоне оставленное ей Констанс сообщение.

Как было договорено, француженка заказала им номер в отеле неподалеку от пляжа Ипанема, где работает Флавия, и продолжала поиски. И желала им успеха.

Утомленные долгим перелетом, Себастьян и Никки ехали молча, следуя дорожным указателям: Зона Сул — Центр — Копакабана, которые направляли их на юг от Илья-ду-Говернадор до центра города.

Себастьян вытер потный лоб и протер глаза. Низко нависало тяжелое маслянистое небо, пыль, духота, от пыли резало глаза, щипало веки. Через темные стекла пейзаж казался расплывчатым, насыщенным оранжевыми тонами, он был похож на чересчур укрупненную картинку.

Проехав всего несколько километров, они застряли в пробке и покорно принялись рассматривать все, что их окружало. По обеим сторонам дороги тянулись до горизонта кирпичные дома. Двухэтажные, с крышами-террасами, перегороженными бельевыми веревками. Домишки лепились друг к другу, лезли по склону вверх, образуя что-то вроде гроздей. Причудливые, хаотичные лабиринты фавел дробили пейзаж, смещали и ломали перспективу, приводя на память коллажи кубистов в терракотовых, рыжих, охристых тонах.

Мало-помалу городской пейзаж изменился. Дробность бедняцких окраин сменилась крупными промышленными зданиями. Стометровые афиши объявляли о футбольных играх на кубок мира и Олимпийских играх 2016 года. Похоже, весь город нацелен на грядущие спортивные соревнования, ради них кипела вокруг работа, меняющая облик города. На обнесенных оградой пустырях воздвигались колоссальные строения, бульдозеры бодали стены и побеждали их, экскаваторы громоздили горы земли, безостановочной чередой шли самосвалы.

«Лендровер» пересек лес небоскребов делового центра и покатил по южным кварталам города, где располагались в основном гостиницы и торговые центры. Только теперь Рио-де-Жанейро наконец-то стал cidada maravilhosa[1], омываемым морем, окруженным холмами и горами, известными всем по почтовым открыткам.

Завершая путешествие, «Лендровер» выехал к морю и не спеша двинулся по знаменитой Авенида Виейра Соуто.

— Вот наша гостиница! — воскликнула Никки, указывая на небольшое здание с удивительным фасадом из стекла, дерева и мрамора.

---

[1] Волшебным городом (*порт.*)

Они предоставили заботу о своем автомобиле вышедшему слуге и вошли в отель. Под стать всему кварталу, гостиница отличалась вычурной роскошью, вестибюль был со вкусом обставлен мебелью 50—60-х годов, и Никки с Себастьяном показалось, что они стали участниками сериала «Безумцы».

Их окутала атмосфера покоя и уюта: английский кирпич, тихая музыка, мягкие диванчики, старинный книжный шкаф. Но им было не до уюта, они торопливо подошли к стойке из какого-то тропического дерева и зарегистрировались под именами Констанс Лагранж и Николя Босари.

В номере они пробыли недолго, успели только привести себя в порядок и заметить с балкона мощные волны, которые накатывали на пляж. В отельной брошюрке утверждалось, что слово «Ипанема» индейского происхождения и означает «опасные воды». Никки и Себастьян решили не придавать значения этой информации и не считать это дурным предзнаменованием. Они вышли из номера и отправились на поиски «девушки с пляжа Ипанема».

Едва они оказались на улице, на них обрушился зной, запах выхлопных газов и дорожный шум. Нескончаемый поток джоггеров, скутеристов и велосипедистов оспаривал тротуар у пешеходов. На набережной царили еще и торговцы-разносчики, которые, перекрикивая друг друга, соревновались в шутках, стараясь привлечь внимание прохожих. Одни, держа в руках бидоны со льдом, другие, сидя на порогах своих хижин, предлагали кокосовое молоко, матэ, арбузы, золотистые кексы, хрустящее кокосовое печенье, мясо на вертеле, распространявшее по всей улице соблазнительный пряный аромат.

Чета американцев спустилась по небольшой лестнице с набережной на пляж. Еще роскошнее, чем соседний пляж Копакабана, Ипанема предлагала трехкилометровую ленту белого песка, жаркого и слепящего. Был час обеда, и народу на пляже было полным-полно. Сверкающий океан мощно швырял на песок пенистые, переливающиеся радугой волны. Никки и Себастьян миновали границу гостиничного пляжа и двинулись дальше, ища глазами бар, где работает Флавия.

Через каждые семьсот метров высились башенки постов спасателей. Эти башенки служат для купальщиков ориентирами и местом встреч. Пост №8 с радужным флагом служил, похоже, местом встреч для геев. Никки и Себастьян прошли мимо него и продолжили свои поиски. Океан обдавал их водяной пылью. Вдали манили острова Гагарос, сияющие тысячью огней, и силуэт гор-близнецов, тех самых «Двух братьев», которых они недавно видели на фотографии.

Они упорно продолжали идти по пляжу, пробираясь между игроками в футбол и пляжный волейбол. Из-за обилия купальщиков пляж напоминал подиум с коллекциями нижнего белья и купальников. Ипанема дышала чувственностью. Воздух насыщала эротика. Гибкие, с пышными формами купальщицы в узких бикини выставляли напоказ высокую грудь и покачивали бедрами, а бронзовые мускулистые серфингисты любовались ими.

Гийом Мюссо

Никки и Себастьян добрались до поста №9, судя по всему, самой элитной части пляжа, где собиралась золотая молодежь Рио.

— А мы, — решительно заявила Никки, — ищем прекрасную полуобнаженную блондинку по имени Флавия, которая подает коктейли в баре под названием...

— «Кашаса», — подсказал Себастьян, указывая на красивый павильон.

Они направились к бару. «Кашаса» — элитное пляжное заведение, где богатая публика в парео с брендами и темных очках-стрекозах потягивает мохито за 60 реалов, слушая ремиксы басановы и разглядывая официанток, а те все как на подбор: двадцати лет, фигуры манекенщиц, мини-шорты, макси-декольте.

— Hello! My name is Betina. May I help you?[1] — обратилось к американцам одно из этих удивительных созданий.

— Мы ищем одну девушку, — объяснила Никки, — ее зовут Флавия.

— Флавию? Да, она здесь работает, но сегодня ее нет.

— А вы не знаете, где она живет?

— Нет, но могу узнать.

Девушка подозвала одну из товарок, еще одну куклу Барби со светлыми волосами, светлыми глазами и сияющей улыбкой, и сказала:

— Познакомьтесь, это Кристина, она живет в одном квартале с Флавией.

---

[1] Привет, меня зовут Бетина. Могу я вам чем-нибудь помочь? (*англ.*)

Юная бразильянка поздоровалась. Несмотря на красоту, в ней чувствовалось что-то грустное и щемящее. Воздушная сильфида, лишенная жизненных сил.

— Флавия уже три дня не выходит на работу, — сообщила она.

— А вы не знаете, по какой причине?

— Нет, не знаю. Обычно мы ходим вместе, потому что у нас одинаковый график. Но сейчас ее нет дома.

— А где она живет?

Девушка махнула рукой в сторону холмов.

— У своих родителей, в Росинье.

— А вы не пробовали ей позвонить?

— Пробовала, но попадала на автоответчик.

Никки достала из бумажника фотографию Джереми.

— Вы не видели здесь этого мальчика? — спросила она, показав девушке снимок.

Девушка покачала головой.

— Нет, но вы знаете, за Флавией не уследишь, у нее то один, то другой...

— А вы не могли бы дать нам ее адрес? Мы хотели бы поговорить с ее родителями.

Лицо юной бразильянки выразило сомнение.

— Росинья — квартал, не подходящий для туристов. Одним вам туда нельзя.

Себастьян вновь потребовал адрес, но девушка стояла на своем.

— В таком случае не могли бы вы нас туда проводить? — предложила Никки.

Девушке такое предложение не показалось заманчивым.

— Нет, это никак не возможно, я только начала свою смену.

— Мы очень вас просим, Кристина. Мы оплатим ваш рабочий день. Ведь Флавия ваша подруга, вы должны ей помочь.

Последний довод подействовал. Кристина почувствовала что-то вроде вины перед подругой.

— Хорошо, я попробую. Подождите меня.

И пошла отпрашиваться, очевидно, у начальника, молодого человека в обтягивающей майке, который пил кайпиринхас[1] вместе с посетителем вдвое старше его.

— Все в порядке, — сообщила она, вернувшись. — Вы на машине?

57

Грузный «Лендровер» с легкостью поднимался по вьющейся серпантином дороге, ведущей к фавеле. Себастьян вел машину, четко следуя всем указаниям Кристины. Сидя на переднем сиденье, юная бразильянка стала работать навигатором, как только они отъехали от пляжа. «Лендровер» миновал роскошные жилые комплексы южного квартала и выехал на автостраду Гавеа — узкое шоссе, единственное, которое, змеясь по холму, вело в самую обширную фавелу Рио.

Как и большинство бедных кварталов, фавела Росинья карабкалась по склону *morro*, огромного холма, одного из тех, что окружают Рио. Никки

---

[1] Крепкий напиток из качаки (бразильской водки), лайма и сахарного тростника.

приникла к окну, разглядывая сотни лачужек, прилепившихся к холму. Сложный лабиринт из охристого кирпича, казалось, в любую секунду может поползти вниз.

По мере того как машина удалялась от «асфальта»[1], все явственнее обнаруживался парадокс Рио: самыми красивыми видами города можно было любоваться из самых бедных кварталов. Труднодоступное орлиное гнездо открывало фантастическую панараму пляжей Леблон и Ипанема. И не только. Возвышаясь над цитаделью, фавела представляла собой великолепный наблюдательный пункт за нижним городом, чем и объясняется то, что наркоторговцы облюбовали ее в качестве генерального штаба.

Себастьян дал задний ход. Уже близок въезд в фавелу, но дорога закрутилась улиткой и закупорила въезд. Только стареньким мотороллерам и фыркающим мототакси удавалось пробраться по ней.

— Лучше остановиться здесь, — посоветовала Кристина.

Себастьян припарковал машину на обочине. Все трое вылезли из внедорожника и пешком прошли ту сотню метров, которая еще оставалась до Росиньи.

На первый взгляд фавела не производила впечатления той беспросветной нищеты, о которой пишут в туристических путеводителях. Никки и Се-

---

[1] В Рио противопоставляют богатые приморские кварталы, расположенные на ровной местности, называя их «асфальтом», кварталам бедняков «моррос» — фавелам, ютящимся по склонам холмов.

бастьян приготовились очутиться в темных и мрачных закоулках, а оказались на городской окраине, где живет простонародье. Чистые улицы, бетонные домики с водопроводом, электричеством и телевизионными антеннами. В домиках иной раз даже по три этажа, и все покрыты графити. Яркие рисунки на стенах вносят ноту радости и хорошего настроения.

— В Рио каждый пятый житель живет в фавеле, — объяснила Кристина. — Большинство тех, кто здесь живет, честно зарабатывают на жизнь: работают кормилицами, помощницами по хозяйству, медсестрами, водителями автобусов, даже учителями...

Никки и Себастьян узнали пряный запах мяса на вертелах и кукурузы, с которым уже познакомились на пляже. Оживления меньше, больше лени — атмосфера более спокойная. Из домов несется оглушительная музыка, все слушают байле-фанк[1]. На главной улице мальчишки гоняют мяч, считая себя Неймарами[2]. Мужчины всех возрастов сидят на террасах кафе, потягивая из бутылок пиво «Бамберг», а женщины, порой совсем юные, возятся с младенцами или болтают, сидя у окон.

— Недавно у нас побывали солдаты и полиция, — извиняющимся тоном сообщила Кристина, когда они проходили мимо огромной пестрой фрески, изрешеченной пулями.

Вскоре они покинули центральные улицы и углубились в путаницу крутых узких улочек, похожую

[1] Смесь фанка и рэпа с крепкими словцами, типичными для народных кварталов Рио.

[2] Неймар да Силва — бразильский футболист.

на лабиринт из лестниц. Мало-помалу атмосфера изменилась, теперь фавела выглядела куда менее привлекательной. Дома больше походили на сара-юшки, сколоченные из обломков кораблекруше-ния. Возле дверей груды мусора. Над головами об-висшие допотопные электрические провода. Никки и Себастьян, обеспокоенные и напряженные, с тру-дом пробирались сквозь толпу облепивших их ре-бятишек, клянчащих милостыню.

— Муниципалитет обычно следит за чистотой только на главных улицах, — пояснила Кристина.

Трио под предводительством юной официантки замедлило шаг, пропуская вереницу крыс. Спустя пять минут они перевалили на другую сторону хол-ма, где лачуги стали еще более жалкими.

— Мы пришли, — объявила Кристина и постуча-ла в окно лачужки, которая готова была рассыпать-ся на глазах.

Ждать пришлось недолго, дверь открыла старая сгорбленная женщина.

— Мать Флавии, — пояснила Кристина.

— Bon dia, Senhora Fontana. Voce ja viu Flavia?[1]

— Ola, Cristina[2], — поздоровалась старуха и что-то ответила, по-прежнему стоя у полуоткрытой двери.

Кристина повернулась к американцам и пере-вела:

— Госпожа Фонтана ничего не знает о дочери вот уже два дня и...

Девушка не успела закончить фразу, потому что старуха снова заговорила. Не понимая ни слова по-

---

[1] Добрый день, сеньра Фонтана. Могу я увидеть Флавию? (*порт.*)

[2] Привет, Кристина (*порт.*).

португальски, Никки и Себастьян вынуждены были присутствовать немыми свидетелями при беседе двух бразильянок.

«Как может быть эта старуха матерью двадцатилетней девушки?» — недоумевала Никки, рассматривая старую бразильянку. Изрытое глубокими морщинами лицо говорило о жизни в постоянном страхе, о недоедании и недосыпе. На вид старухе было не меньше семидесяти. Она то и дело жалобно вздыхала и, судя по остановкам, говорила отрывочно и бессвязно.

Кристина вынуждена была прервать ее и перевела:

— Она говорит, что в начале недели Флавия привела к ним в дом молодого американца и его сестру.

Никки открыла бумажник и протянула старухе фотографию близнецов.

— Eles sao os unicos! Eles sao os unicos![1] — узнала старуха.

Сердце у Себастьяна бешено забилось. Наконец-то они у цели!

— Куда они отправились? — торопливо спросил он.

Кристина перевела его вопрос, а потом ответ.

— Позавчера на рассвете к ним явились вооруженные люди. И увели с собой Флавию и ваших детей.

— Вооруженные люди? Кто они?

— Os Seringueiros! — закричала старуха. — Os Seringueiros![2]

---

[1] Те самые (*порт.*).
[2] Сборщики! Сборщики! (*порт.*)

Никки и Себастьян вопросительно смотрели на Кристину.

— Серингейрос, сборщики, — недоуменно проговорила та. — Я не знаю, о ком идет речь.

Крики старухи привлекли внимание соседей. Кумушки оставили свои телесериалы и, свесившись из окон, приготовились наслаждаться уличным спектаклем. Появились хмурые мужчины и разогнали ребятишек, готовясь разузнать, что здесь происходит.

Кристина обменялась еще несколькими словами со старухой.

— Она согласна показать вам комнату Флавии, — объявила она. — Кажется, ваши дети оставили у нее свои вещи.

Никки и Себастьян с колотящимся сердцем вошли вслед за старухой в лачугу. Внутри она оказалась ничуть не лучше, чем снаружи. Кое-как сколоченные фанерные щиты служили перегородками. Комнатой Флавии был закуток, который она делила с кем-то еще, так как там стояло две кровати. На одной лежал бежевый кожаный рюкзак Камиллы, который она обычно брала с собой в путешествия. Дрожащими руками Себастьян взялся за него и вытряхнул на кровать все, что там было: джинсы, две майки, белье, косметичка. Ничего интересного, кроме... Кроме мобильника! Он попытался включить его, но телефон разрядился, а зарядки в рюкзаке не оказалось. Крайне огорченный Себастьян сунул мобильник в карман, собираясь заняться им позже. В любом случае они вышли на верную дорогу. Камилла и Джереми все-таки добрались до Бразилии и пришли в эту лачугу вместе с юной Флавией, а потом их похитили неведомые «Серингей-рос».

Старуха внезапно громко заголосила. Она крича-ла, плакала, воздевала руки к небу, призывая в сви-детели Господа Бога, сжимала кулаки. На улице ат-мосфера тоже потихоньку накалялась. Соседей, хоть они и не имели к делу никакого отношения, объединило удовольствие подливать масла в огонь. Перед лачугой росла толпа. Люди были настроены враждебно, американцы кожей ощущали их недо-вольство. Нет, они не были желанными гостями в этом квартале.

И вдруг старуха прямо обратилась к своим го-стям.

Кристина перевела:

— Она говорит, что Флавию увели из-за ваших детей. Она обвиняет вас в том, что вы навлекли на ее дом несчастье.

Враждебность росла на глазах. Какой-то подвы-пивший фавеладо толкнул Никки. Себастьяну выва-лили из окна под ноги гору очистков.

— Я попробую их успокоить. Уходите. Я вернусь сама, без машины, — торопливо проговорила Кристи-на.

— Спасибо, Кристина, но...

— Уходите! — повторила та. — Вы даже не пред-ставляете, какая опасность вам грозит!

Никки и Себастьян, кивнув, подчинились юной бразильянке. Развернулись и пошли по улице. Вслед им летели угрозы и ругательства. Жители квартала двинулись за ними следом. Никки и Себа-стьян ускоряли и ускоряли шаг, они уже почти бежа-ли, стараясь не заплутать в лабиринте узких, кру-

тых и кривых улочек. Преследователи отстали,
только когда они выбрались за пределы фавелы.
Добравшись до поворота дороги, где стояла их машина, они обнаружили, что машина исчезла.

58

Жара, пыль, усталость, страх.

Никки и Себастьян шли не меньше часа под па-
лящим солнцем, прежде чем нашли такси. Увидев
их безвыходное положение, шофер потребовал 200
реалов за то, чтобы довезти их до гостиницы. Когда они наконец закрыли за собой дверь номера,
они были вымотаны до предела и истекали потом.

Пока Никки принимала душ, Себастьян позвонил на ресепшн и попросил, чтобы ему принесли
зарядку, он хотел зарядить мобильник Камиллы.
Через пять минут мальчик принес. Себастьян подключил мобильник, потом попробовал включить,
но батарейка была на нуле, пришлось ждать.

Себастьян, расхаживая по комнате, едва не грыз
ногти от нетерпения. Кондиционер, обдувая ледяным ветром, немного остужал его пыл. И вот наконец можно снова попробовать включить мобильник! Себастьян взял его и набрал секретный код,
поздравив себя с тем, что он ему известен. Полгода
слежки за любимой дочерью сегодня принесли бла-
гой результат. Внезапно он почувствовал острую
боль в груди. Длинный путь под нещадным солнцем
не прошел для него даром — все раны и ушибы дали
о себе знать. Боль скрутила Себастьяна, отдаваясь
в поясницу и в голову. Тело вспомнило кулаки Юсу-

фа и его подручных. Подняв глаза, Себастьян увидел свое отражение в зеркале. Оно ему не понравилось. Всклокоченная борода, слипшиеся от пота волосы, лихорадочно блестящие глаза. Потемневшая от пыли влажная рубашка липла к коже. Он отвернулся от зеркала и толкнул дверь в ванную.

Завернувшись в полотенце, Никки как раз выходила из-под душа. Мокрые пряди, перепутавшись, рассыпались по плечам и были похожи на лианы. При виде Себастьяна она невольно вздрогнула. Себастьян приготовился к граду упреков: «Что за бесцеремонность! Изволь стучаться! Ты не у себя дома!» Но Никки молчала. Она сделала шаг к нему и смотрела, не сводя глаз.

Глаза у нее были зеленые, они мерцали, таинственно поблескивая, притягивали к себе, вбирали. Легкий туман в душевой подчеркивал молочную белизну ее кожи, чуть сбрызнутую, словно звездной пылью, золотом веснушек.

Себастьян жадно обнял ее и прижался губами к ее губам, полотенце соскользнуло на пол, обнажив тело Никки.

Она не противилась страстному поцелую, она отвечала на него. Страстное желание охватило Себастьяна, оно было едким и жгучим и раздирало все нутро. Их дыхание перемешалось, он вновь ощутил сладкий вкус ее губ, мятную прохладу кожи. Прошлое затопило настоящее. Давние чувства обрели новую свежесть, воскресив рой противоречивых воспоминаний, загоравшихся мерцающими вспышками.

Воспоминания притягивались, отталкивались, создавая мучительное кипение. Восторг смешивался со страхом, желанию остаться препятствовало желание бежать. Мускулы у обоих напряглись, сердца колотились. Головокружитслный полет помог им расправиться с запретами, развязать узлы, которые долгие годы мучили обоих, угнетая обидами и горечью. С каждой секундой они становились свободнее, самозабвеннее, безогляднее и...

Серебристый мелодичный звук достиг их ушей, и они разомкнули объятия.

Мобильный Камиллы!

Сигнал сообщил, что пришла эсэмэска, мгновенно вернув их в реальность.

Оба опомнились, пришли в себя. Себастьян застегнул рубашку. Никки подобрала полотенце. Они опрометью бросились в комнату и присели возле телефона. Телефон сообщил о получении двух фотографий. Отправленные фотографии стали медленно проявляться на экране.

Крупным планом Камилла и Джереми, связанные, с заткнутыми ртами.

С того же номера третье послание вопрошало:

«Вы хотите увидеть ваших детей живыми?»

Родители в ужасе посмотрели друг на друга. Никто из них еще не успел протянуть руку к клавиатуре, как пришло следующее послание:

«Да или нет?»

Никки поспешно набрала:

«Да!»

Виртуальная беседа продолжилась:

«В таком случае встреча в 3 часа утра в торговом порту Манауса, в свайном городке. Приходите с картой. Одни. Никому ни слова. Иначе...»

313

— С картой? С какой картой? Что они имеют в виду? — вскричал Себастьян.

Никки набрала на клавиатуре:

— С какой картой?

Ответ заставил себя ждать. Долго. Слишком долго. Застыв от ужаса, Никки и Себастьян сидели, не шевелясь, в призрачном свете сумерек, затопивших комнату. Спускался вечер. Небо, пляж, дома тонули в разноцветном океане света, от бледно-розового до ярко-алого. Прождав еще две минуты, Никки повторила вопрос:

«О какой карте вы говорите?»

И снова потянулись секунды. Затаив дыхание, родители ждали ответа, а он все не приходил. Внезапно с пляжа донесся оглушительный шум аплодисментов — каждый вечер туристы и местные жители провожали аплодисментами солнце, которое пряталось за «Двумя братьями». Замечательный обычай — благодарность щедрому светилу за хороший день.

Себастьян еще раз набрал номер, который не отвечал, и снова звонок повис в пустоте. Совершенно очевидно, они должны были знать то, чего не знали. Себастьян принялся размышлять вслух:

— Что они все-таки имели в виду? Пластиковую карту? Какую? Банковскую? Географическую? Почтовую открытку?

Никки уже развернула на постели карту Бразилии, которую отель предоставлял в распоряжение каждого клиента. И поставила ручкой крестик на месте назначенного им похитителями свидания. Манаус самый большой город в Амазонии, городские дома посреди самого обширного на земле леса, находящегося в трех тысячах километров от Рио.

Себастьян взглянул на настенные часы. Почти восемь вечера. Как им успеть в Манаус к трем ночи?

И все-таки он позвонил на ресепшн и спросил, когда ближайший самолет из Рио в столицу амазонских дебрей.

Через несколько минут дежурный сообщил, что ближайший самолет улетает в 22 часа 38 минут.

Они тут же заказали два билета и такси, которое должно было доставить их в аэропорт.

59

«Boa noite senhores e senhores[1]. Вас приветствует командир корабля Жозе Луис Мачадо. Я рад приветствовать вас на борту нашего аэробуса А320, который летит в Манаус. Время полета — четыре часа пятнадцать минут. Посадка завершена. Вылет, предусмотренный на двадцать два часа тридцать восемь минут, задержался на тридцать минут по причине...»

Никки вздохнула и посмотрела в иллюминатор. Готовясь к будущим спортивным играм, работники аэропорта вели в терминале, предназначенном для внутренних перелетов, активные ремонтные работы. Из-за них возле рулежных дорожек в ожидании команды к вылету выстроилась очередь транспортных самолетов.

Включился условный рефлекс, и Никки, прикрыв глаза, вдела в уши наушники. За последние

---

[1] Добрый вечер, сеньоры и сеньорины (*порт.*).

315

три дня она в третий раз летела на самолете, и ее тошнотное отвращение не только не уменьшалось, а, напротив, с каждым разом только возрастало. Чтобы оглушить себя музыкой, она включила плеер на максимальную громкость. Голова раскалывалась от сумасшедшего мелькания мыслей, картинок. Усталость и нервное напряжение всех этих дней не могли не сказаться на душевном состоянии Никки, все сплелось в мучительный клубок: искра, пробежавшая между ней и Себастьяном, неведомая опасность, грозящая детям, страх перед тем, что их ждет в Амазонии.

Самолет все не взлетал, и Никки открыла глаза. Ее удивила музыка, которая зазвучала в наушниках. Она узнала мелодию. Коктейль электроинструментов и бразильского хип-хопа. Музыка, которая оглушала их в фавеле. Бразильский байле-фанк, доносившийся изо всех окон в Росинье. Местная музыка... Она нажала меню, перед глазами побежали названия: самба, босанова, регги с португальскими названиями. У нее в руках чужой айпод. Это не айпод Джереми! Как же она сразу этого не заметила?

Никки в волнении сняла наушники и прошлась по иконкам айпода: музыка, видео, фото, игры, контакты... Ничего интересного. Но вот она открыла последнюю, немалого объема папку в PDF...

— Похоже, я набрела на что-то очень важное, — сообщила она Себастьяну, показывая свою находку.

Он взглянул на экран, но тот был слишком маленьким, названия файлов не читались.

— Хорошо бы подсоединить его к компьютеру, — вздохнул он.

Себастьян отстегнул ремень безопасности и двинулся по проходу. Через несколько рядов он увидел пассажира с ноутбуком. Ему удалось уговорить его одолжить ноутбук на несколько минут. Вернувшись на свое место, Себастьян подключил айпод к ноутбуку. Вернулся на файл в PDF и кликнул, чтобы открыть.

Возникшие фотографии ошеломили их. На первой — корпус моноплана с пропеллером среди амазонских джунглей. Судя по всему, самолет упал и разбился. Себастьян кликнул еще раз, и появился следующий снимок. Все фотографии, очевидно, были сделаны с мобильника, качество не слишком хорошее, тем не менее можно было отчетливо различить двухмоторный самолет, скорее всего, «Дуглас DC-3». В детстве Себастьян склеил не одну модель знаменитого самолета. Железная птица, главный самолет Второй мировой войны, веха мировой авиации. На какие только фронты не доставлял он солдат — в Индокитай, Северную Африку, Вьетнам... А потом его отправили в гражданскую авиацию. Выносливый, прочный, легкий в управлении, налетав уже не одну тысячу миль, он продолжал летать в Южной Америке, Африке и Азии.

У этого, приземлившегося на брюхо, «Дугласа» сильно пострадал нос. Из-за вынужденной посадки вся кабина была разбита. Повреждены крылья. Лопасти пропеллера запутались в лианах. Только фюзеляж, в середине которого находилась дверь, остался почти невредимым.

Следующая фотография выглядела устрашающе. Два мертвых тела — пилот и его помощник. Комбинезоны почернели от крови, лица — кровавое месиво.

Себастьян вызвал кликом следующую фотографию. Фотография салона самолета. Самолет грузовой. Вместо пассажирских сидений громоздятся друг на друга деревянные ящики и открытые металлические контейнеры с крупнокалиберными винтовками и автоматами. И еще... Невероятное количество кокаина. Сотни прямоугольных пакетов из прозрачного пластика, заклеенных липкой лентой. Сколько их тут? Четыреста кило? Пятьсот? Трудно сказать. Но стоимость этого груза наверняка не меньше нескольких десятков миллионов долларов. Следующие снимки были не менее красноречивы. Автор сфотографировал и себя тоже, держа телефон в вытянутой руке. Здоровенная орясина лет тридцати с дредами на голове. Лицо изможденное, с многодневной щетиной, мокрое от пота, но лучится восторгом. Глаза, налитые кровью, блестят, зрачки расширены. Сразу видно, здорово нанюхался. В ушах наушники, огромный рюкзак и фляга на поясе бермудов. Нет никаких сомнений: этот человек нашел самолет в джунглях не случайно.

— Самолет пошел на посадку, сеньор. Будьте добры, пристегните ремень и выключите компьютер.

Себастьян поднял глаза и кивнул, успокаивая стюардессу, которая специально подошла к нему. Но сам продолжал лихорадочно кликать фотографии, торопясь узнать конец этой истории. На последних страницах файла обнаружилась сначала спутниковая карта амазонских джунглей, потом карта в масштабе для навигатора GPS, а также подробное описание маршрута, чтобы найти упавший самолет.

«Вот уж точно, карта острова сокровищ...»

— Мы нашли карту, которую нас просили привезти! Именно ее они и искали с самого начала!

Никки уже все поняла. У них оставались считаные минуты, и она торопливо фотографировала все, что видела на экране компьютера: самолет, карту, странного парня с дредами.

— Что ты делаешь?

— Хочу немедленно отправить всю эту информацию Констанс. Может быть, ей удастся определить, кто такие эти наркоторговцы.

Самолет приближался к посадочной полосе. Снова подошла стюардесса и грозно потребовала выключить компьютер и телефон.

Но Никки все-таки ухитрилась отправить фотографии, которые успела заснять, на электронный адрес Констанс.

И воспользовавшись тем, что Себастьян препирался с бортпроводницей, прибавила к электронному адресу Констанс еще и адрес Сантоса.

60

Шел уже десятый час, когда самолет, на котором летел Лоренцо Сантос, приземлился в маленьком аэропорту Риу Бранку. Сантосу понадобилось более тридцати часов, чтобы добраться до столицы штата Акри. Изнуряющий перелет с двумя пересадками в Сан-Паулу и Бразилиа, проведенный на узком сиденье, оплаченном по сниженной цене, в обществе крикливых спутников.

Стоя перед ползущей лентой транспортера, Сантос тер глаза, проклиная про себя дежурного по таможне, отправившего его чемодан на досмотр в камеру. Дожидаясь багажа, он включил телефон, чтобы проверить поступившие звонки, и увидел, что пришло сообщение от Никки.

Текст отсутствовал. Никаких пояснений. Только с десяток небольших фотографий. Но по мере того, как снимки один за другим появлялись на экране, Сантос чувствововал все возрастающее возбуждение. Он внимательно изучил каждую фотографию. Многое оставалось неясным, но понемногу пазлы стали складываться в его голове в общую картину, подтверждая интуитивные прозрения. Как он правильно сделал, что послушался внутреннего голоса и отправился в Бразилию!

Лоренцо почувствовал легкую дрожь в руках.

Возбуждение. Ощущение опасности. Страх. Жажда действий.

Любимый коктейль копов.

Он попытался связаться с Никки, и снова ее голосом ему ответил автоответчик. Но Лоренцо и так все понял. Готов был поспорить, что понял правильно. Никки просила его о помощи. Дожидаться чемодана он не стал. Он бросился искать терминал, откуда вылетают вертолеты. Соображал, как договориться с вертолетчиком. Наконец-то ветер удачи подул в его сторону! В эту ночь он одним ударом убьет двух зайцев: рванет вверх по служебной лестнице и завоюет сердце женщины, которую любит!

В то же самое время в Париже Констанс Лагранж работала как сумасшедшая. Она сидела за компьютером с самого утра и задействовала всех, кого только можно, чтобы помочь Лараби. Скопировав со страницы Саймона в Фейсбуке фотографии Флавии, она разослала их во все знакомые полицейские службы и получила сногсшибательную информацию.

Глаза устали. Констанс заморгала, пытаясь справиться с сухостью и резью, неизбежными спутниками сидения за компьютером. Взглянула на часы в правом углу экрана: три часа ночи. Что ж, пора сделать небольшую передышку. Констанс потянулась и отправилась на кухню, намазала нутеллой два куска мягкого хлеба и принялась завтракать, глядя в темный сад. Вкус шоколадного масла — вкус детства. Как сладко было туда вернуться. Дуновение октябрьского ветра в форточку освежило лицо. Констанс прикрыла глаза и внезапно почувствовала глубокий счастливый покой. Удивительное ощущение. Она такого не ожидала. Исчезли гнев, обида, страх неминуемой смерти. Она ощущала трепетание ветра, порывами влетавшего в форточку, запах осенних камелий. С удивительной полнотой она погрузилась в счастливую безмятежность. Страх отпустил ее, словно смерть перестала быть неизбежностью. Глупость? Абсурд? Может быть...

Металлическое звяканье сообщило, что пришло письмо по электронной почте.

Констанс открыла глаза и вернулась к компьютеру. Письмо пришло от Никки. Без текста. Констанс кликнула, чтобы открыть присоединенный файл. Фотография самолета, который разбился в амазонских джунглях, внутри самолета ящики с оружием: автоматы АК-47 и штурмовые винтовки М-16. Немереное количество кокаина. Хорошо подогретый турист. Карта Амазонии...

Еще три часа Констанс не отрывала глаз от экрана. Она разослала десятки мейлов по своей сети, чтобы заставить присланные фотографии заговорить. Стрелки подошли к половине седьмого утра, когда зазвонил телефон.

Звонила Никки.

61

Островок бетона в сердце Амазонии.

Город Манаус на северо-востоке Бразилии раскинул среди джунглей свои каменные щупальца-улицы.

После четырех часов полета Никки и Себастьян вошли в холл аэропорта. Отбились от своры таксистов-частников, которая набрасывалась на каждого из возможных клиентов в зале для получения багажа, и обратились в окошко официальных компаний, купив купон и зарезервировав за собой машину.

Шел дождь.

Они вышли на улицу, и их облепил влажный горячий воздух. Дождевая вода смешивалась с пылью, испарениями, вонью отбросов. Вздохнуть полной грудью этим влажным густым нечистым воздухом было невозможно. Они встали в очередь на такси, предъявили купон служащему компании, и он подвел их к «Мерседесу 240D», модели семидесятых годов.

В салоне пахло какой-то прокислой затхлостью. Запах тухлых яиц, сероводорода, рвоты. Они поспешили открыть окна и только тогда сообщили маршрут шоферу, молодому белозубому метису с черными прямыми волосами. Его желтая с зеленым майка выдавала пристрастие к «Селесао», знаменитой футбольной команде. Радио во всю мощь орало «Макарену». Оглушительно. Невыносимо.

Никки включила телефон и попыталась связаться с Францией, в то время как Себастьян настоятельно потребовал от шофера сделать радио потише. После нескольких неудачных попыток Констанс наконец взяла трубку. Никки в нескольких словах ввела ее в курс дела.

— Я нарыла немало информации, — сообщила Констанс, — но она вас не порадует.

— У нас очень мало времени, — предупредила Никки и включила громкую связь, чтобы Себастьян тоже мог услышать все, что сообщит молодой капитан полицейской службы.

— Слушайте внимательно. Я разослала фотографии Флавии по всем адресам своей записной книжки. И очень скоро получила сообщение от моего коллеги из Центрального управления по борьбе с нелегальным оборотом наркотиков. Он узнал девушку на фотографии. Ее имя вовсе не Флавия. Это София Кардоса, известная также под кличкой Наркобарби. Она единственная дочь Пабло Кардосы, могущественного бразильского наркобарона, главы картеля «Серингейрос».

Потрясенные Никки и Себастьян обменялись
взглядами. В Рио они уже слышали это название...

— Вот уже месяц, как Пабло Кардоса находится в
федеральной тюрьме строгого режима, — продолжала Констанс. — В результате огромной работы,
проделанной бразильской полицией и властями,
картель был уничтожен, но так называемая «Флавия» претендует на то, чтобы взять в свои руки бра-
зды правления и управлять империей отца. Работа
подавальщицей на пляже Ипанема не более чем
ширма. Она никогда не жила в фавеле. Ваше путешествие по кварталу Росинья не что иное, как спектакль.

Несмотря на отвратительный запах, Никки закрыла окно, чтобы лучше слышать. Жара невыно-
симая. Влажным и жарким воздухом невозможно
дышать, так он загрязнен. Безликие тощие небоскребы выстроились рядом с помпезными построй-
ками прошлых времен, свидетелями расцвета столицы Амазонии, когда она была мировой столицей
каучука. Поздняя ночь, но улицы ярко освещены и
полны народа.

— Что это за самолет? — спросила Никки.

— Я показала снимки самолета своему коллеге из
Центрального управления. У него нет никаких сомнений: самолет принадлежит картелю, наркотики
везли из Боливии. Вес где-то от четырехсот до пятисот килограммов чистого кокаина на сумму примерно 50 миллионов долларов. Самолет потерпел
аварию в воздухе, а потом упал в джунгли. Произошло это недели две или три назад. Начиная с этого времени Флавия и те члены картеля, что оста-

лись на свободе, должны были активно его разыскивать.

— Неужели так трудно найти такой большой самолет? — удивился Себастьян.

— В Амазонии безусловно. Даже следя за полетом, бывает невозможно найти место, куда он упал. В амазонских джунглях нет дорог, они труднодоступны, непроходимы. У этого самолета явно не было сигнальных ракет, оповещающих о бедствии. Я просмотрела материалы и могу сказать, что бразильские военные потратили больше месяца, прежде чем отыскали самолет «Сесна» Красного Креста, который упал в джунгли. Напасть на его след помогло индейское племя. — Француженка несколько секунд помолчала, потом продолжила: — Но самое удивительное — это человек, который нашел самолет.

— Не поняла.

— Фотографии самолета были сделаны с мобильного телефона, — пояснила Констанс. — Судя по походной одежде, которую можно заметить на снимке, парня можно принять за путешественника, который случайно набрел на место катастрофы. Но мне кажется, это не так. Уверена, он искал самолет и опередил людей из картеля. Уверена, он был один, так как снимки сделаны с вытянутой руки. На нем майка с американской символикой, так что он не бразилец. На всякий случай я заглянула в базу данных Интерпола. Держитесь крепче: нью-йоркская полиция разыскивает этого типа вот уже пять лет. Он исчез из Бруклина, получив солидный срок тюрьмы. Его зовут Мемфис Декер, это брат Дрейка Декера, владельца «Бумеранга».

Изумленные Никки и Себастьян жадно впитывали информацию Констанс. Покинув территорию аэропорта, их такси, не сворачивая, мчало по авеню Константино Нери, улице, которая была своего рода визитной карточкой города и соединяла северо-восток Манауса с портом, проходя через исторический центр. Внезапно машина свернула, сделала петлю и поехала по гудронному шоссе вдоль длинной череды дебаркадеров. Нависая над черными водами Риу-Негру, огромный порт Манауса тянулся насколько хватало глаз.

— Человек, который нашел самолет, брат Дрейка Декера? Вы уверены? — переспросил Себастьян.

— Абсолютно, — подтвердила Констанс. — Он перенес все фотографии и карту на свой айпод и передал его своему брату в Нью-Йорк. Дрейк не нашел ничего лучшего, как хранить его в чемоданчике с фишками, который украл Джереми.

— А вы знаете, где сейчас этот Мемфис? — осведомилась Никки.

— Знаю. На кладбище. Его труп нашли на автомобильной стоянке в Каори, небольшом городке на берегу Амазонки. Судя по полицейскому рапорту, на изувеченном теле были следы пыток.

— Люди Флавии?

— Безусловно. Они выбивали из него точное местоположение самолета.

Такси ехало мимо первой пристани, где стояли огромные пароходы с множеством разноцветных гамаков на палубах. Потом машина поехала вдоль пристани с грузовыми пароходами, отправлявшимися в самые крупные города бассейна Амазонки — Белем, Икитос, Сантарем, Боа Виста, — и, наконец, выехала к гигантскому крытому рынку. Монументальные металлические конструкции, поддерживающие крышу, и бесконечные ряды прилавков, заваленных рыбой, лечебными растениями, говядиной, тропическими фруктами, кожей. Во влажном воздухе стоит запах маниоки. Пестрый, старозаветный «амазонский Рунжи» кипит оживлением. Множество рыбаков теснится у прилавков, вываливая из корзин трепещущую рыбу.

Такси едет дальше вдоль проржавевших причалов, а Себастьян трет себе виски, пытаясь мысленно восстановить ход событий. Убив Мемфиса, люди картеля послали одного из своих — это и был, без сомнения, тот самый «маори» — для разговора с Дрейком Декером. Дрейк, которого «маори» чудовищно пытал, вынужден был признаться, что айпод украл у него паренек по имени Джереми. Как выяснил Саймон, ни фамилии, ни адреса Джереми Дрейк не знал. Ему известно было только имя да еще название группы «Шутерз», фанатом которой был Джереми и носил майки с их символикой. И вот через страничку этой группы на Фейсбуке Флавии удалось разыскать Джереми и очаровать его в надежде, что он приедет в Бразилию и привезет с собой айпод...

Безумный план. Коварный план. План, достойный Макиавелли.

— Aqui e cidade a beira do lago[1], — предупредил шофер, когда ангары и контейнеры стали уступать место жалкого вида лачугам.

---

[1] Вот и город на берегу озера (*порт.*).

Квартал на берегу черной воды был сродни фавеле. Странные лачуги на деревянных сваях, покрытые толем и шифером. Клоака с жирной липкой грязью, готовой каждую секунду утопить машину.

— Вынуждена прервать разговор, Констанс. Спасибо за помощь!

— Не ездите на встречу, Никки! Это безумие. Вы не знаете, на что способны эти люди!

— У меня нет выбора, Констанс! У них мои дети!

Констанс секунду помолчала, потом с нажимом проговорила:

— Если вы сообщите им, где находится самолет, они в ту же минуту убьют вас и ваших детей. Можете не сомневаться.

Не в силах больше ничего слышать, Никки нажала отбой. Она не мигая смотрела на мужа. Оба понимали, что настала последняя партия в игре, выиграть которую невозможно.

Шофер остановил машину, положил в карман плату за поездку и поспешил развернуться, чтобы как можно скорее уехать, оставив своих пассажиров среди вонючих трущоб. Никки и Себастьян застыли, не двигаясь, в темноте, в незнакомом месте. Им было страшно. Тьма. Сырой туман с реки, пропитавший все вокруг. Под ногами грязь. Неподалеку джунгли. Ровно в три часа два огромных «Хаммера» выскользнули из тьмы и остановились рядом. Ослепленные светом фар, Никки и Себастьян отпрянули, чтобы не быть раздавленными этими монстрами-вездеходами. Машины остановились с включенными моторами.

Открылись дверцы. Выскочили три крепких парня в камуфляже, в разгрузочных жилетах, со штурмовыми винтовками «Имбел» на плечах. Боевики на службе наркобизнеса.

В следующую минуту они вытащили из внедорожника Камиллу и Джереми, поставили рядом и взяли на прицел. Руки у ребят были связаны за спиной, рты замотаны изоляционной лентой.

При виде Камиллы и Джереми у Никки и Себастьяна подкатил ком к горлу. Внутренности свело. Сердце забухало, заняв всю грудную клетку. Добравшись до ада, они все-таки отыскали детей.

Живыми.

Надолго ли?

Юная тоненькая блондинка хлопнула дверцей «Хаммера» и торжествующе застыла в свете фар.

София Кардоса. Наркобарби.

Флавия.

62

Чарующая, вероломная, жестокая, как лезвие ножа.

Яркий свет фар осветил изящный силуэт Софии, выхваченный из молочного тумана. Грива светлых волос разметалась по плечам, глаза светятся стальным блеском.

— У вас есть кое-что, что принадлежит мне, — раздался в ночи ее голос.

Стоя в десяти метрах от Наркобарби, Никки и Себастьян не двинулись с места и ничего не ответили. Автоматический пистолет маслено блеснул в руках бразильянки. Она схватила Камиллу за волосы и приставила ей дуло «глока» к виску.

— Немедленно! Отдать мне карту, черт бы вас всех побрал!

Себастьян сделал шаг вперед, стараясь встретиться взглядом с Камиллой и хоть как-то успокоить ее. Под растрепанными ветром волосами он видел побелевшее от ужаса лицо дочери. Сам полумертвый от страха, он шепотом попросил Никки:

— Отдай ей айпод, отдай сейчас же!

Ветер, смешанный с дождем, трепал высокую траву на склоне.

— Я жду! — теряла терпение София. — Карта! И через две минуты вы со своими детьми отправитесь в Штаты!

Какая соблазнительная перспектива! Какое лживое обещание! Твердый голос Констанс звучал в ушах Никки: «Как только они получат координаты самолета, в следующую же минуту расправятся с вами и вашими детьми! Без промедления!»

Нужно было во что бы то ни стало выиграть время.

— У меня ее нет! — крикнула Никки.

Недоуменное молчание.

— Как это нет?

— Я ее уничтожила!

— Вы не могли пойти на такой риск! — возмутилась София.

— Получи вы карту, вам не было бы никакого резона сохранять нам жизнь!

Лицо Софии застыло ледяной маской. Кивком она приказала своим людям обыскать их. Все три боевика коршунами набросились на пленников, вывернули карманы, ощупали с ног до головы, но ничего не нашли.

— Но я знаю, где находится самолет, — громко объявила Никки, стараясь не стучать зубами от страха. — Я единственный человек, который может вас туда отвести.

София колебалась. В ее планы не входило отягощать себя заложниками. Но что она могла поделать? Разве был какой-то выбор? Целых две недели она надеялась, что пытки вот-вот развяжут язык Мемфиса Декера, но американец умер, так и не сообщив координаты самолета. Она потеряла много времени и теперь приперта к стене. София взглянула на часы, стараясь сохранить спокойствие. Уже пошел обратный отсчет времени. Каждая минута на вес золота. Риск, что полиция, а не они сами, найдет «Дуглас», возрастал с каждым часом.

— Leva-los![1] — крикнула она своим людям.

Охранники бросились к Лараби и потащили их с детьми к машинам. Никки и Себастьяна грубо запихнули на заднее сиденье одного внедорожника, детей — на заднее сиденье другого. Дверцы захлопнулись, и два вездехода умчались из портового квартала так же быстро, как появились.

Где-то с полчаса автомобили двигались на восток. Мчались с зажженными фарами сквозь кромешную тьму, выхватывая светом фар уходящие в стороны пустынные дороги, пока наконец не свернули на грязный проселок. Проселок огибал озеро и тянулся дальше по большому полю, где стоял в полной готовности импозантный вертолет «Блейк

---

[1] Заберите их (*порт.*)

Хоук». Как видно, наркодельцов с заложниками ждали. Едва все покинули машины, пилот запустил мотор, и лопасти винта начали вращаться. Под прицелом штурмовых винтовок семья Лараби двинулась к вертолету, за пленниками следовали Флавия с охранниками.

София надела шлем и уселась на сиденье рядом с пилотом.

— Tiramos![1] — приказала она.

Пилот кивнул. Он сориентировал вертолет по ветру и нажал на педаль, увеличивая скорость вращения винта. Вертолет оторвался от земли. София подождала, чтобы вертолет набрал высоту и скорость, и тогда обернулась к Никки.

— Куда летим? — спросила она жестко.

— По направлению к Тефе.

София пристально смотрела на сидящую перед ней женщину, ей хотелось казаться спокойной, но расширенные, подрагивающие зрачки выдавали раздражение и нетерпение. Никки не собиралась сообщать ничего лишнего. На протяжении всего полета в Рио-Манаус она тщательно изучала карту и путь, который вел к самолету, начиненному кокаином. Мысленно она разделила его на небольшие отрезки, с тем чтобы добираться до него как можно медленнее...

Сидя в хвосте вертолета, Себастьян не имел никакой возможности поговорить со своими детьми. Трое здоровенных охранников расположились

---

[1] Поехали! (*порт.*)

между ними таким образом, что они не могли даже видеть друг друга.

Второй час полета был уже на исходе, когда Себастьян ощутил первые неприятные симптомы. Подскочила температура, возникла тошнота и характерная ломота в ногах. Позвоночник одеревенел, затылок налился тяжестью, голова болела.

Что это? Неужели тропическая лихорадка? Себастьян вспомнил комаров, которые одолевали их в фавеле. Да, комары — главный переносчик заразы, но не слишком ли короткий инкубационный период? Или это он так реагирует на вертолет? Он вспомнил, что в самолете, когда они летели из Парижа в Рио, как раз перед ним сидел пассажир, которому стало плохо и он трясся от холода под пледом. Может, Себастьяну передалась эта гадость?

И что делать, если температура ползет вверх? А его самого трясет озноб? Себастьян подобрал ноги, сжался в комок и растирал себе руки и плечи, пытаясь согреться и молясь про себя, чтобы ему не стало хуже.

От Манауса до Тефе больше пятисот километров. Вертолету нужно не менее трех часов, чтобы преодолеть это расстояние, летя над нескончаемым морем джунглей, темно-зеленым пространством, простирающимся сколько хватает глаз. Во время полета София держала Никки рядом с собой, заставляя следить на экране за продвижением вертолета.

— Куда теперь? — спросила Наркобарби, когда на синем с розоватыми бликами небе появилось солнце.

Никки слегка отвернула рукав пуловера. Она, точно подросток, записала ручкой у себя на руке все буквы и цифры:

S 4 3 21

W 64 48 30

Никки хорошо запомнила урок Себастьяна. На замке тоже были цифры, обозначающие долготу и широту. Долгота, широта. Градусы, минуты, секунды.

София прищурилась и попросила пилота ввести данные в систему навигации.

«Блейк Хоук» летел еще с полчаса, немного изменив направление, а потом приземлился на небольшой лужайке посреди леса.

Пассажиры поспешно вышли из вертолета. Охранники вооружились мачете, флягами с водой, объемистыми рюкзаками. Пленникам надели наручники и тоже прицепили им на пояс по фляжке с водой. Теперь всем им предстоял нелегкий путь по девственным джунглям, куда они и углубились.

63

— Как ты, папа? Плохо тебе? — с беспокойством спрашивал Джереми.

Себастьян успокаивающе подмигивал сыну. Но тот только больше волновался, видя, что отец весь в поту, что его бьет дрожь, а лицо и шея покрылись красными пятнами.

Они продирались сквозь джунгли уже больше двух часов. Двое вооруженных мачете охранников прорубали дорогу, а третий шел, держа пленников на прицеле. Никки под присмотром Софии замыкала шествие. Наркобарби постоянно отслеживала новые данные, которые поступали в портативный GPS-навигатор. Никки, пользуясь тем, что находилась рядом с Софией, тоже поглядывала на экран навигатора и следила за продвижением группы. Если верить карте, которую она внимательно изучала в самолете, от упавшего «Дугласа» их отделяло еще много километров.

Теперь они были вдали от любой цивилизации, затерявшись в лабиринте девственных амазонских лесов. Здесь им всюду грозила опасность. Опасность представляли стволы деревьев, их корни, ямы, наполненные водой. Змеи и тарантулы. Усталость. Зной. Тучи комаров, которые жалили даже сквозь одежду.

Чем дальше они продвигались в глубь леса, тем враждебнее становилась растительность — толстые липкие лианы так и норовили опутать дерзких путников. Джунгли, чем-то напоминая Дантов котел, дрожали, дышали, хлюпали. Влажный горячий воздух был насыщен густыми испарениями плодоносящей земли.

Они продвигались словно по туннелю, так густо переплелись между собой ветки, и вдруг на джунгли обрушился тропический ливень. Дождь лил стеной, но Флавия не пожелала останавливаться. За двадцать минут он успел промочить землю насквозь. Продвигаться стало еще труднее.

После пяти часов пути, около полудня, группа сделала привал. Себастьян едва держался на ногах и боялся, что вот-вот потеряет сознание. В насыщенном влагой воздухе он задыхался. Всю свою воду он уже выпил и теперь изнывал от жажды. Камилла заметила, что отец хочет пить, и протянула ему свою фляжку, но Себастьян отказался.

Он привалился спиной к дереву и поднял голову, чтобы рассмотреть верхушку, до которой было метров сорок, не меньше. Там, в зеленом шатре, он увидел голубые просветы, и они подействовали на него успокаивающе. Далекие проблески рая.

Внезапно Себастьян почувствовал болезненный зуд: по руке ползла цепочка красных муравьев, забираясь все дальше, под рубашку. Он попытался избавиться от них, потерев руку о дерево. Раздавленные крошечные насекомые превратились в красную кашицу.

Один из охранников подошел к Себастьяну и занес мачете. Себастьян в ужасе отпрянул. Охранник сделал на дереве надрез и показал Себастьяну, чтобы тот выпил сок. Из надреза выступила густая белая жидкость, на вкус похожая на кокосовое молоко. Охранник освободил руки Себастьяна и позволил ему наполнить фляжку.

Они шли еще примерно с час, прежде чем добрались до места, указанного Мемфисом Декером на карте.

Ничего.

Ничего нового.

Все тот же шатер из растений.

Та же зелень, от которой рябило в глазах.

— Voce acha que eu sou um idiota?![1] — завопила София.

---

[1] Вы, что за идиотку меня держите?! (*порт.*)

— Здесь где-то должна быть река, — упорно твердила Никки.

Американка в волнении сверилась с маршрутом на экране навигатора. Приемник высокой чувствительности ловил сигналы даже под деревьями. Сигнал показывал, что связь хорошая. Они никак не могли заблудиться. Так в чем же дело?

Никки внимательно приглядывалась ко всему, что видела вокруг. Громче попугаев кричали синие хохлатые птицы. Несколько ленивцев пристроились на освещенных солнцем ветках и сушили намокшую от дождя шерсть. Вдруг Никки заметила на стволе стрелку. Мемфис делал зарубки на деревьях, чтобы отыскать дорогу обратно. София приказала изменить направление. Еще минут через десять они вышли к реке с темно-бурой водой.

Несмотря на сухой сезон, уровень воды в реке был высокий, перейти ее вброд не представлялось возможным. Они пошли вдоль берега в северном направлении, поглядывая на крокодилов, которые неподвижно дремали на поверхности воды. Берега хоть и поросли кустарником, но не таким уж густым, так что идти было гораздо легче, чем в джунглях. Вскоре они увидели подвесной мост.

Толстые лианы были сплетены между собой и привязаны к веткам деревьев. Кто сплел этот мост? Уж конечно, не Мемфис. Чтобы сделать такой мост, понадобилось немало времени. Может быть, индейцы?

София первой двинулась по мосту, следом за ней осторожно вступили на мост и все остальные. Мост раскачивался на высоте метров двенадцати над рекой. При каждом шаге он угрожающе скрипел, грозя рассыпаться, и все же переправа прошла благополучно. После переправы шли еще примерно с час, вновь углубившись в изумрудный сумрак джунглей, пока не увидели сноп света — большую редкость в этом лесу: деревья образовали поляну, позволив солнцу проникнуть и согреть землю.

— Это здесь, — объявила Никки. — Судя по карте, остов «Дугласа» находится в трехстах метрах на северо-восток от этой поляны.

— Siga a seta![1] — закричал один из охранников, указывая еще на одно дерево со стрелкой.

— Vamos com cuidado![2] — приказала София, доставая свой «глок».

По большому счету, трудно было предположить, что у самолета их поджидают полицейские, но после ареста отца София Кардоса была одержима страхом. Она встала во главе маленького отряда, приказав своим людям быть предельно осторожными.

Себастьяну казалось, что он не сможет сделать больше ни шагу. У него слезились глаза, из носа шла кровь, ноги подгибались, пот струился потоками. Боль давила, разрывала череп. Он не выдержал и упал на колени.

— Levante-se![3] — заорал один из охранников и сделал шаг к нему.

Себастьян вытер пот со лба и с трудом поднялся на ноги. Отхлебнул несколько глотков из фляжки, ища глазами Никки и детей. Все мешалось у него перед глазами, но ему все же удалось сосредоточить

---

[1] Идите по стрелке! (*порт.*)
[2] Будьте внимательны! (*порт.*)
[3] Вставай! (*порт.*)

взгляд на своих близких, которых по-прежнему держали под прицелом охранники Софии.

Джереми кивнул отцу, и в этот миг его вдруг ослепил яркий луч света. Что-то блеснуло в траве, отразив солнце. Подросток осторожно нагнулся и с трудом, но все же сумел подобрать, несмотря на наручники, блестевший предмет. Это была турбозажигалка из белого золота, оправленная в крокодиловую кожу. Осмотрев ее, Джереми заметил выгравированные на ней инициалы «Л. С.».

Лоренцо Сантос.

Зажигалка, которую мать подарила Сантосу! Джереми сунул ее в карман, не понимая, как могла она очутиться здесь, среди джунглей.

А маленький отряд продолжал двигаться вперед, ориентируясь по стрелкам Мемфиса Декера, которые он насек на стволах несколько недель тому назад.

Прошло еще десять минут, Флавия рассекла еще несколько лиан, раздвинула ветки и...

Перед ними серебрился корпус самолета.

Огромный. Влекущий. Пугающий.

64

С большой осторожностью отряд Софии двинулся вперед.

Серебристый корпус «Дугласа», длиной более двадцати метров, поблескивал среди зелени. Шасси разбились от удара о землю. Удар о толстенный ствол поваленного дерева, в который самолет ткнулся носом, разнес кабину пилота. Фюзеляж с круглыми боками был сильно помят. При аварийной посадке стекла иллюминаторов выскочили, и теперь они зияли черными дырами. Верхнее покрытие крыла тоже разбилось, обнажив два стальных троса. Самолет превратился в груду лома, которую благодаря влажному воздуху джунглей скоро разъест ржавчина.

Другое дело, что в груде этого лома лежало кокаина на пятьдесят миллионов долларов.

«Кокаин! Наконец-то!»

Довольная улыбка осветила лицо Софии. Напряжение, в котором она жила все последние дни, отпустило. Ей, а не кому-то другому удалось отыскать драгоценный груз. Продав его, она выручит миллионы. Эти миллионы помогут ей возродить картель «Серингейрос» во всем его былом блеске. Она старалась не ради денег, ей была дорога честь семьи. Отец Пабло Кардоса никогда не принимал ее всерьез. На первом месте были для него два ее братца. Два идиота, которые остаток жизни проведут в тюрьме. У нее одной достало изворотливости выскользнуть из лап полиции. У нее одной хватило ума разыскать в джунглях самолет. Ее отца называли «Императором». Так вот, с сегодняшнего дня она станет «Императрицей» наркобизнеса! Ее империя будет простираться от Рио до Буэнос-Айреса, включая в себя Каракас и Боготу!

Два выстрела, прозвучавшие во влажной тишине джунглей, грубо развеяли сладкие мечты Софии о будущем величии. Не успев даже взмахнуть рукой, пара ее охранников повалились на землю, каждый с пулей в голове. Спрятавшийся в фюзеляже самолета снайпер, превративший иллюминатор в бойницу, хладнокровно уничтожил обоих. Третья пуля просвистела в воздухе, лишь едва задев прекрасную бразильянку, которая бросилась плашмя на землю, подтянув к себе автомат одного из погибших охранников. Младшие и старшие Лараби тоже бросились на землю и откатились подальше в кусты, опасаясь шальной пули.

Ответный огонь Софии и ее помощника был сокрушающим. Из двух автоматов они превратили фюзюляж в решето. Гильзы летели потоком, пронзительно визжали пули, иногда рикошетя о металл. Оглушительный грохот стоял в воздухе.

И вдруг после грохота тишина.

— Eu matei ele![1] — обрадованно сообщил охранник.

София выразила сомнение. Охранник, уверенный, что не ошибается, уже не соблюдая никакой осторожности, бросился к двери и вошел внутрь самолета. Через несколько секунд он вновь появился и очень довольный подтвердил:

— Ele esta morto![2]

В его голосе слышалось торжество.

Держа руку на спусковом крючке, София направила автомат в сторону семейства Лараби, прицелилась, потом приказала своему помощнику:

— Mata-los![3]

— Todos os quatro?[4] — уточнил охранник.

---

[1] Я его убил! (*порт.*)
[2] Он мертв! (*порт.*)
[3] Убей их! (*порт.*)
[4] Всех четверых? (*порт.*)

— Sim, se apresse![1] — распорядилась она и скрылась в корпусе самолета.

Охранник вытащил из кобуры револьвер и зарядил. Сразу было видно, что ему не впервой исполнять подобные приказы. С выражением полного равнодушия он подошел к лежавшим на земле взрослым и детям, приказал им встать в ряд и опуститься на колени.

Себастьян, Никки, Камилла, Джереми...

Джереми он приставил к затылку холодный ствол первому.

Крупные капли пота катились по лицу подростка, все тело конвульсивно вздрагивало. Он приоткрыл рот. Джереми был раздавлен чувством вины, был в ужасе от последствий своих необдуманных поступков. Из глаз его хлынули слезы. Он хотел только хорошего! Хотел, чтобы родители помирились! Но наивный идеализм его подвел, он столкнулся со страшной реальностью. По его вине сестра, отец и мать обречены на гибель!

Рыдания комом подкатили к горлу.

— Простите меня, — сдавленным голосом попросил Джереми, и в эту минуту охранник положил палец на спусковой крючок.

65

София осторожно продвигалась вперед по салону самолета. В узком проходе пахло порохом, гнилью, бензином и смертью.

Она пробиралась между коробками с пластиковыми пакетами, где лежал кокаин, прокладывая се-

---

[1] Да, и поторопись! (*порт.*)

бе путь к телу Сантоса. Множество пуль прошили тело копа. Струйка черной крови тянулась у него изо рта. София равнодушно взглянула на мертвеца, но не удержалась и стала думать, кем был этот человек и каким образом ему удалось обнаружить самолет раньше ее. Она присела на корточки и, справившись с отвращением, все же сунула руку во внутренний карман пиджака неизвестного. Она думала, что найдет бумажник, но нашла корочки, свидетельствующие о принадлежности неизвестного к нью-йоркской полиции.

Встревоженная, она собиралась уже подняться на ноги, но тут заметила металлический браслет на правой руке копа. Присмотрелась, даже потрогала.

«Неужели наручники?..»

Поздно! Последним усилием воли Сантос открыл глаза, схватил Софию за запястье и застегнул на нем второй браслет.

Юная бразильянка оказалась в ловушке. Она попыталась освободиться, но что она могла поделать? Сидеть прикованной к трупу?! София заметалась, как лиса в капкане.

— Aurelio! Salva-me![1] — закричала она в панике, призывая на помощь своего подручного.

Отчаянный вопль Наркобарби помешал охраннику выстрелить. Он уже готов был расправиться с Джереми, но, услышав призыв хозяйки, опустил пистолет, оставил пленников и поспешил внутрь самолета. Протиснулся по узкому проходу между коробок и добрался до Флавии.

— Me livre![2] — торопила она его.

---

[1] Аурелио! Спаси меня! (*порт.*)
[2] Освободи меня! (*порт.*)

И тут Аурелио осознал, какой подарок послала ему судьба. В глазах у него вспыхнули сумасшедшие искорки. Кокаин! Миллионы долларов! Власть! Безграничные возможности! Он может делать все, что только пожелает! Он хозяин мира!

— Sinto muito[1], — пробормотал он, приставил пистолет к виску Софии и спустил курок.

Оглушительный грохот взрыва потряс весь лес. Самолет взорвался. Как бомба.

А произошло вот что.

Себастьян подобрался к самолету и крепко-накрепко закрыл дверь в салон. Повернулся к Никки и дал ей знак отбежать с детьми подальше. А потом бросил в один из иллюминаторов зажженную турбозажигалку Сантоса.

Пулеметные очереди из штурмовых винтовок пробили не только фюзеляж, но и основной резервуар топлива. Оно растеклось повсюду. Самолет в один миг вспыхнул, точно костер. Пламя поднялось до ветвей деревьев.

В следующую секунду «Дуглас» взорвался.

Как бомба.

Два года спустя

Все началось с крови.
Все кончилось кровью.

---

[1] Мне очень жаль (*порт.*)

Крики.

Страх.

Боль.

Страдания.

Мало того, что пытка длилась уже не один час, само время растянулось, как бывает во время горячечного бреда.

Обессиленная, распростертая, трепещущая, Никки открыла глаза и постаралась вздохнуть поглубже. Она лежала на спине и чувствовала палящий ее жар, неровные толчки колотящегося в груди сердца, пот, заливающий лицо.

Кровь билась у нее в висках, наполняя гулом голову, туманя взгляд. В беспощадном неоновом свете она стала различать орудия пытки — металлические инструменты, шприцы, людей в масках, которые наклонялись к ней, обмениваясь взглядами.

И снова нож вонзился ей в живот. Едва не задохнувшись, она издала вопль. Ей остро не хватало воздуха, не хватало кислорода, но выхода уже не было, приходилось идти до конца. Она вцепилась в подлокотники, спрашивая себя, как могла выдержать эту пытку семнадцать лет назад. Рядом с ней Себастьян произнес несколько успокивающих, ободряющих слов. Но Никки его не слышала.

Околоплодный пузырь прорвался, пошли воды, промежутки между схватками сократились, схватки стали более интенсивными. Врач распорядился прекратить стимуляцию окситоцином. Акушерка стала помогать наладить дыхание, напоминая, что при потуге нужно сделать плавный вдох и задержать дыхание. Никки терпела боль, а потом тужилась изо всех сил. Акушер помог высвободиться головке, появились плечики и все остальное тельце.

Новорожденный запищал, и Себастьян, счастливо улыбнувшись, крепко сжал руку жены.

Врач взглянул на монитор, следя за ритмом сердцебиения Никки.

Потом снова наклонился над роженицей, проверяя, как продвигается второй младенец, и приготовился принимать близнеца.

Содержание

Литературно-художественное издание

РОМАНТИКА И СТРАСТЬ. ПРОЗА ГИЙОМА МЮССО

Гийом Мюссо

ПРОШЛО СЕМЬ ЛЕТ…

Ответственный редактор *Ю. Раутборт*
Младший редактор *М. Гуляева*
Художественный редактор *П. Петров*
Технический редактор *О. Лёвкин*
Компьютерная верстка *А. Пучкова*
Корректор *О. Степанова*

В оформлении обложки использована фотография:
Eyecandy Images RF / Thinkstock / Fotobank.ru

ООО «Издательство «Эксмо»
127299, Москва, ул. Клары Цеткин, д. 18/5. Тел. 411-68-86, 956-39-21.
Home page: **www.eksmo.ru**   E-mail: **info@eksmo.ru**

Өндіруші: Издательство «ЭКСМО»ЖШҚ, 127299, Мәскеу, Ресей, Клара Цеткин көш., үй 18/5.
Тел. 8 (495) 411-68-86, 8 (495) 956-39-21
Home page: www.eksmo.ru   E-mail: info@eksmo.ru.
Тауар белгісі: «Эксмо»
Қазақстан Республикасында дистрибьютор және өнім бойынша арыз-талаптарды
қабылдаушының
өкілі «РДЦ-Алматы» ЖШС, Алматы қ., Домбровский көш., 3«а», литер Б, офис 1.
Тел.: 8(727) 2 51 59 89,90,91,92, факс: 8 (727) 251 58 12 вн. 107; E-mail: RDC-Almaty@eksmo.kz
Өнімнің жарамдылық мерзімі шектелмеген.
Сертификация туралы ақпарат сайтта: www.eksmo.ru/certification

Сведения о подтверждении соответствия издания
согласно законодательству РФ о техническом регулировании можно получить
по адресу: http://eksmo.ru/certification/

Өндірген мемлекет: Ресей
Сертификация қарастырылмаған

Подписано в печать 18.07.2013.
Формат 84x108 $^1/_{32}$. Гарнитура «Таймс».
Печать офсетная. Усл. печ. л. 18,48.
Тираж 10 000 экз. Заказ 1576.

Отпечатано с электронных носителей издательства.
ОАО "Тверской полиграфический комбинат". 170024, г. Тверь, пр-т Ленина, 5.
Телефон: (4822) 44-52-03, 44-50-34, Телефон/факс: (4822)44-42-15
Home page - www.tverpk.ru Электронная почта (E-mail) - sales@tverpk.ru

ISBN 978-5-699-65819-0

Оптовая торговля книгами «Эксмо»:
ООО «ТД «Эксмо». 142700, Московская обл., Ленинский р-н, г. Видное,
Белокаменное ш., д. 1, многоканальный тел. 411-50-74.
E-mail: **reception@eksmo-sale.ru**

По вопросам приобретения книг «Эксмо» зарубежными оптовыми
покупателями обращаться в отдел зарубежных продаж ТД «Эксмо»
E-mail: **international@eksmo-sale.ru**

International Sales: International wholesale customers should contact
Foreign Sales Department of Trading House «Eksmo» for their orders.
international@eksmo-sale.ru

По вопросам заказа книг корпоративным клиентам, в том числе в специальном
оформлении, обращаться по тел. +7 (495) 411-68-59, доб. 2261, 1257.
E-mail: **vipzakaz@eksmo.ru**

Оптовая торговля бумажно-беловыми
и канцелярскими товарами для школы и офиса «Канц-Эксмо»:
Компания «Канц-Эксмо»: 142702, Московская обл., Ленинский р-н, г. Видное-2,
Белокаменное ш., д. 1, а/я 5. Тел./факс +7 (495) 745-28-87 (многоканальный).
e-mail: **kanc@eksmo-sale.ru**, сайт: **www.kanc-eksmo.ru**

Полный ассортимент книг издательства «Эксмо» для оптовых покупателей:
В Санкт-Петербурге: ООО СЗКО, пр-т Обуховской Обороны, д. 84Е.
Тел. (812) 365-46-03/04.
В Нижнем Новгороде: ООО ТД «Эксмо НН», 603094, г. Нижний Новгород,
ул. Карпинского, д. 29, бизнес-парк «Грин Плаза». Тел. (831) 216-15-91 (92, 93, 94).
В Ростове-на-Дону: ООО «РДЦ-Ростов», пр. Стачки, 243А. Тел. (863) 220-19-34.
В Самаре: ООО «РДЦ-Самара», пр-т Кирова, д. 75/1, литера «Е». Тел. (846) 269-66-70.
В Екатеринбурге: ООО «РДЦ-Екатеринбург», ул. Прибалтийская, д. 24а.
Тел. +7 (343) 272-72-01/02/03/04/05/06/07/08.
В Новосибирске: ООО «РДЦ-Новосибирск», Комбинатский пер., д. 3.
Тел. +7 (383) 289-91-42. E-mail: **eksmo-nsk@yandex.ru**
В Киеве: ООО «РДЦ Эксмо-Украина», Московский пр-т, д. 9. Тел./факс: (044) 495-79-80/81.
В Донецке: ул. Артема, д. 160. Тел. +38 (032) 381-81-05.
В Харькове: ул. Гвардейцев Железнодорожников, д. 8. Тел. +38 (057) 724-11-56.
Во Львове: ТП ООО «Эксмо-Запад», ул. Бузкова, д. 2. Тел./факс (032) 245-00-19.
В Симферополе: ООО «Эксмо-Крым», ул. Киевская, д. 153.
Тел./факс (0652) 22-90-03, 54-32-99.
В Казахстане: ТОО «РДЦ-Алматы», ул. Домбровского, д. 3а
Тел./факс (727) 251-59-90/91. **rdc-almaty@mail.ru**

Полный ассортимент продукции издательства «Эксмо»
можно приобрести в магазинах «Новый книжный» и «Читай-город».
Телефон единой справочной: 8 (800) 444-8-444. Звонок по России бесплатный.

Интернет-магазин ООО «Издательство «Эксмо»
www.fiction.eksmo.ru
Розничная продажа книг с доставкой по всему миру.
Тел.: +7 (495) 745-89-14. E-mail: **imarket@eksmo-sale.ru**